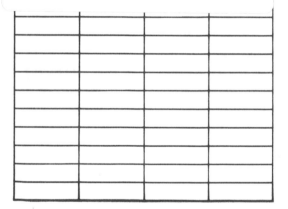

Luiz Eduardo Soares
Cláudio Ferraz
André Batista
Rodrigo Pimentel

EDITORA NOVA FRONTEIRA PARTICIPAÇÕES S.A.
Rua Nova Jerusalém, 345 — Bonsucesso — 21042-235
Rio de Janeiro – RJ – Brasil
Tel.: (21) 3882-8200 – Fax: (21) 3882-8212/8313
http://www.novafronteira.com.br
e-mail: sac@novafronteira.com.br

Texto revisto pelo novo Acordo Ortográfico

CIP-BRASIL. CATALOGAÇÃO NA FONTE
SINDICATO NACIONAL DOS EDITORES DE LIVROS, RJ

E42   Elite da Tropa 2 / Luiz Eduardo Soares... [et al.]. - Rio de Janeiro :
        Nova Fronteira, 2010.

        ISBN 978-85-209-2431-0

        1. Milícias. 2. Polícia. 3. Lealdade. 4. Justiça. I. Soares, Luiz
        Eduardo. II. Título.

                              CDD: 869.93
                        CDU: 821.134.3(81)-3

Este livro narra histórias verdadeiras e fictícias. Cabe a você aplicar os adjetivos a cada episódio e personagem.

Quando cumprir o dever é um ato de heroísmo, é preciso deixar diferenças de lado e promover a unidade em torno dos que estão na trincheira e nos dão o exemplo. Por isso, dedicamos este livro a Marcelo Freixo (deputado estadual), Vinícius George e Marcus Neves (delegados), Jorge Gerhard dos Santos (inspetor da Polícia Civil), Luiz Ayres, Homero das Neves Freitas Filho e Alexandre Murilo Graça (promotores de Justiça), Antônio José Campos Moreira (sub-procurador geral de Justiça do Rio de Janeiro), Ana Luiza Nayon, Paulo Cesar Vieira de Carvalho e Murilo Kieling (juízes), Maria Henriqueta Lobo (desembargadora), José Mariano Beltrame (secretário de segurança do Estado do Rio de Janeiro) e Luiz Zveiter (presidente do Tribunal de Justiça do Estado do Rio de Janeiro). Essas pessoas extraordinárias têm arriscado a vida para livrar o Rio de Janeiro e o Brasil da maior ameaça ao Estado democrático de direito: as milícias. Registramos, aqui, nosso respeito e nossa gratidão.

"Justiça e lealdade são coisas diferentes, ou as demandas da justiça são apenas as demandas de uma lealdade mais ampla?"
[Isto é, uma lealdade não a indivíduos ou grupos, mas à sociedade e à humanidade.]
Richard Rorty

Sumário

Mil e uma noites

Na semana posterior ao episódio, ainda na UTI, vagando entre a vigília e o delírio, resistindo e logo sucumbindo às drogas que os enfermeiros injetavam em minhas veias, eu atravessava as noites no meu bonde virtual. Viajava numa espécie de ônibus iluminado, azul alaranjado, flamejante, que cruzava a cidade como uma fogueira metálica, crepitante, acendendo as ruas por onde passava, uma vela em procissão solitária de um penitente gigantesco e invisível. Quem chegava à janela assistia ao espetáculo fantasmagórico: sua rua acendia e apagava no rastro fulgurante dessa tocha mineral sobre quatro rodas, que roía a madrugada, roncando e cuspindo cinzas douradas. E o fogo frio da manhã era abafado pelo manto de sal da cidade litorânea.

Nada nessas imagens era real, mas a alucinação transfigura a realidade com uma força tão poderosa que a gente custa a crer que não seja ela a verdade mais profunda.

Viajei muito na clausura branca e inóspita do hospital, acoplado às máquinas que me mantinham vivo como um pé de repolho na caatinga. Eu me sentia uma folha de alface no deserto, regado pela mão de Deus e riscado pela unha do diabo. As imagens inventadas por um doente no leito da UTI são toda a riqueza que lhe resta. Devo à minha loucura, estimulada pelo coquetel farmacológico, o pouco de prazer e liberdade que me ajudaram a aguentar o tranco daquelas primeiras semanas.

Antes do episódio, o dia a dia era agitado. Sem roteiro e rotina. Hoje, três meses depois de ter saído do hospital e voltado para casa, minha viagem é imóvel. Não saio do meu quarto. Noite após noite, divago e escrevo. Tiro a camisa do pijama encharcada de suor, enxugo as cavidades engorduradas sob as omoplatas, aponto a cara do ventilador para as hélices da minha imaginação, me certifico se a madrugada já babou sua gosma pegajosa sobre o viaduto que contemplo lá embaixo, verifico se a conexão à internet permanece estável, ponho no colo, em cima de uma almofada vermelha — onde costumava ficar minha M16 —, meu MacIntosh, digito a senha para entrar no Twitter e disparo as frases de 140 caracteres para meus vinte e poucos seguidores.

Numa dessas noites abomináveis, decidi escrever este depoimento:

Dracon1ano

Amigos da PM e da Polícia Civil vieram jantar comigo. Conversa animada sobre rumos do Rio. Pessimismo temperado por ilhas de esperança.
about 15 minutes ago via web

Informes desanimadores, por um lado; histórias fantásticas sobre a pujança da DRACO, por outro. Senti um orgulho danado.
about 14 minutes ago via web

Ao mesmo tempo, uma tristeza profunda. Não é fácil ouvir o diário da guerra sentado onde estou, para sempre. Fora do jogo.
about 14 minutes ago via web

Para sempre é duro de dizer. Mais duro ainda de viver. Mas aprendi que contar minha história faz bem. Mantém a cabeça ativa. Pelo menos ela.
about 14 minutes ago via web

E espanta os fantasmas da morte que conheci de perto e ainda rondam, e se esgueiram, chiam, perturbam, cantarolam. Um troço desagradável.
about 13 minutes ago via web

Fiquei sabendo que meus velhos companheiros da DRACO continuam fazendo muito bem o trabalho que eu fazia: já prenderam 454 milicianos.
about 12 minutes ago via web

A DRACO é um time do cacete. Lembre-se de que milícia é máfia. Prender 454 milicianos não é brincadeira. Sobretudo com tanta bola nas costas.
about 11 minutes ago via web

Bola nas costas é sufocar a equipe da DRACO, pisando nos tubos que levam oxigênio aos tiras e amarrando nosso chefe, o delegado Fausto C.

about 11 minutes ago via web

Nossa turma, inspetores e investigadores, inimiga dos mafiosos mais perigosos, circula por aí sem carro blindado e celulares criptografados.

about 10 minutes ago via web

E com esse nosso salário vergonhoso. Vou repetir para que ninguém esqueça, porque não se trata de um simples detalhe: salário vergonhoso.

about 10 minutes ago via web

Muitos políticos são eleitos com o apoio da máfia. E alguns ainda faturam o saldo do nosso trabalho. O Brasil é o paraíso das contradições.

about 9 minutes ago via web

Quando não conseguem proteger os amigos milicianos, porque nós resistimos e fazemos nosso trabalho, eles jogam os aliados às feras.

about 9 minutes ago via web

E ainda cantam vitória nos braços do povo como paladinos da lei e da ordem. Caras de pau.

about 9 minutes ago via web

De um jeito ou de outro, os políticos saem ganhando. Nós? Nós nos consolamos com o sentimento do dever cumprido. Demagogia? Não, é verdade.

about 8 minutes ago via web

Por isso a gente sente um gostinho todo especial quando põe na cadeia um picareta da política. Um desses mafiosos engravatados e hipócritas.

about 7 minutes ago via web

Estou falando aqui de milícia. Vai ver você não sabe o que é isso ou pensa que é um troço bacana, que combate o crime e defende a população.

about 7 minutes ago via web

Se pensa assim, está enganado. Redondamente enganado. Milícias são máfias formadas por policiais, bombeiros e agentes penitenciários.

about 6 minutes ago via web

Elas invadem áreas pobres. Expulsam, matam ou contratam traficantes. E impõem pagamento por tudo: moradia, comércio, serviços, transporte.

about 6 minutes ago via web

Quem se recusa a pagar é torturado ou morto. A lei é substituída pela força das armas e pelo arbítrio selvagem dos milicianos.

about 6 minutes ago via web

E não se iluda com a ideia romântica de que libertam favelas e bairros populares do domínio do tráfico, porque essas ações são interesseiras.

about 5 minutes ago via web

Quando convém, expulsam e matam traficantes; quando interessa, lhes vendem armas. Só não traficam porque seu negócio é mais lucrativo.

about 5 minutes ago via web

Nem todo miliciano é milionário. Desigualdades de poder e riqueza existem também dentro das milícias. Mas a fonte é pródiga e atraente.

about 5 minutes ago via web

Quando ocupam uma área, costumam passar a imagem de justiceiros paternalistas. Aos poucos, se revelam assassinos e bandidos.

about 4 minutes ago via web

Pior, muito pior que traficantes, eles estão nas polícias e no Parlamento, organizados e em ascensão. São máfias violentíssimas e perigosas.

about 4 minutes ago via web

No Rio, o tráfico de drogas costumava apoiar candidatos. Hoje, a milícia tem seus próprios candidatos.

about 4 minutes ago via web

A polícia foi concebida e organizada para combater o crime. Hoje, no Rio, ela é o crime.

about 4 minutes ago via web

Calma. Tem muita gente boa dispersa por aí, nas duas polícias, que arrisca a vida porque acredita no que faz.

about 3 minutes ago via web

Parece coisa de doido? Parece não. É. Se a gente não tivesse um parafuso a menos não daria um passo a mais no momento crítico do confronto.

about 3 minutes ago via web

Na hora em que o comum dos mortais, conscientes de que são mortais, tiram o pé, a gente pisa mais fundo no acelerador.

about 3 minutes ago via web

Mas é graças a celerados como eu e meus companheiros que você está aí no bem-bom, sentado, tranquilo, lendo as bobagens que escrevo.

about 3 minutes ago via web

Se eu tivesse tirado o pé na hora H, também estaria sentado numa boa, como você, podendo levantar quando quisesse. E isso faz a diferença.

about 2 minutes ago via web

A cadeira, para você, é opção. Para mim, agora, é destino.

about 2 minutes ago via web

Ia dizer que policiais honrados merecem estátuas. Nada disso. Merecem respeito e salário digno, compatível com a importância de sua missão.

about 2 minutes ago via web

Para quem desconhece rotina policial, explico: você trabalha muito? Tem problemas demais? Imagine esses problemas armados, ameaçando você.

about 1 minutes ago via web

Eu dirigia o carro com a M16 no colo. Preciso dizer mais? Não lamento. Não gosto de lamentar nem de causar pena. Melhor contar histórias.

about 1 minutes ago via web

Isso aí: melhor contar histórias do que lamentar. Melhor relembrar o passado. Narrar as aventuras da DRACO. Escrever as memórias. Não sou velho o suficiente, mas as circunstâncias objetivas favorecem, e as subjetivas exigem. Entre as histórias, não escolhi as mais violentas. Selecionei as mais reveladoras. Por exemplo, esta que você vai ler em seguida. Eu a reconstituí graças a um longo trabalho de investigação, que envolveu o esforço de muitos colegas.

‖
A mão lava a outra:
lealdade & deslealdade

Vou contar uma história, que reconstituí depois de quase um ano de investigação, para você não aposentar o espanto, que é pai e mãe da sabedoria. Não sou eu que estou dizendo, não. Os gregos, os primeiros filósofos, é que diziam, quatrocentos anos antes de Cristo. Assim você aproveita e deixa de me ver como um boçal, certo? Aliás, existe uma certa ironia nisso tudo que aconteceu, porque sempre sonhei em ser escritor. Fiz vestibular para letras e cursei dois anos e meio. Mudei para o curso de direito porque tinha de ganhar a vida. Dois concursos depois, acabei na polícia. Em resumo, este sou eu. O tranco do destino me empurrou de volta para o teclado. O que me resta é contemplar o viaduto lá embaixo e outros abismos. E escrever.

A cena, pode-se imaginá-la: Jader, o soldado sentado no banco do carona da viatura policial, levanta a tampa de papelão da caixa hexagonal em seu colo e contempla a pizza que começa a se encharcar de um vermelho-escuro engordurado, dissolvendo os temperos fumegantes em uma indefinida substância pastosa.

Ondas de calor, balanço do corpo sob impactos sucessivos e fluxos que irrigam a pizza com o sangue do rapaz: tudo isso são espasmos que fazem o tempo desacelerar, gradualmente.

Os tiros riscam o silêncio da madrugada chuvosa como raios de luz fria.

Vista da janela do oitavo andar do prédio de classe média, na Fonte da Saudade, a sequência deve ser descrita de outra forma: um carro escuro freia diante da ampla calçada, onde está estacionada uma viatura policial de frente para a rua. Um homem desce e atira com fuzil três, quatro, cinco vezes na direção da viatura, estilhaçando o para-brisa.

No dia seguinte, os jornais estampam fotos mais ou menos explícitas daquela covardia: um policial militar, um trabalhador, cidadão, pai de família, marido fiel, amigo de seus amigos, vizinho cordial, homem cheio de vida. Um mamífero com polegar opositor, hormônios borbulhantes e o sagrado direito de viver.

As reportagens dos jornais e TVs não deixaram de fora os depoimentos comovidos dos moradores, que gostavam da vítima e se sentiam seguras com sua presença. Entretanto, omitiram os capítulos anteriores da novela macabra. "Omitiram" é modo de dizer, porque não houve intenção de censurar. O silêncio é apenas consequência da mais pura e ingênua ignorância — ainda existe esse tipo de ignorância, mesmo que seja a cada dia mais rara.

Pois na antevéspera, não muito longe do cenário em que Jader foi fuzilado, outros disparos puseram em marcha a máquina infernal de causas e efeitos que terminaria por derramar a tragédia na pizza do soldado.

Em poucas palavras, aconteceu o seguinte.

A Lei Seca é a grande novidade nesta noite de sexta-feira. A estreia mais esperada do ano. Os noticiários badalam a prática da nova lei que ameaça punir de verdade quem dirige embriagado. O histórico das intervenções policiais no Rio de Janeiro não é dos melhores. Para ser franco: um horror. Blitz para o carioca e o fluminense, em geral, é sinônimo de achaque, extorsão, roubo, ou de uma negociação vergonhosa entre o roto e o esfarrapado. O roto sem documento, com IPVA atrasado, e o esfarrapado fardado. Com a decadência da PM, inclusive salarial, o assalto uniformizado da velha blitz se reduziu à barganha por qualquer merreca, quase uma esmola. Cinco reais. Um amigo meu já se livrou dando os dois reais que tinha no bolso. Não sei se é melhor sentir ódio ou dó. De qualquer maneira, vergonha descreve bem o sentimento de todo mundo.

Mas com a Lei Seca seria diferente, porque o governo do estado percebeu que estava diante de uma oportunidade extraordinária de melhorar a imagem da polícia. Bastava que ela fizesse direito seu trabalho, quer dizer, bastava que os policiais cumprissem direitinho seu dever. Parar o cidadão, explicar-lhe seus direitos, apresentar as alternativas, encaminhá-lo ao bafômetro, medir o teor alcoólico no sangue, informá-lo do resultado e adotar a providência pertinente em cada caso. Mas era necessário não aceitar propina nem se curvar diante dos sobrenomes famosos, nem mesmo de autoridades. Mais que isso: era indispensável mostrar profissionalismo e honestidade, aplicar a lei com equidade e equilíbrio. Manter sempre a cabeça fria, mesmo sob provocações dos inconformados.

Escrevi que *bastava* os policiais cumprirem seu dever. Mentira. Quando se diz que *basta* fazer algo, transmite-se a impressão de que aquilo que cumpre fazer é fácil, simples, está bem à mão. Contudo, no Rio, na PM, nada mais difícil do que isso: cumprir o dever. Pelo amor de Deus, isso é dificílimo, e é esse o grande problema. Aliás, o mesmo vale para a Polícia Civil, que me desculpem os coleguinhas. E não me venham com diplomas e títulos porque ser ou não doutor não muda nada. Só existem tráfico e milícia, fontes dos piores crimes, porque a polícia é conivente, cúmplice, acionista, sócia ou protagonista do empreendimento. Os mafiosos das milícias são policiais ou ex-policiais de ambas as polícias, civil e militar, ou bombeiros. O resto é exceção. Os traficantes, por sua vez, vendem drogas ilícitas principalmente em pontos fixos, chamados bocas de fumo. Se esses pontos são fixos e se os usuários conhecem o mapa da mina, a polícia também conhece. Óbvio. Portanto, se o estabelecimento varejista continua funcionando é porque pagou sua taxa aos cúmplices policiais. Certo? Tudo isso só não é claro para os governantes. As autoridades. Será que as autoridades incluem os ganhos dessas parcerias criminosas na categoria "bico", isto é, complementação salarial? Será que toleram esse esquema para manter a estabilidade orçamentária? Será que o propósito da omissão oficial ante a degradação da polícia é o mesmo que se verifica no caso da segurança privada ilegal: fazer com que a massa policial tolere os absurdos níveis salariais a que é submetida?

O fato é que garantir o cumprimento do dever é muito complicado. Por isso o governo teve a brilhante ideia de deslocar a responsabilidade pela aplicação da Lei Seca para a Secretaria de Estado da Casa Civil, que funciona sob as asas do gabinete do governador. O sentido dessa transferência de função é claro: selecionar policiais corretos, treiná-los para a missão e implantar um sistema adequado de supervisão. E sobretudo respeitar o pacto de que não haveria exceções. O primeiro magistrado, deputado, milionário que sacasse o "sabe com quem está falando?" da carteira receberia uma resposta padronizada: "Estou falando, respeitosamente, com um cidadão que tem os mesmos direitos e deveres dos outros cidadãos." Ponto final. Não haveria telefonema, recado, ameaça, nada que protegesse privilégios.

Primeiro dia é incógnita. As dúvidas em todas as áreas são mais fortes que as certezas. Entre policiais e motoristas. A reputação de que a operação Lei Seca era para valer e envolvia profissionais sérios não estava estabelecida. Todo mundo temia que os estratagemas da blitz convencional se reproduzissem em maior escala, sob a chantagem agora mais eficiente do bafômetro. Nas polícias prosperavam boatos sobre o bafômetro paraguaio, útil para os velhos acertos, a velha cervejinha. A turma começa a divulgar que a Lei Seca serviria para molhar a mão. Na sociedade, o passado é a fonte natural para a formação das expectativas sobre comportamentos futuros. Nas polícias, também. Na primeira sexta-feira, imagens e expectativas contraditórias se cruzam.

Dois policiais mandam parar uma jovem motorista que passa, em velocidade, rumo à Barra da Tijuca. Não é uma blitz da Lei Seca. O fato é que ela ignora solenemente a determinação de parar. Sabe-se lá por quê. Embriagada? A blitz poderia ser falsa? Mesmo verdadeira, a abordagem poderia ser inconveniente, ameaçadora, arriscada, violenta para uma mulher sozinha? Nem percebeu a sinalização do PM? O carro atravessa a linha imaginária e um dos policiais liga para um terceiro colega do outro lado do túnel. Sua autoridade tinha sido atropelada, mas o colega se anteciparia. No mínimo estaria preparado para sinalizar com mais veemência e tomar as medidas cabíveis.

O carro passa pelo primeiro túnel, pelo viaduto sobre o oceano, pelo segundo túnel, chega à Barra com os faróis ligados, a velocidade estável. O policial precavido, atento à descrição que o colega fizera do carro, desloca-se para o meio da pista determinado a fazê-lo parar. Movimenta os braços. O carro acelera. O PM se afasta quando o carro cruza sua linha imaginária, vira-se na direção do veículo, aponta o fuzil e dispara. O carro desgovernado se arrasta com violência na mureta lateral até parar.

O policial e seu superior, sargento Ramalho, correm até o veículo. A motorista permanece imóvel. O tiro a atingiu na cabeça. Ela está morta. Os documentos. Forçam a porta do lado direito. Invadem o carro. Examinam os documentos que estão na bolsa atirada ao chão. Leem nome e sobrenome. Mexem nos papéis e encontram o título de membro do Instituto de Arquitetos do Brasil. Na carteira, cartões de crédito, talão de cheque, agenda eletrônica e celular. E uma foto em que a vítima sorri entre um homem e uma mulher mais velhos que ela.

— Puta que pariu. Caralho.

— Que merda. Por que você atirou?

— A mulher passou... Você viu... Ela passou por mim, porra. Como é que eu...?

— Que merda, Cardoso.

— Estou fodido.

— Espera.

— Fodido, fodido.

— Passa teu Nextel.

— Fodeu. Caralho.

— Busca nossa viatura e estaciona logo aqui atrás. Liga o giroscópio e fica postado no meio da pista para não deixar nenhum curioso se aproximar. Não deixa ninguém diminuir a velocidade para espiar. Aponta o fuzil pra assustar o primeiro neguinho intrometido. Fica aí de espantalho. Do outro lado não dá pra ver. A mureta protege.

— Não tem jeito, sargento, não tem. Fodeu. Atirei na mulher, porra. Matei a moça.

— Não faz drama, porra. Fica frio. Faz o que eu disse. Passa logo o Nextel.

— O que é que você vai fazer?

— O oficial de dia do batalhão da área é o tenente Cosme, gente nossa. Ele é dos Galáticos.

— A milícia do Firmino?

— Vai fechar com a gente. Ele sabe que a gente também está compondo lá com o sargento Firmino. Está tudo em casa, Cardoso. Faz o que eu mandei, cacete. Olha um carro vindo aí, devagarinho. Vai, caralho. Espanta logo a porra do curioso. Já pensou se aparece um jornalista?

Três e meia da manhã. O movimento é escasso. Os carros reduzem a velocidade para observar o acidente, mas Cardoso é um bom espantalho.

Ramalho não entra em detalhes no telefonema. Comunica o suficiente. Cosme reúne sua turma e parte a 150Km por hora de Jacarepaguá para a entrada da Barra. Não, viaturas policiais não são assim velozes. Cosme está dirigindo seu carro particular, um Honda Civic zerinho. É melhor. Mais rápido e mais seguro. Se optasse pela viatura do batalhão, o GPS identificaria o deslocamento. Ele teria de explicar.

Eficácia e autoridade: no lugar da ocorrência o tenente mostrou por que é tão respeitado. Nada como a experiência. Cosme era um homem de decisões rápidas. Na polícia é preciso pensar rápido. E agir rápido. Além do mais, ele aprendera que a hesitação tende a abalar o ânimo dos subalternos e aos poucos enfraquece a disciplina.

— O carro vai para a Lagoa da Barra, lá pra cima, na direção de Jacarepaguá. O corpo da moça a gente enterra no cemitério dos Galáticos. Ramalho, pede licença ao Firmino. Diz que eu estou pedindo. Avisa que estamos indo para lá. Vê se o carro está funcionando.

— Funcionando está — respondeu Cardoso. — O problema é a roda do lado esquerdo. Está travada pelo para-lama, que ficou todo amassado.

Cosme ordena que tirem o para-lama e liberem a roda. Manda Ramalho dirigir, seguindo o Honda. A vítima é embrulhada em uma lona que serve para essas emergências e depositada no banco traseiro de seu próprio carro. Tudo muito rápido, eficiente e discreto. Cardoso senta na poltrona do carona, ao lado de Ramalho. Ele preferiria ir no outro carro. Seria melhor se pudesse sumir dali. Evaporar. O cortejo fúnebre nessas condições é uma experiência que Cardoso não suporta. Mesmo assim, só lhe resta obedecer e acompanhar quietinho o féretro bizarro. Enterrar e desenterrar gente em cemitério clandestino ele sabe fazer. Não é nenhum mistério. Mas jogar carro dentro d'água lhe parece coisa de cinema.

A missão é dura e termina ao amanhecer.

Dia seguinte — ou melhor, poucas horas depois, à tarde, naquele mesmo dia, em que todos eles estão de folga. Encontram-se para o almoço em uma churrascaria da Barra, conforme combinado. Firmino está presente. É necessário pensar com calma. Usar a inteligência. Antecipar os próximos passos. As perguntas são as naturais e vão aparecer, de um jeito ou de outro. A família vai procurar pela moça. O caso vai se tornar manchete. Os jornais vão correr atrás da história, sendo a vítima quem era. Onde ficam as câmeras de vigilância do trânsito que exigem intervenção imediata? Que tipo de intervenção é possível? A mulher teria ligado para alguém do celular pouco antes de atravessar os túneis e levar o tiro? Se ela ligou, sua posição pode ser localizada, o que indicaria a região em que ela e seu carro teriam desaparecido. Dirigindo o carro da vítima, Ramalho teria sido flagrado por câmeras nos sinais de trânsito?

O almoço é longo, e as deliberações, demoradas. Decidem jogar no colo de traficantes da Rocinha. É a fábula mais plausível, mais verossímil. Mesmo assim alguns fatos ficariam de fora da explicação, caso investigadores checassem as câmeras na Barra. Para impedir que isso ocorra, optam por assumir a iniciativa de culpar o tráfico. O foco das atenções policiais e o foco da mídia têm de ser a Rocinha.

Que tal uma denúncia anônima de que haveria um cadáver enterrado na mata próxima à Rocinha? O problema seria carregar o corpo em decomposição para uma área sempre sob observação, ainda que distante. A proposta é boa. O consenso é que bastaria levar um membro da vítima. Queimariam o corpo e preservariam um membro para permitir a identificação. A cremação se daria no território sob o comando da milícia de Firmino, naquela mesma noite. No amanhecer do terceiro dia, os restos, inclusive o membro, seriam conduzidos ao último repouso. Digo, penúltimo. Ao mesmo tempo, deslanchariam uma operação sob excelente justificativa. Diriam que corria o boato de que vazara a informação relativa à denúncia e às providências policiais. Por isso, o conveniente seria anunciar aos superiores hierárquicos, ao mesmo tempo, a denúncia sobre o cadáver ao lado da Rocinha e a denúncia de que o tráfico já saberia que a polícia obtivera a informação e, portanto, provavelmente, se apressaria a remover os vestígios. Esse enredo legitimaria, por parte dos policiais, procedimentos pouco atentos a detalhes políticos, burocráticos, formais e até hierárquicos. Ou seja, justificaria a incursão urgente de policiais do Batalhão da Barra numa área sob responsabilidade do Batalhão do Leblon, sem aviso prévio e planejamento oficialmente autorizado.

O líder miliciano revela a carta que guarda na manga: a influência que exerce nos mais diversos setores das polícias e da Secretaria de Segurança, além de outros gabinetes governamentais, estaduais e municipais. Revela que está disposto a gastar um trunfo importante, já que, para todos, a solução desse problema se tornara essencial. Compromete-se a acionar dois helicópteros policiais para sobrevoar a Rocinha, a mata vizinha e o bairro de São Conrado, enquanto os colegas estivessem envolvidos na ação planejada. A visibilidade estaria garantida. Impossível não chamar a atenção dos repórteres com dois imensos helicópteros rondando edifícios e a favela como abelhas mecânicas monstruosas, o zumbido guerreiro prenunciando a violência de um ataque. Impossível não chamar a atenção coletiva afetando uma área nobre da cidade e mobilizando os medos arcaicos dos cariocas: de que o morro desça e tome a cidade. Morro, no Rio de Janeiro, é sinônimo de favela. E a Rocinha ainda é, no imaginário da sociedade, a favela arquetípica. Pelo contraste que ela põe em cena. Pela fama. Pela tradição. Pelo número de moradores. Pela localização estratégica. E pela ostensividade: a colmeia de casas abre a boca cheia de dentes sobre o mar e os prédios luxuosos. E tem mais: a Rocinha está debruçada sobre um túnel central para o trânsito da cidade.

Os jornais, as rádios, as TVs e a atenção pública são indispensáveis, porque o caso da arquiteta tem de vir à tona associado a traficantes da Rocinha e ao empenho policial na resolução do crime. Se as manchetes carimbam essa interpretação dos fatos, fica muito difícil mudar a linha de investigação, uma vez que tudo se encaixa à perfeição e está em harmonia com os preconceitos e a experiência pregressa da sociedade. Problema é igual a favela, e favela é igual a tráfico. Batendo nessa tecla, confirma-se o que vem naturalmente à consciência. Os indícios sendo convergentes com essa tese, tudo indica que o caso tende ao encerramento, o que agrada ao chefe da polícia, ao secretário e ao governador. Os números da segurança melhoram. A família da vítima agradece. A paz volta a reinar. Desde que, é claro, alguns traficantes sejam mortos por conta. O braço da moça e as cinzas demonstram que houve assassinato. Correspondem ao que os advogados chamam de materialidade do crime. Traficantes mortos em confronto com a polícia confirmam a existência de homicidas.

Firmino não é chefe de milícia à toa. Se dependesse da patente, o sargento mal teria onde cair morto. Sua pretensão era construir um império, conquistando territórios, dominando os moradores, recolhendo taxas sobre gás, transporte, luz, TV, comércio, residências, promovendo migrações da Baixada para favelas próximas à Zona Sul da capital, oferecendo lotes públicos a preços acessíveis, financiáveis. Quanto maior a densidade demográfica, maior o lucro. Parte fundamental dos planos era a eleição de uma bancada cada vez mais forte. A conquista do território matava todos os coelhos de um golpe só: garantia rendimentos econômicos permanentes e crescentes, e fechava a porteira de acesso dos candidatos a números cada vez mais apreciáveis de eleitores. A ideia era avançar da Zona Oeste da cidade para a Baixada Fluminense: uma cruzada; uma avalanche.

O acordo está fechado. Brindam a isso.

Na manhã da operação na mata ao lado da Rocinha, seus moradores e vizinhos de São Conrado são acordados cedo pelos dois helicópteros indo e vindo do mar à mata, com alguns rasantes sobre a favela. A cena assusta, mas exerce atração irresistível. Menos sobre quem sabe que é alvo e quem acha que pode levar uma bala perdida na cabeça. Os outros — nos prédios de classe média, nos edifícios das elites ou nas mansões que resistiram à especulação imobiliária —, os outros vão à janela ou chegam à varanda, ainda que com um misto de pudor e receio.

O efeito é plenamente alcançado. As rádios que tocam notícia alardeiam a operação policial. Motoristas começam a desviar a rota na medida do possível, evitando o túnel sob a Rocinha. Não raro, em situações desse tipo, ele acaba sendo fechado pelo tiroteio.

A equipe do tenente Cosme cava uma sepultura falsa, revolve a terra, mistura-a às cinzas, mergulha nela o membro preservado.

Os comandos das polícias e as secretarias recebem o comunicado nos termos que os milicianos combinaram na churrascaria.

Cardoso teria de agradecer a vida inteira a lealdade dos companheiros que se arriscaram para salvá-lo. A experiência servia também de lição sobre a ética do grupo, que deveria sempre se sobrepor a quaisquer considerações sobre leis, instituições e coisas desse tipo.

Vestígios do corpo seriam encontrados pelos mesmos policiais que os enterraram. O fato seria imediatamente comunicado às autoridades, que fariam a gentileza de compartilhar a notícia com os repórteres. Seria, então, hora da ação na favela para matar alguém e oferecer sua cabeça à sociedade e à Justiça, antes que algum traficante desse com a língua nos dentes ou que os policiais mancomunados com eles lhes passassem a informação sobre o plano. Essas coisas correm rápido.

Nesse momento, uma contraordem interrompe a movimentação da equipe de Cosme e Firmino. Um balde de água fria põe em risco todo a trabalhosa maquiagem do assassinato da arquiteta.

Ramalho tem uma esposa, que tem uma irmã, a qual, por sua vez, é casada com um soldado da Polícia Militar. Ele se chama Jader.

Em casa, ao amanhecer do dia seguinte à morte da arquiteta, depois do plantão de 24 horas, exausto — antes, portanto, do churrasco com os amigos e das deliberações sobre o destino do corpo —, Ramalho entra no chuveiro e, como de hábito, não tranca a porta. Como sempre, sua esposa lhe serve uma caneca de café fresquinho, fumegante. Ele gosta de botar a cabeça fora da cortina do box e dar umas bicadas no café amargo, nas mãos da mulher. Felizmente, aquela tradição conjugal tinha sido preservada.

Pelo menos uma, ele pensa. Uma raridade. Uma exceção entre tantas abolidas desde que a mulher se convertera. Uma evangélica não deixa de fazer sexo com o marido. Claro que não. Mas muda o comportamento. Por isso, não por sua culpa — ele chegara a compartilhar com Cardoso —, ficava cada vez maior a distância entre o sexo semanal em casa e a festa com as garotas de programa. Elas adoram policiais, sobretudo fardados, e não sofrem o tormento da culpa. As horas nos motéis com as meninas eram, em geral, memoráveis, porque, como dizia Cardoso, "rolava sentimento". Até o mais difícil os policiais conseguem. A concessão das concessões para uma prostituta: o beijo na boca. Tudo porque a transa com o policial tem um significado diferente. A moça se sente protegida, privilegiada, valorizada e acha que vale a pena dar-se de graça para merecer o troco, qualquer dia, qualquer noite. E com razão.

O troco costumava vir. A lei das mãos que se lavam aplica-se também às relações eróticas: as mãos que se tocam pela vontade generosa e desprendida de uma garota de programa corresponde a mãos firmes a seu lado, nas futuras e imprevisíveis circunstâncias da vida. Uma vida arriscada, no fio da navalha. Aliás, essa descrição cabe como uma luva também para a vida do policial. Talvez também por esse motivo essas almas se irmanem. Alguns diriam: são gêmeas. Não chego a tanto. Uma frase assim poderia suscitar interpretações irônicas. Não é o caso. Até porque alugar o corpo constitui atividade legalmente autorizada. Não tem nada a ver com vender-se. Portanto, se você pensou que minha intenção era insinuar uma comparação entre o policial corrupto e a prostituição, equivocou-se. Mais respeito com as meninas.

Não sei se as pessoas sabem disso, mas o mundo policial e o universo da prostituição são vizinhos. Mais que isso: são íntimos. Pergunte a seu amigo do BOPE, por exemplo, se é que você tem um, se ele já não foi relaxar em uma sauna depois de uma incursão à favela, alta madrugada. Relaxar com os amigos significa curtir a camaradagem jocosa e o convívio com as garotas. Ele vai lá mesmo quando não está com disposição para o sexo. Nem sempre se trata de sexo. Beber um pouco com os amigos e as meninas, no ambiente meio onírico, ao som de seu ritmo preferido, se abrindo à vontade, comentando os lances do jogo de vida e morte recém-terminado, sem o apito do juiz, tudo isso é muito bom. Muito reconfortante.

No inferninho, sob luz negra, o dialeto policial comanda piadas e suscita afinidades. Para ecumênico benefício de todas as partes. As garotas seminuas saltitam entre as mesas em que a lealdade é celebrada para além da fronteira das corporações. Policiais assíduos costumam ser convidados para cumprir o delicioso papel de jurado nos concursos de miss. Concursos um pouquinho mais ousados, um pouquinho mais picantes do que aqueles que celebrizaram os maiôs Catalina e as virtudes filosóficas do *Pequeno Príncipe*, de Saint-Exupéry, e que a TV Tupi transmitia ao vivo, sem cores, para todo o Brasil, em horário nobre. Diversão familiar. As famílias que se formam no escurinho da boate são unidas menos por bênções divinas do que pela cumplicidade das catacumbas, a fraternidade clandestina dos primeiros cristãos.

Jader era freguês contumaz dos inferninhos de Copacabana e das duas saunas de Ipanema. Ramalho frequentava um estabelecimento semelhante, na Barra. Não se cruzavam. Ou melhor, se viam no Natal, em casamentos e batizados da família. Nada mais. Ainda bem, porque não daria certo. Jader era o cara certinho. O babaca, segundo Ramalho.

Entre uma bicada e outra no café, a mulher lhe pergunta sobre o sangue na camisa. Ramalho responde, seco:

— Não mancha se você lavar direito. — Ela fica em silêncio. Ele completa: — Tem uns produtos que tiram qualquer mancha.

— Não é disso que estou falando. Não estou preocupada com a camisa e a calça.

Ramalho alonga o banho, sem paciência para encarar a mulher. Aliás, não lhe deve nenhuma explicação. Só faltava essa. Chegar em casa estafado e ainda ter de aguentar a mulher o atormentando.

A chuveirada não tem fim.

— Você quer sair daí e me explicar? Nunca vi isso. Você nunca chegou sujo de sangue.

O banho continua.

— Você matou alguém?

A mulher tinha ouvido muitas histórias no passado e muitas outras histórias mais recentes sobre milícias. Coisas horrorosas. Entrou por um ouvido e saiu pelo outro. O pai de seus filhos não era bandido. Era policial. Mas ali, naquela hora, o cheiro do sangue, a presença do sangue, a cor que alarma envenenaram seu espírito.

— Não mato. Policial não mata; protege as pessoas. Já te disse isso. Quando um policial é levado a matar uma pessoa é porque tem de defender a própria vida ou a vida de um inocente. Conforme manda a lei. Legítima defesa. Já ouviu falar em legítima defesa?

Ramalho sai do box. A mulher lhe passa a toalha.

— Você matou em legítima defesa?

— Não.

— E o sangue? De quem é?

— Uma pessoa se acidentou e eu tive de ajudar, antes dos bombeiros chegarem.

— A pessoa morreu?

Ramalho fez que sim com a cabeça, sem olhar a mulher, enquanto enxugava os pés.

— Vai buscar mais café.

Ela não arreda pé. E insiste:

— Quem era a pessoa?

— Não sei.

— Homem ou mulher? Novo ou velho?

— Mulher. Nova. Uns trinta anos.

— Que horror.

— Por favor, me busca mais café. Vai lá.

A esposa vai e volta com a xícara cheia. Passa-lhe o café com mais uma pergunta:

— Será que era uma artista? Ouvi no rádio que uma atriz se acidentou.

— Arquiteta. Era arquiteta.

— Coitada. Que desgraça. Uma moça tão nova. Arquiteta. Um futuro tão lindo. Perdido. Será que ela era casada?

— Não sei, minha filha. Não tenho a menor ideia. Agora vê se me deixa em paz. Foi uma noite horrível. Vou ter de acordar às duas da tarde. Tenho compromisso às três. Não vou almoçar em casa. Tenho de recuperar as energias. Não quero te deixar viúva cedo.

A mulher sai com a xícara e a toalha molhada. Ramalho veste o pijama e chama a esposa:

— Minha filha, escuta. Não fala pra ninguém sobre o acidente, viu?

— Qual o problema?

— O problema é que eu ajudei a vítima antes dos bombeiros chegarem, e isso não se faz. A gente tem de esperar pelos bombeiros. Mas o que é que se vai fazer? Vendo a pessoa ali naquele estado, eu acabei me precipitando. Você quer que eu seja punido?

— Você merece é uma promoção. O gesto foi muito bonito. Gesto de verdadeiro cristão. Já te disse que não perdi a esperança de te ver na igreja. No fundo, você é um crente. E dos melhores.

Maria do Carmo sapecou um beijo no marido e saiu satisfeita.

Na hora do almoço, Glorinha, a esposa de Jader, o acorda como sempre faz quando ele chega do trabalho pela manhã, cedinho. Os turnos de trabalho variam. A rotina também. Jader faz um pit stop no banheiro e se arrasta até a cozinha. De pé, prova com a mão um dos croquetes que sua mulher preparou. Ela reclama, como de hábito. Ele senta à mesa e espera que ela sirva. Ela prefere assim. E justifica citando a mãe, que fazia desse jeito. Mas tem muita coisa que a mãe fazia e ela não copia. Por isso, Jader deduz que essa novidade que a mulher resolveu introduzir na vida do casal tem mais a ver com a conversão religiosa do que com homenagem à memória da mãe.

Glorinha faz o prato de Jader com arroz, feijão, abóbora e o enroladinho. Enche o copo de água e senta-se.

Ele pergunta:

— Você não vai comer?

— Vou esperar os meninos.

Ele passa os olhos na seção de esportes do jornal. Ela puxa conversa:

— Maria do Carmo esteve aqui. Trouxe a batedeira que eu emprestei.

Jader continua lendo.

— Estava toda prosa do marido. Disse que Ramalho chegou em casa encharcado de sangue porque arriscou a vida tentando salvar uma arquiteta.

O marido levanta os olhos do jornal e franze o cenho. Ela continua:

— A mulher morreu.

Jader prepara uma garfada. Glorinha prossegue:

— Acho que a Maria do Carmo é complexada. Ela tem sempre de contar alguma história do Ramalho. Ela sabe que você não gosta dele. Sabe que o marido não é flor que se cheire. E não para de inventar histórias de heroísmo.

— O Ramalho tentou salvar uma arquiteta? Que negócio é esse?

— Um acidente. Lá na Barra. Mas ela disse que não é pra contar pra ninguém, porque ele agiu antes de os bombeiros chegarem, e isso não é permitido.

Jader fixa os olhos na esposa mas não a vê.

O soldado Jader há tempos trabalha no 2° Batalhão da PM. Sua responsabilidade é garantir a segurança nas ruas em torno da Fonte da Saudade. A orientação do comando determina que ele permaneça em um ponto fixo com bastante visibilidade. Sua viatura deve ser uma referência para os moradores. Aumenta a sensação de segurança. Foi o que lhe disse o coronel. Ele cumpre. E com prazer, porque a vizinhança gosta dele e o trata a pão de ló. Literalmente. Na véspera foi o que ganhou de presente de uma síndica. Veio num pratinho com uma latinha de Coca-Cola. Light. Ela sabe que ele faz regime. Quem não sabe, ou melhor, faz questão de ignorar é Glorinha. Diz que ele tem de se alimentar. Que de onde ela vem não existe homem gordo. Existe homem forte. Ele está forte. E assim deve ser um homem de verdade. Principalmente um agente da lei. Jader discorda, mas vai você convencer Glorinha de alguma coisa.

Naquela tarde, os prédios estão alvoroçados. A boataria corre. Moram ali parentes de uma moça que sumiu. Desapareceu sem deixar rastro. A família acha que é sequestro, mas ninguém ligou pedindo resgate. Os porteiros comentam. A síndica vem conversar com Jader. Quer sua opinião abalizada e seu conselho. Ele pede detalhes e descobre que se trata de uma jovem solteira, de trinta anos, arquiteta.

A profissão da moça detona uma bomba de nêutrons em seu sistema nervoso.

Jader cumpre a jornada de trabalho. É meia-noite. Em vez de ir para casa, vai à sauna. Ele iria para lá de qualquer jeito. É a noite de Bianca. A noite que ela reserva para ele. Religiosamente, se é que o advérbio pode ser aplicado sem ofender o leitor crente. Só que desta vez a prioridade é outra.

Cumprimenta uns e outros, beija Bianca na boca, pede uma caipirinha à garçonete e pergunta à turma da confraria pelo coronel Ortega. Ninguém viu Ortega. Ele costuma aparecer. É noite do Ortega, sem dúvida. Pensa em pedir o celular dele, mas logo desiste — esse é o tipo de comportamento impróprio, que causaria mal-estar e o faria perder pontos na tabela de confiança da irmandade. O que se vê ali morre ali. As amizades da catacumba começam e acabam lá mesmo. A não ser que os envolvidos se disponham a levar adiante suas relações. É um direito de todo mundo. Desde que seja espontâneo e voluntário. Portanto, não se pede a terceiros informação sobre alguém. O número de telefone é um dado privado que só deve ser solicitado diretamente à pessoa. Paciência. O jeito é esperar e torcer para que Ortega chegue logo. Jader dificilmente teria coragem de procurá-lo na corregedoria.

Coronel Ortega é subcorregedor da Polícia Militar. Famoso por não fazer acordo com bandido. Fardado ou não. Um cara duro que Jader admira e que lhe pareceu ainda mais admirável quando o conheceu de perto nas catacumbas da noite carioca e bebeu em sua mesa. Oficial honesto e rigoroso dificilmente bebe com soldado. Talvez beba. A teoria pode ser uma besteira. Mas é assim que Jader pensa e por isso é fã de Ortega.

Embalado pela caipirinha e pela ansiedade, Jader bebe a segunda. Enfim, Ortega chega. Não tinha planejado conversar com ele com duas caipirinhas na cabeça. Para quem não costuma beber mais do que um chope de vez em quando, a dose é cavalar. Por essa razão, a conversa com Ortega se arrasta, driblando pedras e barreiras. É meio complicada. Não flui como Jader esperava. O coronel faz perguntas. Jader não está preparado para responder a perguntas. A ideia era contar o que ouviu. Só isso. Em solidariedade à família da moça. Por lealdade à dona Martha, a síndica. Mais do que por considerações legais ou institucionais. O que merece ser dito é que o relato de Jader a Ortega não tem nada a ver com seu desprezo por Ramalho. Esse é exatamente o sentimento que nutre pelo concunhado: desprezo. Pois ninguém vai fazer nada contra uma pessoa só porque a despreza. Justamente por isso desprezo difere de ódio. Acontece que uma palavra puxa outra, e a história cresce mais do que devia.

A rigor, Jader não sabe de nada. É o que diz ao coronel. Diz e repete, quando Ortega insiste em puxar os fios da narrativa em várias direções. Jader não tem informações sobre o envolvimento de Ramalho com milícias. Mas, sim, é verdade, não tem dúvidas de que ele pertence a alguma milícia. Disso ele tem certeza. Carro importado? Dois. Casa de praia e barco? Sim. Casa própria? Uma supercasa num condomínio, em Jacarepaguá. Mas o que interessa é que uma arquiteta acidentou-se na Barra da Tijuca e Ramalho contou à esposa que tentou salvá-la. Chegou encharcado de sangue em casa. Do outro lado, uma família entra em desespero, porque a moça sumiu. Os parentes procuram nos hospitais e consultam os bombeiros. Nada. Mobilizam a Divisão Antissequestro, mas os policiais resistem a classificar o caso como sequestro. A família não sabe o que fazer. A polícia promete investigar.

Jader pergunta a Ortega:

— Coronel, por que o acidente não foi reportado a nenhum órgão? Nem à polícia, nem aos bombeiros, nem a algum hospital? Isso está cheirando mal. A vida dessa moça pode estar correndo perigo, se é que ela ainda está viva.

O subcorregedor toma seu Campari em silêncio, enrolando nos dedos o guardanapo de papel e mastigando amendoim. Depois mexe com o polegar e o indicador o anel de ouro que enfeita o dedo mindinho esquerdo.

Jader intui que o silêncio prenuncia mudança de marés. Observa que as unhas do coronel são esmaltadas. Costuma dizer a Glorinha que não confia em homem que pinta as unhas. Nada a ver com duvidar da masculinidade do sujeito. Não. A dúvida é mais profunda. Analisando o subcorregedor, pondera e conclui que nenhuma regra deve ser aplicada sempre, sem exceções, sem respeito às particularidades de cada caso. Nem as leis, nem as normas que ele mesmo inventa para governar sua vida. Tem certeza de que o coronel não vai decepcioná-lo. De repente, se dá conta de que está emocionado. Teme que o superior perceba. Enxuga os cantos dos olhos com o dorso da mão direita, lentamente. Um lado, depois o outro. Quer abraçar o coronel. Compreende que estão juntos no meio de uma guerra sangrenta e que são irmãos, nas catacumbas.

Ortega não fica para a festa com Jenifer e Jéssica, a grande noite com as gêmeas mais cobiçadas da cidade. Está perdida a noite a três que ele tinha imaginado em detalhes tantas vezes por tanto tempo. O coronel está em ponto de bala. Tinha tomado um Viagra — azulzinho, para os íntimos — quando estacionou o carro. Gosta de entrar na sauna prevenido contra acidentes de percurso, comuns na sua idade. Contrariando a libido em ebulição, decide sair para tomar providências imediatas. Afinal, não tinha construído uma carreira de trinta anos para capitular naquela hora, trocando o dever pelo sexo. Soa meio demagógico e retórico, mas é o que pensa o coronel. Ele é assim, meio demagógico e retórico. Mesmo sozinho, consultando a consciência, ele diz essas coisas. Suas frases parecem extraídas do livro de moral e cívica cuja leitura formou sua têmpera de policial militar e cidadão. Tem orgulho de ser desse jeito, ultrapassado, fora de moda, duro, patriota e honesto. "Um homem honrado", gosta de sussurrar no espelho:

— Honrado. Será que alguém nesse país ainda sabe o que isso significa?

Repete a interrogação aos berros enquanto passa a primeira marcha em seu velho Passat 1985, vermelho, produzido para o mercado iraquiano. Um carrão de que ele cuida com o zelo de um pastor. O Passat é a joia de seu tesouro. Ninguém ouve sua declaração bombástica porque é tarde, os vidros estão fechados e seus contemporâneos não entendem mais a língua que ele fala.

É o que pensa o subcorregedor da PM.

Mas pensa também que está disponível uma linguagem bastante acessível: a punição severa dos corruptos; a ação fulminante contra os traidores da corporação militar e contra a impunidade que desmoraliza as instituições e o próprio senso de justiça.

Ainda no carro, telefona para seu auxiliar mais próximo. Acorda o major Carneiro e lhe determina que descubra onde está, naquele momento, o sargento Ramalho, Abelardo do Couto Ramalho, lotado no Batalhão de Jacarepaguá. Quer que o major o busque pessoalmente e o conduza à corregedoria. Agora. Ortega diz que está a caminho de seu gabinete, onde aguardará Ramalho. Ordena que o major vá com duas viaturas, acompanhado de um grupo forte, de absoluta confiança. E que mantenha a ação em sigilo.

Ramalho desperta com a campainha da porta tocando em coro com o interfone. O porteiro do condomínio tenta lhe avisar — tarde demais — que policiais estão à sua procura. Major Carneiro já está postado na varanda da casa de dois andares do sargento. Enquanto transitava do sono para a vigília, Ramalho supôs que tivesse perdido a hora e que seus companheiros o estivessem chamando. Tinha de estar às quatro da manhã na favela em que a arquiteta havia sido enterrada e depois desenterrada e cremada. Ao amanhecer, conduziriam as cinzas e o membro preservado até a mata próxima à Rocinha. O esquema já estava montado. As tarefas, devidamente distribuídas. O processo já havia sido desencadeado. Mas ele não perdera a hora. Ainda eram 2h30.

A porta quase vem abaixo. Campainha e interfone não param. As crianças começam a chorar.

Abelardo do Couto Ramalho enlouquece supondo uma operação de captura e assassinato executada por milicianos inimigos de Firmino. Respira fundo. Tenta raciocinar. Veste as calças e junta as armas que sempre mantém ao lado da cama. O barulho obstrui o caminho dos neurônios. Nenhuma ideia fecha seu ciclo. Imagens e hipóteses se desmancham antes de ganhar forma e substância.

Entra em parafuso quando imagina a hipótese remota mas possível — por que não? — de que a execução tenha sido encomendada pelo próprio Firmino. Quem sabe o chefe ouviu e acreditou em alguma denúncia caluniosa? Acontece. Ele já havia visto coisa parecida. Para quem telefonar? Quem viria salvá-lo?

Os homens de Carneiro batem mais forte na porta e a invasão é iminente. Ramalho manda a mulher se fechar no quarto das crianças e decide escapar pela área de serviço. Antes de pular o muro do pátio, os policiais apontam a lanterna para seu rosto e ordenam que ele pare. Carneiro o tranquiliza:

— O que é isso, sargento? Não há razão para desespero. Somos da corregedoria. Viemos buscá-lo para um depoimento. Sua vida e seus direitos serão preservados.

Ramalho, imóvel, sente a noite desabar. Esperava tudo, menos isso.

— Mãos na nuca.

Os policiais revistam Ramalho. Ele é escoltado até a viatura. Missão cumprida.

No caminho, Ramalho pede autorização para avisar à esposa, que deve estar desesperada. Carneiro avalia que é mais seguro ele mesmo ligar e tranquilizar Maria do Carmo.

Ramalho chega à corregedoria bem antes da luz do dia. Ortega, na janela, olha a cidade e não percebe quando lhe avisam que Carneiro já está à sua espera. Insistem até o coronel ouvir e autorizar a entrada do major. Antes de chamar o sargento capturado para depor, o subcorregedor quer detalhes sobre a ação.

Escuta em silêncio e, finalmente, manda que os seguranças tragam Ramalho. O sargento está pálido e trêmulo. Presta continência ao superior.

Ortega senta-se, pede aos policiais que se retirem e fica sozinho com Carneiro e o depoente.

O coronel é direto:

— Por que o senhor não seguiu o procedimento-padrão quando houve o acidente em que a arquiteta veio a óbito?

Ramalho permanece calado. Estatelado. Está perplexo.

Ortega não dá trégua:

— Se não foi conduzido para o IML nem para algum hospital, onde está o corpo?

Silêncio. Ramalho está confuso, olhando o carpete malhado e mofado.

— Ou a moça está viva? Nesse caso, onde ela está e por que a família a considera desaparecida?

Ainda o coronel:

— Vou começar a investigar pelas imagens da CET-Rio, dos sinais de trânsito. Se o senhor se negar a colaborar será pior para o senhor.

Ramalho rompe o mutismo:

— Não sei do que o senhor está falando.

— Estou falando de sua farda cheia de sangue e da história que o senhor contou para sua esposa.

Ramalho se refugia de novo no silêncio.

Ortega retoma a iniciativa:

— Seria só uma mentira para uma ingênua esposa se uma arquiteta não tivesse desaparecido na mesma noite em que o senhor chegou em casa com o uniforme encharcado de sangue. Se uma jovem arquiteta não tivesse sumido na mesma noite em que o senhor disse que tentou salvar uma jovem arquiteta, que teria morrido em um acidente de trânsito. No entanto, o senhor não relatou a ocorrência na delegacia, nem no boletim de seu batalhão. Ninguém sabe onde está a mulher. O senhor foi o único representante de uma instituição pública que reconheceu sua existência. Mas não o fez formalmente. Por quê? Qual é a história, sargento?

Ramalho pensa em sacrificar Cardoso. Entregar o companheiro. Mas de que adiantaria? A confusão estava armada e muita gente tinha sido envolvida em solidariedade a ele, Ramalho, que tinha apoiado o pobre do Cardoso. O assunto tinha assumido proporções maiores do que qualquer um dos policiais presentes na churrascaria poderia conceber. Não havia como recuar. Melhor ir em cana e a expulsão da PM do que a execução como delator.

Ramalho escolhe um caminho de defesa:

— Coronel, custei a entender do que o senhor estava falando. Agora entendi. Sei que uma arquiteta desapareceu. Ouvi no rádio. Está nos jornais. Acontece que nunca vi essa pessoa e não faço a menor ideia do que pode ter acontecido com ela. Nunca disse à minha mulher nenhuma palavra sobre isso, até porque, como disse ao senhor, não sei de nada. Mas imagino o motivo desse mal-entendido. Minha esposa pode ter comentado com a irmã que viu sangue na minha roupa. Ela fica apavorada quando vê sangue na farda. E acontece, não é, coronel? Ninguém na polícia está livre disso. Mas era uma mancha pequena de um cachorro que atropelei. Ela deve ter falado do sangue e do medo que tem de que eu morra. A irmã dela, coronel, a Glorinha, que é uma fofoqueira de marca, deve ter aumentado o que Maria do Carmo contou. Aumentado muito. Deduzo que foi por isso que o senhor usou a expressão "encharcado de sangue". Dá até vontade de rir, coronel. Com todo respeito. Aposto que aconteceu o seguinte... parece até que estou vendo: Glorinha falou para o Jader, meu cunhado, sobre o sangue e o medo que a irmã tem de que eu morra. O soldado Jader, que me odeia, deve ter dado um jeito de trazer aqui para a corregedoria uma história bem grotesca, juntando a manchinha de sangue que tinha virado um derrame à notícia do desaparecimento dessa mulher. Agora, coronel, com todo o respeito, não tem nada a ver o cu com as calças. Nem sei por que o Jader me odeia tanto. É por agir desse jeito que ele arranjou tantos inimigos. O senhor sabe que ele foi jurado de morte várias vezes?

— Quer dizer que tudo não passa de uma acusação infundada de um parente que odeia o senhor e que possui uma prodigiosa imaginação?

— O senhor pescou direitinho.

— Pois fique sabendo, sargento, que a denúncia não veio dessa fonte à qual o senhor se refere. Não é fofoca de parente, não. Sua esposa conversa com muita gente, sargento. Ela frequenta igreja? Frequenta? Então. Não tem como identificar a fonte. Um fala para o outro, que dá com a língua nos dentes, até que alguém liga para o Disque-Denúncia. Não interessa a origem. O senhor nunca vai descobrir a fonte, simplesmente porque é impossível descobrir. Nem eu sei. O que importa é que a informação veio por uma via muito diferente da que o senhor nomeou.

Ramalho está inerte.

— Os dois carros importados, as casas, o barco... isso tudo vem de onde, sargento?

— Coronel, assim o senhor até me ofende. Com todo o respeito. Sei que seu papel é esse. Ninguém pede para ocupar a posição que o senhor ocupa, tendo de desconfiar dos próprios colegas e dos subordinados, dos homens que dão a vida pela segurança pública.

— De onde vem tanto dinheiro, sargento?

— Do suor. Do suor do meu rosto. Do trabalho honesto que eu faço desde garoto.

— Eu também suo, dou um duro danado, vejo muitos companheiros meus sacrificando a saúde, estafados, e mesmo assim, depois de uma vida inteira de trabalho, sargento, nós não temos carros importados e esse luxo todo.

— É que eu tive sorte. O senhor sabe que a segurança de rua, quer dizer, a segurança privada é um campo profissional em que um policial competente pode se realizar, não sabe, coronel?

— O servidor público da segurança está proibido por lei de manter vínculos com a segurança privada, sargento. O senhor está confessando um crime?

— Crime, coronel? É crime tentar sobreviver? Com o salário de fome que um sargento como eu recebe não dá nem pra sustentar a família, coronel. — Ortega observa e cala. Ramalho hesita um instante e continua: — E depois, coronel, oficiais têm segurança de rua. Coronéis. Delegados. Muita gente está envolvida, coronel. Se é crime, então está todo mundo no mesmo barco.

— O senhor está me acusando? Depois de confessar, acusa?

— De jeito nenhum, coronel. Nem passou pela minha cabeça. A polícia inteira sabe que o senhor é diferente. Eu só acho que seria injusto se o senhor resolvesse me punir e não punisse os coronéis e os outros oficiais.

Ortega recomeça:

— Sobre a arquiteta, o senhor nega a acusação.

Pausa.

Ortega sentencia:

— Muito bem, sargento Ramalho. Vou mantê-lo em prisão administrativa por 72 horas e abrir o inquérito policial militar. Vamos investigar. Se o senhor decidir mudar seu depoimento, me comunique.

Enquanto Ramalho duela com seu algoz na corregedoria, seus parceiros milicianos preparam as cinzas e o braço da vítima para o transporte, conforme combinado. Assim que amanhecer terá início a operação que visa plantar a estaca no coração do tráfico. Plantar, literalmente, na mata que faz fronteira com a favela da Rocinha, a prova por excelência da existência do crime, aquela que lhe confere materialidade: os restos mortais da vítima. O aparato de comunicação já está engatilhado: helicópteros prontos para decolar. Telefonemas na linha de tiro. Artilharia e infantaria à espera do sinal de comando. O submundo mafioso da Zona Oeste, o crime fardado de Jacarepaguá, o exército particular de Firmino suspende a respiração, aguardando sua palavra.

Tudo certo. Luzes do dia, câmeras, ação. É dada a partida. Cena n° 1 em marcha.

O grupo responsável pela condução dos restos mortais, seu sepultamento falso e a teatral identificação da cova rasa na mata espera por Ramalho até o último minuto. Sem notícias do sargento, cujo celular permanece desligado, o grupo desiste e segue adiante. A ausência preocupa, mas não justifica adiamento do plano.

A turma com o corpo carbonizado e o membro preservado dirige-se ao ponto na mata previamente definido.

Helicópteros já sobrevoam São Conrado.

Jornalistas estão atentos.

O trânsito das primeiras horas da manhã promete engarrafamentos pesados na hora do rush.

Chamadas nas rádios aludem a uma operação policial contra os traficantes que atuam na Rocinha. As primeiras notícias se referem a uma denúncia que estaria sendo apurada. Uma denúncia grave relativa ao desaparecimento da arquiteta de trinta anos. Ela teria sido vítima de sequestro-relâmpago, ao qual resistira, o que teria levado os bandidos a matá-la. Seu corpo estaria enterrado no alto da mata vizinha à favela. Traficantes estariam envolvidos. É o que se pode deduzir, considerando-se o local em que o corpo teria sido escondido.

Helicópteros dão cobertura à equipe que procura o corpo e à tropa que invade a comunidade em busca dos assassinos.

Na Secretaria de Segurança, a confusão é geral.

O governador, que madruga, acorda o secretário, furioso. Tinha ordenado que nada se fizesse naquela área sem que ele fosse consultado. A situação na Zona Sul estava calma. Não importava que fosse a paz dos cemitérios. As pesquisas de opinião já indicavam melhora na avaliação do governo. Para que trazer de novo a insegurança para o centro da agenda pública? O pior é que o secretário também não sabe de nada. Cadê a autoridade do governador? E a do secretário?

O secretário usa o telefone vermelho ao lado da cama para despertar o comandante-geral da PM. O coronel tampouco sabe de nada. Passando adiante o destempero e a indignação, o comandante-geral liga para o chefe do Estado-Maior e para a P2, o setor de inteligência. Nada. O coronel, chefe do Estado-Maior, acorda o comandante do batalhão da área, o 23º, sediado no Leblon. O tenente-coronel ouve a pergunta no tom colérico do superior e ecoa a mesma perplexidade dos demais:

— Não somos nós, coronel. Com certeza não somos nós. Vou me certificar com o oficial do dia, que está encerrando o plantão, mas com toda a certeza não somos nós.

Pouco depois liga de volta para o chefe do Estado-Maior:

— Confirmado, coronel. O 23º não está participando da operação. Ninguém por aqui sequer sabe do que se trata. Nosso pessoal em ronda por São Conrado diz que a equipe que está caçando os traficantes na Rocinha é formada por gente do Batalhão de Jacarepaguá. Mas também tem gente da Polícia Civil. Parece que um pessoal da delegacia de Jacarepaguá.

— É uma ação conjunta das duas polícias?

— Afirmativo, coronel. Inclusive, os dois helicópteros são da Civil.

— Tem helicóptero no meio?

— Positivo.

O chefe do Estado-Maior liga para o comandante do Batalhão de Jacarepaguá, que tampouco tem alguma informação.

O tumulto na secretaria cresce com a chegada do secretário, cujo gabinete está cheio até a boca de carga inflamável.

O subsecretário recebe um telefonema do comandante do Batalhão de Jacarepaguá, a quem cobrara informações diretamente, contornando a alta hierarquia da PM.

— Doutor, é gente minha, sim. De fato. Um pessoal muito bom, que inclusive tem trabalhado em cooperação com a Polícia Civil, recebeu uma denúncia e foi averiguar.

O subsecretário solta os cachorros. O comandante do Batalhão de Jacarepaguá explica:

— Tem razão, doutor. As coisas não devem ser feitas desse jeito. Claro que a gente tem de respeitar a hierarquia e os limites territoriais. É que eles temiam um vazamento. Se a denúncia vazasse, já era, doutor: os traficantes chegavam lá antes. Estão ali do lado. Mas posso lhe garantir que a equipe do Firmino é muito boa. Primeiro time. São tiro e queda, doutor. A cidade deve a essa turma o fim do tráfico em toda a nossa região.

O telefone vermelho do governador toca. É a vez do secretário de Segurança explicar:

— Firmino é a prata da casa.

O governador mal tem tempo para pensar no que significa contar com os Galáticos. Além da PM e da Polícia Civil, o estado tem agora uma terceira força. O prefeito escreveu um elogio ao que denominou "autodefesa comunitária". Mas o prefeito não merece confiança. O governador tem ainda algum tempo para decidir o que pensa a respeito. Prefere, democrático como é, ouvir o povo. O que teriam a dizer as próximas pesquisas de opinião?

No céu da Rocinha, o vespeiro aéreo assusta os moradores. Poucos na favela se arriscam a descer para o dia de trabalho. Nada de crianças na escola ou brincando na rua.

A tropa mista de Firmino sobe o morro à caça de traficantes.

As lojas da comunidade fecham as portas.

Fotos dos helicópteros já são o destaque nos sites de notícias.

Enquanto seus comparsas estão a caminho de São Conrado, um pouco antes de os helicópteros entrarem em cena, Ramalho chega à unidade militar em que ficará detido. Afasta-se de seus carcereiros, praças da PM como ele, e puxa do bolso seu celular, porque ali nada impede que ele o use, nem mesmo as normas da instituição.

Se alguém se aproximasse, ouviria o seguinte:

— Firmino, sou eu, Ramalho. Aborta, cara. Aborta. Cancela. Babou. Fodeu.

Claro que Firmino deduziu imediatamente o que Ramalho não precisou dizer: "Não interessa que já esteja acontecendo. Para agora. Recua. Diz que não acharam corpo nenhum na mata. Diz que a denúncia é falsa. Não está provado que existiu crime, porque não existe corpo. Tudo é especulação. E ponto final. Sem corpo não tem crime. Eu sei, eu sei. Só que pra nós agora é melhor isso do que nada. Se não dá pra achar o corpo e apontar o culpado — e entregar a cabeça dele na bandeja —, então o melhor é que o crime não tenha acontecido. É isso. Só isso. Não aconteceu. E fica por isso mesmo. Sei lá do carro, porra. O carro que se foda. Carro não prova nada. Mesmo que tenha resíduo de sangue. Não prova nada. A pessoa pode ter forjado tudo. Pode ter deixado um pouco do próprio sangue e jogado o carro na lagoa. Pra se livrar da vida que levava e começar outra. Sei lá. Tem doido pra tudo, não tem? Ou pode ter sido estuprada pelo ex-namorado. Não importa. Desapareceu e ponto final. Pois é. Mais de cinco mil pessoas somem sem deixar rastro no estado do Rio todos os anos, sabia? Tudo bem, alguns estão repousando no campo sagrado que você cercou lá na sua área. Mas esses aí não passam de uns cem, duzentos, no máximo quinhentos. E o resto? Então, pronto."

Ramalho, sim, disse:

— Eu estou bem. Não se preocupe. Vou ficar preso aqui na PM, mas não vão conseguir provar nada contra mim. Firmino, ouve. Tudo isso está acontecendo sabe por quê? O filho da puta do Jader, aquele meu cunhado desnaturado. Denúncia na corregedoria. Ele ouviu a conversa mole de uma certa pessoa que não consegue fechar a matraca. Quando eu sair daqui, vou dar um corretivo nela. Fica frio. Manda ver. É isso aí. Estamos juntos.

Ramalho desliga o celular. Tem certeza de que será muito bem-tratado. Está em casa. Setenta e duas horas para pensar na vida.

Conclui que não poderá ser condenado, sabendo tanto sobre tanta gente. O único risco é virar bucha em algum acerto traíra ou ir para o saco numa queima de arquivo. Para evitar essas hipóteses, algumas providências seriam tomadas. No meio policial isso tem nome: "seguro de cu".

Em São Conrado, os helicópteros se recolhem.

A tropa desce a Rocinha e toma o rumo da Zona Oeste.

A equipe que já tinha terminado de montar o cenário na mata para o teatro da identificação da cova rasa fecha o buraco às pressas e mete as cinzas e o membro preservado no saco plástico. Enrola-o na capa de chuva. Embrulha o pacote no lençol. Sem entender a razão, obedece ao comando de sair dali, imediatamente.

Ordem de Firmino.

Mais tarde, na Fonte da Saudade, Jader tranquiliza os moradores cada vez mais angustiados. Eles são vizinhos dos parentes da moça desaparecida e compartilham sua aflição. A polícia vai resolver o mistério, logo, logo, garante ele a todo mundo que lhe pede conselhos e opiniões. Não, não está com muita esperança de que a moça ainda esteja viva, para falar a verdade. Mas, que jeito?, ele não vai mentir para pessoas que sempre acreditam em sua palavra. Melhor ser portador de um mau presságio do que trair a confiança. Jader se orgulha de ser leal.

No começo da madrugada, um motoboy traz a pizza encomendada. Jader prefere comer no banco do carona. Senta-se. Está morto de fome. Pensa nisso e ri. Abre pelas laterais a caixa hexagonal de papelão fumegante. Pousa delicadamente a tampa engordurada na poltrona ao lado, com cuidado para não sujar o assento.

Está na hora, pensa. Finalmente.

Jader não tem tempo de compreender as explosões, que sequer chega a ouvir. Sente que elas vêm de dentro, como a fome.

III
No Twitter

Sigo no Twitter. Noite nº 2. Vão ficar faltando 998. Chego lá.

 Dracon1ano

O quê? Parece filme de Tarantino? Pois é. Só que é real. Para os cariocas que conhecem a realidade da Zona Oeste, Tarantino é Walt Disney.
about 5 minutes ago via web

Não me venham os suscetíveis dizer que basta de relatos violentos.
about 5 minutes ago via web

Paro de escrever quando a Zona Sul deixar de se mesmerizar com o mar e descobrir o horror que mora ao lado.
about 3 minutes ago via web

Medo? Tenho, e daí? Carro blindado? Não, já disse. Nem preciso. Twitter blinda. São vinte malucos me seguindo noite adentro. Acha pouco?
about 2 minutes ago via web

Gostou de minhas frases com 140 caracteres? Então levanta e me busca um café amargo, por favor. Tudo bem. Valeu a intenção. Amanhã tem mais.
about 1 minutes ago via web

IV
Prisão de Perver

Aluízio, Marquinho e Tonico são os detetives encarregados, em nossa delegacia, sob minha supervisão, de prender Luciano Perver. Nossa delegacia é a DRACO, Delegacia de Repressão ao Crime Organizado, se você não se lembra. É onde eu estava lotado até o episódio e é onde está minha tribo. Pouca gente sabe que o prenome do miliciano famoso é Luciano. Ele ficou conhecido pelo sobrenome estranho, pouco sonoro e muito próximo do adjetivo que, aliás, o qualifica muito bem. Perverso é o que ele é ou o que ele faz. Em resumo, se você ler a folha corrida do camarada, verá que ele mata. Tortura e mata. Seu ofício é fundamentalmente esse. Torturar e matar.

O mafioso só pode ser comparado ao Mata-Rindo, um policial militar miliciano que nós já prendemos e que, por isso, hoje é ex-policial. Menos um, graças a Deus. Mata-Rindo é páreo duro para o Perver, em matéria de sadismo e crueldade. O alvo agora é o Luciano. A trajetória dele em três palavras é a seguinte: golpe, crime, traição. Hoje, está sob risco de ser expulso da PM, onde ainda atua como sargento. O currículo é um primor. Indiciado por dezenas de homicídios, continuava em liberdade até recentemente.

Cometeu seu grande erro quando se meteu numa ação espetacular, em vez de agir discretamente, como costumava fazer. A mudança de método tinha um motivo. A intenção era assustar, mostrando o que aconteceria com o miliciano que traísse o chefe e ousasse criar sua própria milícia.

Sair de um grupo para criar a sua própria milícia pode até ser aceito, desde que a pessoa que sai não cobice os territórios e os negócios do chefe. Para não ser considerado traidor, o sujeito tem de conversar com o líder e procurar uma área pela qual o chefe não tenha interesse. O que não se perdoa é o rompimento para disputar a mesma região e as mesmas fontes de renda.

Foi o que fez o sargento Genoíno, da PM. Brigou com o líder de Perver, Firmino e dispôs-se a enfrentá-lo, para tomar-lhe o poder e o substituir. A guerra sangrenta acabou chamando a atenção da imprensa para o fenômeno das milícias, que antes se mantinha restrito às periferias. Ali, era visível e amplamente conhecido. Fora dali, apenas referido como uma realidade distante, um problema de outro planeta. E ainda dizem que a cidade não é partida. É sim, só que em mil pedaços. Não são só dois, não.

O avanço subterrâneo das máfias do estado do Rio, as milícias, veio parar nas manchetes dos jornais, na pauta dos políticos e no horizonte de observação de setores policiais não comprometidos com a corrupção graças à briga da família criminosa que transbordou os limites convencionais da luta interna pelo poder.

Para aterrorizar e disciplinar os candidatos à traição, Perver meteu os pés pelas mãos. Chamou a atenção não só dos cupinchas e rivais. Acendeu o sinal vermelho para a opinião pública. E nos fortaleceu — nós, que andávamos sob a pressão de aliados das milícias em todos os escalões institucionais, conquistamos súbita legitimidade para agir com força máxima.

Vou resumir a história.

10 de abril, 1h.

Uma caminhonete elegante, tração nas quatro rodas, preta, importada, vidros escuros, desliza suavemente pela avenida Beira-Mar, margeando a praia pedregosa, deserta e interminável de Muricy, balneário localizado na região oceânica do estado do Rio de Janeiro. Na ponta extrema da praia, detém-se um instante. Seus ocupantes discutem debruçados sobre um mapa. Examinam o aparelho de GPS. Lentamente, o veículo faz meia-volta e retorna até a quarta esquina. Girando 90 graus, faróis desligados, entra na rua devagar. Poucos automóveis circulam na cidade. O tempo feio tem espantado turistas. O carro para longe do poste de iluminação, sob a árvore de copa frondosa. Chove forte.

Dois minutos depois, três homens saem da caminhonete. O motorista permanece no veículo e mantém o motor ligado. Os homens passam o terreno baldio à sua esquerda e as obras suspensas de um conjunto residencial à direita. A única construção habitada é a casa verde, recuada, circundada por um pátio, cercada pelo muro de dois metros de altura, coroado por arame farpado trançado, a concertina.

Os homens se esgueiram entre as sombras do terreno arborizado vizinho à casa e caminham até os fundos, onde já não há vestígio de luz. A chuva aperta. Um deles se encosta no muro e joga por cima ração para cães. Nenhum animal dá sinal de vida. O segundo aproxima-se, passa a longa tesoura de aço ao primeiro, abaixa-se para que o outro escale o muro com seu apoio. O novelo de espinhos de ferro é cortado e empurrado para os lados. Por aí passam os dois. O terceiro homem demora-se, circundando mais uma vez a casa, da qual não chega som ou indício de movimento, antes de também escalar o muro. Não há luz no interior do lugar.

Os três reúnem-se no pátio. Trocam algumas palavras inaudíveis além do círculo diminuto que formam, e se separam. Verificam a porta principal, a porta de serviço, o portão da garagem e as quatro janelas da sala e da cozinha. Voltam a se encontrar no ponto inicial. Deliberam. O homem que saltara por último caminha para a entrada principal, os outros dois se aproximam da porta de serviço e de uma das janelas. Entram na casa ao mesmo tempo, com estrondo. O barulho não cessa. Aumenta. Ouvem-se as explosões de dezenas de tiros de fuzis e metralhadoras, antecedidos, em frações de segundo, por brilhos que parecem pequenos relâmpagos domésticos. Quase não se escutam vozes humanas. Os poucos gritos são abafados pela descarga das armas.

Os três homens deixam a casa pela porta da frente, que um deles arrombara ao entrar. Forçam o portão que separa o quintal da rua, mas não conseguem abri-lo. Buscam uma peça de madeira, que não é uma cadeira ou uma mesinha nem um móvel com função discernível. Usam-no para pular o muro pela mesma passagem que abriram pouco antes. Caminham apressados, mas sem correr, em direção à rua. Quando a alcançam, a caminhonete movimenta-se com rapidez e os recolhe. Parte veloz no rumo oposto ao do mar.

Na soleira da porta principal da casa invadida, um homem rasteja para fora, desenhando um rastro de sangue. Inclina-se, ergue o pescoço, firma-se sobre o cotovelo e fala ao celular.

10 de abril, 2h.

Duas viaturas da PM com giroscópios ligados emitem luzes avermelhadas. O movimento circular da cor em ondas e borra contornos instáveis e alucinatórios. Policiais percorrem os cômodos da casa. Enfermeiros fixam no interior da ambulância a maca com o sobrevivente. Fecham as portas, e o veículo dispara com a sirene ligada.

Um carro velho cruza em velocidade a esquina da rua com a avenida Beira-Mar. Ouve-se o ruído forte e prolongado do atrito entre o pneu e o asfalto. O carro reaparece de ré. Freia, recua e vira à direita. Estanca, ab-ruptamente, diante da casa. O repórter do único jornal do município salta aos pulos. O fotógrafo o acompanha. Dirigem-se aos policiais. Antes dos peritos, muito antes, fotografam os cadáveres da mulher grávida e do adolescente. Na redação, o editor daria a ordem com que sonhara, um dia: "Parem as máquinas." As manchetes descreverão o horror em uma linguagem encharcada de emoção.

10 de abril, 2h45.

Na PM, a notícia voa. Temeroso de que o crime em Muricy abale seu comando, sugerindo algum tipo de cumplicidade com as milícias que começam a expandir seus domínios para a região litorânea, o comandante do batalhão local, coronel Raposo, telefona para o chefe do Estado-Maior da corporação. Intui a importância da ocorrência e dá provas de que não pretende se omitir. Para constranger o superior a agir, evitando que a incompetência termine por lhe ser atribuída — e, pior, seja interpretada, no futuro, como conivência —, informa-o de que chegara a seu conhecimento a informação de que a delegacia especializada na repressão ao crime organizado (minha DRACO) havia sido notificada e já se movimentava para caçar os assassinos.

Raposo desconfia de todo mundo e acha que tem boas razões para isso.

Na verdade, é ele mesmo, por via indireta, quem faz a notícia do homicídio chegar até nós, antes que ela percorra os labirínticos caminhos institucionais e interinstitucionais. Antes mesmo que as rádios e a internet, sempre ágeis, informem o público a respeito.

Meu chefe, o delegado Fausto Clemente, desperta com o telefonema, liga para o Estado-Maior da PM e a superintendência da Polícia Rodoviária Federal e dispara a ordem para que nossa equipe entre em prontidão.

Sou o primeiro a receber seu telefonema. Caberia a mim convocar os demais:

— Perver tentou matar Genoíno, mas ele sobreviveu. Pelo visto, o câncer da milícia já tem metástase. Não param de se dividir e multiplicar. Assim que ele possa falar, temos de ouvi-lo.

Pergunto se alguém morreu.

— A mulher e o enteado do Genoíno.

Digo um palavrão. dr. Fausto continua:

— A mulher estava grávida.

Solto outro palavrão.

O delegado completa:

— O enteado tinha uns dez anos.

Esgotado o repertório de palavrões, passo à ação.

Pressionada pela divulgação do crime em tantas direções, a PM aperta o cerco nas rodovias do estado. As entradas da capital estão sob vigilância. Veículos suspeitos são revistados. Nesse caso, o foco não é o ladrãozinho pé de chinelo, que foge em kombi velha, em corcel medieval ou motocicleta de baixa cilindrada. A atenção concentra-se em carros importados que transportem mais passageiros do que o habitual. Uma caminhonete importada, por exemplo, de vidros filmados.

10 de abril, 4h40.

Reunidos no gabinete do dr. Fausto, somos informados da prisão dos suspeitos. O veículo em que viajavam para o Rio estava carregado de armas, granadas e munição. Armas de uso reservado das polícias. Eram quatro policiais: dois civis, dois militares. Entre eles, o sargento Luciano Perver, contra quem já havia denúncias de participação em chacinas, extorsão, sequestro, formação de quadrilha e ameaça a testemunhas.

Fausto descobre que ele está sendo ouvido em uma delegacia distrital próxima ao local da prisão. Telefona ao delegado, que não demonstra muita boa vontade em colaborar.

10 de abril, 8h30.

Fausto caminha pela sala e bebe baldes de café.

Está angustiado com a demora dos colegas de nossa equipe que foram a Muricy e prometeram alguma informação mais substancial em breve.

Ansiosos estamos todos nós ante a falta de notícias sobre o depoimento de Perver.

Meu chefe está particularmente indignado com a recusa do delegado da delegacia distrital em transferir o depoimento do preso para a DRACO.

Fausto gira em círculos. Entra e sai da internet. Passa os olhos pelos jornais do dia mais uma vez. Está indeciso sobre o que fazer, uma vez que, na Polícia Civil, tem de se mover como se pisasse em ovos, ou melhor, em minas, e cada movimento tem de ser bem-estudado, porque nunca se sabe que alianças ligam quais autoridades a que colegas.

Decide consultar o corregedor da PM e descobre que o sargento Perver será conduzido ao Batalhão Especial Prisional.

— Mas o BEP? O BEP?

O delegado põe-se de pé. Quando não consegue falar ao telefone sentado, é porque alguma coisa vai acontecer, ou aconteceu. Grave. Normalmente, não volta a sentar. Indício de que a situação é explosiva.

Ele repete:

— O BEP não tem nada de prisional, coronel. O senhor sabe disso. Especial pode ser. Especial para os presos. VIP, cinco estrelas, spa.

Faz caretas para nós enquanto ouve o corregedor.

— Tudo bem, corregedor. Eu entendo sua situação. Mas o senhor pode anotar: não dou uma semana pra esse cara estar na rua.

Mais caretas.

— BEP não é porta de entrada do sistema penitenciário, coronel. Na prática, é porta de saída. Aberta, coronel. Escancarada.

Despede-se e se dirige a nós:

— É um escândalo.

Toca o telefone. Nossos colegas, em Muricy, dizem que as primeiras averiguações confirmam que algumas das armas apreendidas com Perver são compatíveis com os projéteis encontrados no local do crime.

10 de abril, 16h30.

Em sessão ordinária da Assembleia Legislativa, o sogro de Perver, líder miliciano que responde a várias acusações, deputado estadual, pede a palavra, dirige-se à tribuna e fala em tom passional e apocalíptico:

— Onde está a democracia? Onde estão as leis? Cadê o Estado de direito? Que sociedade é essa em que um profissional da polícia, um trabalhador honrado, é preso porque suspeitam dele? Quem vai me responder? Onde estão as autoridades do governo? Cadê o governador que veio me pedir voto nas últimas eleições? Onde ele está agora? Cadê a promessa de respeito, de apoio, de sustentação e fortalecimento, até na adversidade? Onde estão as palavras bonitas e os elogios? Antes nós éramos autodefesa comunitária. Recebíamos apoio e recurso da prefeitura e do governo do estado para acabar com os traficantes. A Linha Amarela foi construída com nossa ajuda. A estrada ia sendo construída e nós íamos limpando as comunidades. Arrebentando o tráfico. Botando ordem e espanando vagabundo. Esse sempre foi o acordo. Para isso não faltavam recursos, nem armas e muito menos a solidariedade de nossos aliados. Aliados? Aliados ou traidores? Nesse tempo, quando precisavam do nosso suor, do nosso sangue, eles não se escondiam de câmeras e microfones, não. Botavam a cara e nos defendiam. O prefeito anterior e o atual nos defendiam. Assim como os governadores do nosso estado. Todos eles. Não tinham vergonha da gente, não. Autodefesa comunitária, diziam com a boca cheia e os olhos brilhando de orgulho. E de repente somos o diabo? O que era bom virou ruim? De repente não prestamos mais? De repente nos descartam como lixo?

O deputado engasga com tanta revolta, interrompe o discurso, bebe um copo d'água inteiro. Mesmo rouco, não economiza a voz:

— Por que suspeitam de Luciano Perver? Do bravo e honrado sargento Perver? Porque pessoas foram mortas em Muricy, a mais de cem quilômetros de onde ele estava quando foi preso. Deduziram que ele seria o culpado porque estava na estrada, viajando, chegando ao Rio. Isso bastou para transformarem uma tragédia em uma suspeita, e uma suspeita em uma certeza, e a certeza em prisão. O passado da pessoa não conta. Uma vida inteira dedicada à segurança pública não conta.

Parou para mais um gole d'água. A garganta não aguentava tanta emoção.

— E não me venham falar em armas. Luciano Perver e os colegas que estavam com ele são policiais. Claro que têm armas. Como é que poderia ser diferente? São muitas armas? Ora bolas. Muitos também são os riscos, os bandidos, os perigos, as ameaças que um homem da lei tem de enfrentar. Em vez de caluniar esses profissionais, as instituições tinham que garantir sua segurança e armá-los como eles merecem, como eles precisam ser armados.

Mais um gole. O deputado toma fôlego.

— As polícias tinham de render homenagem a esses homens por gastarem seus recursos privados, seus parcos ganhos comprando armas que servem à sua luta pela segurança de todos. Mas não. São desprezados, humilhados. Pior: presos. Presos.

Repete, apoplético:

— Presos.

Enxuga o suor da testa. E continua:

— Cadê o pessoal dos direitos humanos? Cadê? Quero ver essa gente defendendo os direitos humanos de Luciano Perver e seus companheiros. Quero ver o que vão fazer diante dessa arbitrariedade, diante dessa violência inominável.

Nesse momento, entra no plenário o deputado Marcelo Freitas, eleito por sua militância em direitos humanos. Vai ao microfone e pede um aparte.

— É bom mesmo, deputado Marcelo Freitas. É bom mesmo o senhor falar. Quero ver se o senhor agora vai jogar no lixo seus valores. Quero ver sua coerência, deputado. Pode falar. Fala.

Marcelo fala:

— Fiz questão de pedir o aparte a Vossa Excelência para lhe dizer, publicamente, que, assim como eu, os militantes e as entidades de direitos humanos do estado do Rio de Janeiro estão e estarão atentos e dispostos, como sempre, a lutar para garantir que todos os presos recebam tratamento igual e digno. Portanto, vamos, sim, ficar alerta para que o sargento Luciano Perver e seus colegas sejam tratados, no cárcere, como seres humanos, e que todos os seus direitos como prisioneiros sejam amplamente respeitados.

Fora de si, aos berros, o sogro de Perver retoma a palavra:

— Não se faça de cínico. Não seja cínico. Não me provoque. Perver não pode ficar preso. A prisão é um absurdo.

Marcelo Freitas intervém:

— Essa é uma questão que afeta ao Poder Judiciário, deputado. A decisão é do Judiciário. É o juiz quem manda prender ou soltar. As entidades que defendem os direitos humanos só podem lutar contra abusos e desrespeito às determinações legais e judiciais. Se é justa ou injusta a prisão do seu genro, isso é matéria para advogados discutirem com o magistrado. O senhor está gritando à toa, deputado. Está gastando sua garganta, o tempo dessa casa e nossa paciência.

O sogro de Perver se lança tribuna abaixo e corre em direção a Freitas, mas é interceptado por outros parlamentares, que o contêm.

Os flashes espocam nas galerias.

11 de abril, 9h30.

Toca o telefone fixo na mesa do delegado titular da delegacia distrital situada na Zona Oeste, responsável pelas primeiras prisões importantes de milicianos, inclusive do vereador Julinho Pegador, cabo da PM e irmão do veemente orador parlamentar que, na véspera, quase bateu em Freitas.

O delegado atende, como de hábito.

— Tu vai morrer. Não é porque prendeu os amigos, não. Prender é função do delegado. Vai morrer porque levou o Juvenal para dentro da DP. Teu jogo é sujo. Tu limpa a área pros nossos inimigos. É só por isso que tu vai morrer. Tu te vendeu, filho da puta.

Nenhuma novidade. Enfrentando miliciano, o delegado Waltencyr Nuñes ouvia ameaças com frequência. Sabia, por experiência própria, que cão que ladra não morde e que o propósito dos criminosos era amedrontar e paralisar seu trabalho. Também sabia que nem adiantava investigar a origem da chamada. O número variava, mas a fonte era sempre telefone público de Santa Cruz, Campo Grande, Bangu ou Jacarepaguá. Seria perda de tempo pesquisar. A história de Juvenal era simples: o sujeito abandonou a milícia e se dispôs a colaborar. Era natural que os antigos cúmplices o vissem como traidor. Traidor deles, leal a nós. Por que não aproveitar?

11 de abril, 9h40.

O chefe do setor de investigações da delegacia entra na sala de Waltencyr sem bater e lhe diz que uma fonte garante que alguma coisa vai acontecer. Que os milicianos vão atacar a delegacia.

O delegado não quer passar recibo de que está em pânico por ameaça dos milicianos, mas o inspetor o adverte de que a delegacia está cheia de gente e que, se ocorrer alguma coisa, as consequências podem ser graves. Inclusive mulheres e crianças estavam lá, por conta de uma briga entre vizinhos.

11 de abril, 10h05.

Dois detetives e o chefe da SI reúnem-se com dr. Waltencyr e apresentam o resultado da inspeção que fizeram nas imediações da DP. Não acharam nada suspeito. Nenhum pacote, nada. Mas há um carro estacionado no pátio que não pertence a nenhum policial e a ninguém que esteja sendo atendido na delegacia.

Waltencyr determina a imediata evacuação da delegacia, mas pede que os policiais não provoquem pânico.

Ordena que um de seus auxiliares ligue para o Esquadrão Antibombas.

11 de abril, 10h25.

O carro explode, incendiando a delegacia, quebrando os vidros e abalando suas estruturas.

Não há feridos. O esquadrão antibombas chega pouco depois da explosão.

11 de abril, 10h50.

O telefone celular do chefe toca, na DRACO. Uma voz artificialmente alterada avisa que dr. Fausto será morto nas próximas horas. A ameaça não é novidade. Pelo contrário, é quase cotidiana. Entretanto, já informado da explosão na delegacia da Zona Oeste, Fausto decide adotar medidas especiais de segurança, envolvendo toda a nossa equipe.

11 de abril, 12h15.

Em Copacabana, um homem jovem encapuzado, sentado na carona de uma moto, desce e joga uma granada em um carro estacionado diante de um prédio residencial. O petardo, que parece uma pedra, quebra o para-brisa e explode no interior do veículo, que se consome em chamas.

É o carro particular de um delgado conhecido por criticar as milícias e denunciar a corrupção policial.

11 de abril, 20h30.

Em Santíssimo, dois carros param no meio da rua, em frente à delegacia distrital. Sete homens encapuzados e fortemente armados descem e avançam rapidamente na direção da delegacia. Atiram para o alto e avisam que ninguém vai se machucar se não fizer besteira.

Na véspera, a delegacia fizera uma grande apreensão de armas no morro da Cruz, e ainda não as entregara ao setor responsável, porque a viatura especial que faria o transporte permanecera comprometida com outras ocorrências.

Todas as armas são recolhidas e levadas para os carros. Os assaltantes se retiram sem sobressaltos. Ninguém se fere.

12 de abril, 4h.

Depois de uma hora de sono, porque custei a vencer a insônia, Fausto me acorda. Perver saiu do batalhão prisional especial pela porta da frente, sem violência. Pergunto se ele está me convocando. Ele diz que não.

— Agora é tarde.

— Ou cedo — respondo.

— Pois é, cedo demais para dar o bote. Falta ainda muito trabalho. Estava óbvio que a prisão do Perver não era pra valer. Colocar um criminoso tão feroz, tão cruel e sanguinário, cheio de informações sobre a história das milícias no BEP... Tinha coisa. Eu sabia que estava armado. A pressão deve ter sido muito grande. Não foi dessa vez. Mas vamos chegar lá.

— O que é que a gente vai fazer agora?

— Nada. O cara caiu no mundo. Agora, não adianta fazer nada. Se ele fugiu é porque tem um plano, tem apoio, e a essa hora já deve estar longe. As polícias estão todas minadas. A Secretaria está minada. O governo também. Vamos recuar, estudar bem a situação e retomar a iniciativa quando for a hora. O jeito é identificar algum juiz e alguns promotores confiáveis que tenham coragem. Nós temos de criar um cinturão em torno do nosso trabalho para evitar pressões, interferências e vazamentos. Na hora H, contando com representantes corretos do MP e da Justiça, a gente dá o bote em cima do Perver e dos cabeças das milícias. Os deputados inclusive. Mas vamos com calma.

Penso em discordar, em sugerir uma ação imediata, mas me calo. Fausto continua:

— Vai dormir. Descansa. Você anda muito estressado. Relaxa... ou a próxima bomba vai ser você.

O chefe tem razão.

23 de abril, 11h manhã.

Fausto chega eufórico à DRACO. Cumprimenta as pessoas. No caminho, me chama. Eu sabia que o primeiro compromisso da manhã tinha sido no Fórum. Pelo andar da carruagem, as conversas tinham sido boas. Entra em sua sala, liga o ar-refrigerado, fecha a porta e começa a falar antes mesmo de sentar.

— Lembra de uma tal de Arlete?

— Claro — respondo. — Irmã daquele menino que dirigia uma van; não pagou os caras e foi fuzilado com não sei quantos tiros.

— Então você se lembra dos assassinos.

— Perver e os dois PMs que faziam a segurança dele. Esqueci os nomes.

— Não importam os nomes. Importa é que Perver foi o principal acusado.

— Certo. E daí?

— E daí que temos o caso em nossas mãos prontinho pra reabrir, com todas as provas.

— Que provas?

— Os depoimentos de seis testemunhas que assistiram ao homicídio.

— Mas isso nós já tínhamos, só que... Não estou entendendo, dr. Fausto. Explica. Os depoimentos não foram anulados porque as testemunhas voltaram à delegacia e declararam que tinham cometido um engano?

— Pois é, só que os segundos depoimentos caíram. Os primeiros voltaram a valer.

— Como assim?

— Justiça, meu caro. Honestidade, competência, essas coisas tão raras. Tem muita gente boa nesse mundo. Gente honrada. Ou você acha que todo magistrado é igual ao Caio?

— O juiz ...

— Juíza.

— A dra. Maria Duília de Castro? Ela acha que dá pra aproveitar os primeiros depoimentos?

Fausto fez que sim com a cabeça:

— Examinou os casos e concluiu que não tinha cabimento aceitar o jogo dos criminosos e imobilizar a Justiça só porque os mafiosos tinham calado as testemunhas. As milícias, como toda máfia, trabalham com intimidação das testemunhas. Primeiro tentam cooptar; depois, intimidar; se nada disso tiver resultado, eliminam as pessoas. A juíza sabe muito bem como funciona.

Não me contive:

— Essa mulher é o máximo.

Fausto prosseguiu, revirando a maçaroca de papéis empilhados na mesa:

— Mas não para aí. Tem mais.

— Delegado, acho que Deus existe mesmo, hein?

— Não para aí. — O delegado puxou um processo do meio da babel de documentos e, lendo, disse o seguinte: — Nara da Silva, conhecida como Narinha do Piscinão, viúva da vítima... Lembra desse caso?

— Narinha do Piscinão? Puxa, com esse nome eu devia lembrar, mas não sei, acho que não. Vai ver ela não faz jus ao nome.

— Nara da Silva foi quem denunciou o envolvimento do Perver e do grupo dele naquela chacina de Del Castilho.

— Claro. Evidente. Os jornais anunciaram que os mortos eram do tráfico e na verdade... Claro.

— Lembra que ela veio com a mãe e um tio, uma coisa assim?

— Isso mesmo. Os garotos eram ligados a uma igreja e estavam montando uma cooperativa para resolver o problema da entrega do gás, garantindo o preço normal e quebrando a perna do monopólio dos milicianos, que impunham aqueles preços extorsivos.

— Correto. Caso reaberto.

— Porra, chefe. Isso é sensacional. O depoimento da mulher entregava tudo. Ela tinha até gravado umas imagens no celular, com som e tudo, do Perver comemorando e fazendo chacota dos mortos.

— Tinha, mas o valor legal estava anulado porque, no segundo depoimento, ela disse que tinha sido uma brincadeira, um teatro.

— Eu sei, chefe. Recordo direitinho do caso. Podemos reabrir?

— Vale o primeiro depoimento. E valem as imagens. Está reaberto.

— Puta que pariu, chefe. Está aberta a temporada de caça ao Perver e sua turma.

— Tem mais.

— Vamos lá, dr. Fausto Clemente. Seu inspetor-chefe de investigação está gostando. Pode seguir.

O delegado tira outro inquérito da pilha, depois de levantar e voltar a guardar alguns outros. Ele diz:

— Este aqui. Cemitérios clandestinos, corpos lançados ao mar...

— Filme de terror. Lembro, chefe. Porra. Quem esqueceria? A gente chamava o inquérito de filme de terror. Tudo começou quando a gente identificou o grupo do Firmino, do deputado Dos Anjos, sogro do Perver...

— O ponto de partida do inquérito eram milicianos da Ilha do Governador, ligados a uma turma de Niterói e São Gonçalo.

— Quem desencadeou a investigação foi o pedreiro...

— José Augusto Pinto. Está aqui. Forçado a usar o cinzel que manipulava habilmente, por conta de sua experiência profissional... — Fausto para de ler o documento. Olha para mim e continua: — Forçado a usar o cinzel... para quebrar os dentes dos cadáveres e evitar sua identificação.

Interrompo o delegado:

— Quando os corpos não eram queimados, decapitados, desmembrados.

— Não. Aí você se engana. Lembro perfeitamente desse depoimento. Os dentes eram quebrados independentemente dos outros procedimentos. Não esqueça que esses animais são das polícias. Sabem direitinho o que fazer para dificultar a identificação.

— É isso aí, chefe. A técnica na era da reprodutibilidade da barbárie.

— Hein?

— Nada, dr. Fausto. Nada. Uma recaída nos velhos tempos de estudante de letras.

O delegado dá uma gargalhada. Não se contém quando evoco esse meu passado. Minha outra encarnação, ele prefere dizer.

Fausto prossegue:

— Quem te viu e quem te vê... Esse seu jeitão desalinhado... Filho de família com grana, hein? Estudante de letras.

— Família remediada, delegado. Remediada.

— Você é uma figura, sabia?

Olha os papéis, vira páginas. Retoma o raciocínio:

— Tudo começou na Ilha do Governador porque a primeira denúncia acusava os mafiosos de amarrar blocos de cimento nas pernas das vítimas e jogá-las no fundo do mar.

— Foram muitos, muitos depoimentos. Tudo perdido. Vamos poder recuperar esses também?

— Exatamente, inspetor. Exatamente.

— E o que é que vamos fazer com os segundos depoimentos desreconhecendo os acusados, desfazendo as acusações?

— Desreconhecer.

— Cruzando outras provas, vamos desmoralizar o desreconhecimento.

— Isso.

— O senhor obteve mesmo a aprovação da juíza?

— Que tal?

— Maravilha.

— E dos promotores. Aquele pessoal porreta do MP.

— O dr. Lúcio e o Parker?

— Está doido, cara? O Lúcio... O Lúcio não embarca nessa nem que a vaca tussa. Principalmente depois que ameaçaram a mulher dele. Mas o Parker está com a gente, e o Neves, e o Fontoura. São legalistas e não se deixam intimidar. Estão fazendo o que é certo. Não é porque são meus amiguinhos, não. É porque são gente honrada e séria. Só isso.

— Beleza.

Enquanto o delegado vai ao banheiro, penso em Nara do Piscinão, em José Augusto Pinto e em tantos outros que nos procuraram ou que se dirigiram à delegacia distrital e registraram as denúncias e depois voltaram, humilhados, apavorados, implorando para que as declarações fossem alteradas. Era a vida de cada um ou a verdade. A vida ou a justiça. De que lado a gente fica?

Fausto voltou xingando a Polícia Civil, o governo, o país. De tudo o que falta, papel higiênico é o item que mais rápido e com mais emoção o tira do sério.

Dessa vez sou eu que tomo a iniciativa:

— Doutor, eu estava pensando...

— Quando é que você vai abolir essas formalidades? Doutor pra lá, doutor pra cá. Há quanto tempo a gente é parceiro?

— Tudo bem, doutor. É o hábito. Mas eu estive pensando nos pobres coitados que prestaram os depoimentos. Validando a primeira versão a gente não está praticamente condenando as testemunhas à morte?

— O plano é o seguinte. Exatamente para preservar a vida das testemunhas, vamos agilizar os inquéritos, reunir o material probatório com máximo rigor, sem desacelerar o ritmo, e só vamos pedir prisão preventiva quando houver indícios suficientes para que o MP acolha nossas conclusões e apresente denúncia à Justiça. Se as bases da investigação forem bastante sólidas e se todo mundo estiver consciente de que é preciso atuar com celeridade, em pouco tempo os inquéritos terão se transformado em processos. Quando os criminosos se derem conta de que estão caindo na rede, já será muito tarde para boicotar o trabalho policial. Estarão presos, e os processos, em andamento. Terão de se defrontar com a Justiça, entendeu?

— Perfeitamente.

— A juíza já expediu a autorização para as escutas de todos os acusados e está pronta para expedir os mandados de prisão assim que nós estivermos preparados para agir.

25 de abril, 15h15.

No Barra Shopping, Priscila Perver, esposa de Luciano, não poupa as economias do marido. Escolhe as lojas mais caras. Sinal de que os cálculos da DRACO estão certos. São muitos milhões por mês, somando-se transporte alternativo, gás, uso do solo, comércio, gato-net, gato de luz e outros ramos explorados em áreas crescentes do estado.

Só com a distribuição de gás as máfias fazem uma fortuna. No estado do Rio, existem cinco empresas que distribuem gás. A estimativa da DRACO é a seguinte. Considerando-se apenas as áreas urbanas fora do controle legal e democrático — para usar uma linguagem educada—, cada uma vende, em média, 140 mil botijões por mês — na suposição de que sua capacidade de venda seja a mesma. O que importa é o total. Multiplique 140 por 5. São 700 mil botijões comercializados todo mês. Na média, claro. O preço numa loja qualquer varia em torno de 36 reais. Em outros estados se encontram preços bem menores. Até 24 reais. Pois bem, o preço médio cobrado pelas milícias aos favelados e moradores de bairros pobres sob seu domínio é de 45 reais. Cobrado é modo de dizer. O valor é imposto. E ai de quem questionar ou, pior ainda, ousar descer ou sair da comunidade e comprar numa loja que receba o produto diretamente dos fornecedores. Hoje, já existem milícias negociando diretamente com os fornecedores e substituindo o comércio formal, que pratica preços supervisionados pela ANP, a Agência Nacional do Petróleo. O resultado são áreas fechadas. Monopólio pela força. Estamos falando, portanto, de um lucro global de nove reais por botijão, o que autoriza a projeção de alguma coisa perto de R$ 1.260.000,00 como o valor total faturado pelas máfias. Por mês. Só com o controle violento do gás.

O fato é que Priscila não parece se importar com a origem da grana que vai gastar no shopping. Olha as vitrines, borboleteando de uma a outra. Não corresponde ao modelo da mulher abandonada por marido fugitivo da Justiça. Se carrega consigo a cruz da preocupação e da corresponsabilidade moral, disfarça muito bem.

Eu a sigo a certa distância. Meio de semana, longe das temporadas festivas, o movimento não é grande, o que torna meu trabalho mais difícil. É fácil identificar um policial até mesmo no meio da multidão. Imagine em corredores quase vazios. Por isso, meu principal esforço é exorcizar tudo o que, em mim, sinaliza minha profissão. Claro que não sou do tipo anel, cordão de ouro, unha feita com brilho de esmalte incolor, camisa berrante desabotoada, sapato mocassim sem meia, calça de tergal, cinto com fecho dourado, fios ralos de cabelo penteados sobre a calvície, pintados e colados por um produto que faz as vezes do que, em minha infância, chamava-se gumex. Hoje se diz gel, acho. Se você me imagina assim, apague essa visão. Tenha certeza de que esse dentro de sua cabeça não sou eu. Juro que não passo lenço no rosto suado. Pelo menos não na frente das pessoas. Sim, isso sim, confesso que uso lenço — herança de meu pai. Também é verdade que, nesse dia, no shopping, como quase todo mundo na polícia, estou acima do peso. Um pouco acima.

Priscila finalmente entra numa loja, que está lotada. Não tenho problema em me aproximar. Ela conversa com a vendedora, passeia pelas seções, escolhe, vai para a cabine, experimenta, sai para se olhar no espelho e pedir a opinião da moça que a atende. Torço para que ela não desista. Preciso que ela compre. Rezo para que ela pague com cartão de crédito. Ela decide comprar. Abre a bolsa, tira a carteira, hesita, retira um cartão de crédito. Vibro, intimamente, como nos gols do Botafogo. Bola no filó, como diziam os locutores do passado. Espero o fim das operações — digitação de senhas, essas coisas. Alguma coisa ainda pode dar errada. Melhor conter meu entusiasmo. A maquininha pode rejeitar o cartão. Passa no leitor magnético. Digita a senha. Retira o cartão. Agradece. Recebe o pacote. Despede-se da vendedora e da moça do caixa. Priscila é simpática. Bonita também. Sai devagar.

Pronto. Minha vez. Chego próximo à funcionária que operou a transação. Peço desculpas à senhora que está na fila. Explico que vou apenas pedir uma informação. Mostro à atendente minha identidade policial. Ela se assusta. Falo baixo. Digo apenas, e com convicção, que preciso dos dados do cartão da mulher que acabara de efetuar o pagamento. Não hesito. Ela nem desconfia que poderia — e deveria — negar-se a atender meu pedido.

Como você já percebeu, não roubo, não mato, mas não tenho escrúpulos. Estamos numa guerra. Nada a ver com videogame, que faz tiro ao alvo eletrônico com traficante de bermuda e sandália de dedo. Falo de guerra mesmo, de gente grande, contra a ilegalidade constitucional. Crime organizado. Segurança nacional. Defesa. Guerra de policiais decentes contra policiais bandidos. Esse é o enfrentamento verdadeiro. Essa briga que importa. Esse confronto que pode decidir o futuro do país.

Exagero? Olhe para a Assembleia Legislativa e a Câmara de Vereadores. Não só do Rio, não. Olha em volta. Para cima. E o Congresso Nacional? Já olhou direitinho? O Judiciário? Bom, depois a gente conversa e eu lhe conto a história do Espírito Santo. Apenas como um exemplo para provocar sua reflexão.

25 de abril, 22h38.

Uma das virtudes do investigador é sua capacidade de improvisação. A criatividade. Sobretudo no Brasil. Dá-se sempre um jeitinho. Uma boa conversa abre portas. Com os dados de Priscila, o nome completo, o número do cartão, não demoro a descobrir que ela tinha comprado duas passagens aéreas para Natal, para o fim de semana seguinte.

O círculo está se fechando em torno de Luciano Perver.

A viagem está marcada para domingo, às nove da manhã. Paga, aliás, com meu cartão de crédito. A luta posterior pelo ressarcimento é outra viagem. Mas muito pior. Viagem ao fundo do poço da burocracia, que despreza quem trabalha de verdade.

Informo os resultados do levantamento ao delegado Fausto, que me autoriza a organizar e implementar a operação.

Convoco três colegas para irem comigo ao Nordeste.

Dr. Fausto faz contato com a Polícia Federal. Vamos precisar de apoio. Não conhecemos o terreno.

Decidimos que meus colegas viajarão na sexta-feira. Terão um dia e meio para estabelecer os contatos locais com os agentes federais e fazer o reconhecimento do terreno. Vamos precisar de pelo menos duas viaturas descaracterizadas. Eu vou no mesmo avião de Priscila e do acompanhante, que ainda não sabemos quem será. Pode ser um complicador.

A juíza já autorizara a quebra do sigilo telefônico e bancário da mulher de Perver. Infelizmente, Priscila é malandra ou bem-orientada pelo marido. Não fala com ele nem diz nada comprometedor ao telefone.

29 de abril, 8h20.

No saguão do Aeroporto Internacional Antônio Carlos Jobim, já com o tíquete de embarque no bolso, circulo em busca de Priscila. Nada garante que ela não tenha desistido na última hora. Ela está atrasada, se é que vai mesmo viajar. Teria de fazer o *check-in* uma hora antes do voo. Às oito horas, portanto. Não chegou às oito, nem antes. Sei disso porque, para evitar surpresas e desencontros, estava no aeroporto desde as sete. Não comuniquei o que se passava aos policiais que atuam no aeroporto, nem aos federais, porque não confio em ninguém. Quanto menos gente souber, melhor.

Entro e saio do setor de embarque. Volto para o saguão.

Ela não vem. Esquisito. Difícil de entender. Teria fugido? Como?

Às 8h30 ela chega, com um garoto de uns 12 anos. Anda rápido mas sem pressa. Os dois estão tranquilos. Observo que ela não se dirige às filas para o *check-in*. Segue direto para a porta de triagem que antecede a passagem pelas máquinas de segurança, situadas na entrada do setor de embarque. Mal tenho tempo de especular. Ela exibe ao funcionário duas folhas impressas.

Nesse momento, me sinto o perfeito idiota. Claro. A mulher não é tão estúpida quanto eu. Faz *check-in* pela internet, o que lhe dá o direito de chegar só meia hora antes da partida. Idiota. Ainda bem que ninguém ficaria sabendo. O domingo está começando com um tropeço. Um a zero contra mim. Tudo bem. Não cheguei a cometer nenhuma gafe que pusesse a operação em risco. Quase. Mas, felizmente, está tudo bem.

Hora de embarcar. O atraso é pequeno.

Minha poltrona é a última. Aquela reservada para emergências, policiais, autoridades, aeromoças, doentes etc. As companhias são obrigadas a manter sempre uma poltrona livre para casos especiais. Mesmo tendo pago minha passagem, pedi que me dessem aquela posição estratégica.

O avião decola. Relaxo, não há mais como perder a mulher. Pelo menos até a aterrissagem. Abro o livro comprado no aeroporto mas nem termino a primeira página. Durmo até Natal. Felizmente, o voo é direto.

29 de abril, 11h25.

Desperto com o aviso para apertar cintos e os preparativos para a aterrissagem. Engraçado, os vários avisos e informes anteriores não me acordaram. Só o último. Mesmo dormindo, eu estava alerta. O sexto sentido policial devia estar vigilante.

Hora de trabalhar. Antes disso, aproveito a última oportunidade de ir ao banheiro sem correr o risco de perder o alvo. Volto ao meu assento e cravo os olhos em Priscila. Meus companheiros já estão no aeroporto, em posições estratégicas. Pelo menos, é o combinado.

Um deles, Aluízio, de acordo com o plano, está na sala de controle da Polícia Federal, onde se concentra o comando sobre todas as câmeras instaladas no aeroporto. Vai acompanhar a trajetória de Priscila, de monitor em monitor, desde o avião até o táxi, o ônibus, o carro de algum amigo ou do próprio Perver — ainda que eu duvide que um bandido experiente como ele cometa um erro tão primário. Meus companheiros têm fotos que tirei de Priscila no Barra Shopping.

Outro, Tonico, está no saguão por onde saem os passageiros. Deve estar com algum agente federal, preparado para a eventualidade de Perver aparecer. O terceiro, Marquinho, está com um agente da PF na viatura descaracterizada, motor ligado, pronto para seguir Priscila.

Tendo identificado Priscila ou me visto segui-la, Tonico vigiará seu trajeto até a rua ou o estacionamento. Depois será incorporado ao grupo que a seguirá de carro.

Aluízio nos encontrará quando localizarmos o hotel, a pousada ou a casa em que o miliciano estiver. Virá ao nosso encontro com mais um ou dois agentes, na viatura cedida pela PF. A previsão é de que os três companheiros da DRACO estejam comigo na etapa final da ação. Nessa hora, optamos por pedir que os agentes federais nos deixem agir por nossa conta e risco.

Sempre será possível que tenhamos cometido um imenso engano e que Priscila tenha vindo a Natal rever velhos amigos de infância. Não tenho como descartar essa hipótese completamente. Mas eu diria que é improvável, dadas as circunstâncias.

Minha parte no plano é segui-la ao longo de todo o percurso até o táxi, identificar o carro que estará à minha espera e que será dirigido por um agente da Polícia Federal lotado na cidade, hábil ao volante e íntimo do traçado urbano, e continuar acompanhando a mulher de Perver até seu destino final.

29 de abril, 11h39.

Espio o relógio. A saída demora mais do que o previsto. Muitos passageiros idosos, várias crianças, maletas de mão, sacolas. Tudo isso atrasa o desembarque.

Priscila está com uma bolsa maior do que as companhias aéreas costumam permitir. O menino carrega uma mochila quase do seu tamanho. Presentes para Perver? Pressionei o dispositivo para ligar o celular e digitei o número do colega da DRACO encarregado de dirigir a operação em campo na minha ausência.

— Aluízio, já estou em terra. Ela entrou no banheiro. Daqui a poucos minutos vai aparecer no saguão. Está com um garoto de uns 12 anos, mais ou menos. Não despachou bagagem. Vai sair direto. Fica esperto. Tudo certo com nosso esquema?

— Tudo certo. Estou com você no monitor.

— Vou desligar. Ela está saindo.

— Copiado.

Priscila anda com passos menores e mais lentos do que no shopping. A maleta, apesar das rodinhas, atrapalha. E o menino está acima do peso. Não sou só eu. É o que vem à minha cabeça, ainda que eu devesse estar pensando em coisas mais importantes nesse momento decisivo.

Tranquilo segui-la no meio de tanta gente andando em todas as direções e olhando para todos os lados. Impossível ser notado ali. É como se todos seguissem todos ou o contrário: é como se cada um fosse absolutamente solitário e desprezado pela indiferença coletiva, salvo por um ou outro abraço que salva os privilegiados da imersão na onda humana em trânsito.

Priscila para, olha as placas no alto, continua, sai do saguão, anda rumo à área reservada ao transporte para a cidade, escolhe a fila do táxi.

Perfeito. Por enquanto, tudo certo.

De repente me dou conta de que não vi meu companheiro que está no saguão. Recorro ao celular. Ligo para Tonico.

— Onde é que você está, cacete? A mulher está na fila do táxi. Tem pouca gente na frente dela. Qual é o meu carro?

Não ouço resposta. Sinto um toque no ombro. Meu colega está a meu lado com o celular na mão esquerda. Aponta um Santana pouco confiável deslizando rente ao meio-fio, devagar, em minha direção.

Sento na frente, no banco do carona. Tonico usa a porta de trás. Cumprimento Marquinho e o motorista, agente da PF cedido para a missão.

— Tudo certo mesmo?

— Por enquanto — diz Tonico.

Olho para Marquinho. Econômico como sempre, numa deferência especial a mim dispõe-se a dizer:

— Firme.

Pergunto ao motorista se já identificou Priscila. Sim, está de olho nela. Mostra a foto que Tonico lhe dera. Faz um elogio à beleza da moça. Ela entra com o menino no táxi. A adrenalina faz a festa. Até aqui tinha sido brincadeira de criança. Agora, entra em ação o valente exército de Brancaleone do dr. Fausto Clemente. Avante, DRACO!

29 de abril, 12h23.

À nossa frente, a uma distância segura, o táxi de Priscila. Atrás de nosso Santana, o Gol com os agentes. Aluízio nos encontrará mais tarde no destino, cujo endereço ignoramos. Esperamos que Priscila nos leve até lá.

Uma avenida larga. Muitos carros. Nenhum problema. A preocupação se resume aos semáforos, como dizem os paulistas, ou às sinaleiras, conforme os gaúchos. O Santana tem de se manter sincronizado com os movimentos do táxi.

Saindo da avenida, viramos à esquerda, depois de um cruzamento tumultuado. Quase perdemos o táxi, esperando nossa vez de atravessar. O motorista é bom. Safo. Apertou o pé até o fundo e lá está o táxi. Agora o vemos. Tudo sob controle.

O táxi desce à direita por uma rua mais estreita com menos movimento, mas não há motivo para temer que Priscila nos identifique, ainda que o Santana não seja o carro ideal quando se quer discrição. Na verdade, ele é meio bandeira. Sobretudo com quatro marmanjos. Tudo bem. A PF não é o FBI, e eu não estou em um filme de Hollywood. O Gol, que perdêramos no cruzamento, volta a entrar em nosso campo de visão. Acelera atrás de nós. Em matéria de bandeira, o Gol é um show.

O táxi faz uma curva fechada à esquerda e sobe uma ladeira. Felizmente, estamos em um bairro residencial e o trânsito é intenso. Voltamos a uma artéria central, larga e movimentada. O motorista especula sobre destinos possíveis. Aposta em dois bairros turísticos, um pouco afastados do centro comercial da cidade.

A rua agora assume aspecto de estrada, ainda que relativamente estreita. Desaceleramos e nos afastamos, porque o movimento diminui.

Inesperadamente, o táxi gira à direita e entra em um caminho de terra, em meio a um descampado quase deserto, com poucas casas esparsas e algumas vias laterais que mal permitem a passagem de um automóvel.

Estamos os três veículos em procissão, expostos, sem coadjuvantes.

— Ela nos pegou — diz o motorista.

Olho para trás a tempo de ver o Gol desaparecer por uma ruazinha estreita que sai como um afluente da estrada esburacada em que estamos.

Sem vacilar, nosso motorista pisa no acelerador e ultrapassa o táxi, cobrindo-o de poeira.

— Só pode ser um golpe para nos identificar —diz ele.

Avançamos sozinhos no caminho em U que nos devolverá à estrada em que estávamos. Digo aos companheiros que a via não se comunica com nada. Não leva a lugar nenhum. Só é usada pelos moradores daquelas casas. Perver pode estar numa delas.

— Vai ver o táxi se perdeu — diz Tonico.

Concordo com ele:

— Pode ter errado o caminho. É verdade. Só tem um jeito. Vamos em frente devagar. Voltamos à estrada e seguimos o mais lentamente possível, olhando para trás e torcendo para que eles tenham entrado errado e tenham de voltar para a estrada.

— É isso aí. A gente não tem mais nada pra fazer — diz Tonico. E completa: — A não ser que o Perver esteja numa das casas... Nesse caso, vai dar um trabalho danado.

— Adeus, surpresa — resmunga Marquinho.

— Tonico, liga para alguém lá no Gol. Descobre onde eles estão e se conseguem ver o táxi.

De volta à estrada, evoluímos bem devagar. Tonico demora a conseguir sinal. O celular do agente Macedo, da PF, está fora de área.

— Brasil! — diz ele. — Fora de área.

— Não é possível, Tonico. Vocês não estão com rádio? — pergunto.

Nesse instante o táxi desponta lá no fundo.

É de novo Tonico que intervém:

— *Yes!* — E joga para cima o antebraço direito dobrado na perpendicular, como se tentasse nocautear alguém invisível.

Estamos de novo no jogo, penso, mas não chego a falar. O foco da preocupação muda de novo. Temos de inventar uma maneira de estimular o táxi a nos ultrapassar sem diminuir artificialmente a velocidade. Olho para o motorista mas prefiro me calar. Ele sabe o que faz. Suponho. Espero. Mas, se não souber, não vai aprender agora. Minha primeira mulher gostava de dirigir enquanto eu guiava. Orientava cada movimento. Jurei que nunca submeteria um pobre mortal a esse martírio.

O táxi passa porque, habilmente, nosso motorista deixou-se atrapalhar por um pequeno caminhão. Ficamos para trás. Se Priscila desconfiou, não sei. Pelo menos não passou recibo. Duvido que acontecesse o mesmo com o próprio Perver. As antenas de policial dificilmente estão fora de área de cobertura. E nunca estão desligadas.

29 de abril, 12h45.

Depois de serpentear por uma pista de mão dupla, elevada, à beira-mar, chegamos a um lugar muito bonito. O bairro litorâneo da classe média de Natal. Classe média alta.

O táxi diminui a velocidade, quase para, volta a acelerar, prossegue até o ponto em que a pista se divide em uma bifurcação. Vira à esquerda e contorna uma linda praça, com árvores frondosas, crianças, cachorros, mães e pais celebrando o domingo de sol. A praça acompanha o relevo irregular do terreno, e o gramado se estende até o alto da elevação. O táxi sobe a ladeira, margeando a praça, que se transforma em um pequeno bosque na parte superior. À direita, prédios imponentes, colados uns nos outros.

Preferimos observar de baixo.

O táxi finalmente para, bem no topo da elevação. Priscila e o menino saem. Recolhem a maleta e a mochila, que estavam na mala do carro. Na calçada, à direita, do lado dos prédios, portanto, e no lado oposto ao parque, já um bosque naquela altura, aproximam-se da portaria do edifício diante do qual desembarcaram. Priscila lê alguma anotação. Caminham no sentido contrário ao nosso, sumindo de nosso horizonte.

Acompanho com binóculo os movimentos e só nesse momento autorizo o motorista a subir a ladeira. Lentamente, nos aproximamos do topo, onde ela saiu do táxi com o garoto. Não os vemos. Entraram em algum dos prédios. Não é possível saber qual.

Conexão telefônica restaurada, comunicamos à equipe do Gol e a Aluízio onde estamos.

Descemos a ladeira, contornamos de novo a praça. Paramos em frente a um bar. Meus colegas sentam-se à mesa na varanda. Vou direto ao banheiro e visto a roupa que trouxe para a ocasião: bermuda colorida, boné, óculos escuros, camiseta, chinelos, uma toalha e uma bolsa de palha para pendurar no ombro.

Meu uniforme para o próximo ato.

29 de abril, 13h10.

Subo a ladeira ensaiando a postura largada e bonachona de meu personagem: o carioca em férias, procurando o amigo. São três ou quatro hipóteses, três ou quatro prédios em que ela poderia ter entrado, a menos que houvesse alguma passagem para os fundos. Não parece ser o caso. Priscila não nos traria até aqui para burlar nossa vigilância de um modo tão complicado. Como é que ela conheceria passagens obscuras com esse nível de detalhe? Se tivesse desconfiado, teria ido para um hotel qualquer.

Chego ao primeiro prédio e pergunto ao porteiro se não haveria algum apartamento vago. Sou do Rio e procuro um apartamento para alugar por temporada. Ele diz que não tem, mas elogio o prédio e peço para dar uma olhada. Entro ligeiro na garagem. Nenhuma placa do Rio, nem do Sudeste, nos carros. Nada estranho. Digo ao porteiro que também estou em busca de um amigo carioca, que alugou um apartamento naquele quarteirão.

— Não sei onde está o papel em que anotei o número. Você sabe se tem algum carioca morando aqui?

Não tinha.

Passei ao próximo. A cena se repete quase igual.

Vou ao terceiro.

— Será que o senhor não conhece meu amigo? Um carioca? A esposa dele ia chegar hoje. Já deve ter chegado.

— Então, é o seu Ernesto do 402. A mulher chegou, sim. Veio com o filho. Acabaram de chegar. Vou interfonar.

— Não precisa. Quero fazer surpresa. Mas só depois do almoço. Sabe como é. Coisa inconveniente aparecer na hora do almoço, não é?

— Isso é verdade.

— Além do mais, marido e mulher, um longe do outro. A gente tem de dar um tempo. O casal precisa matar a saudade.

— Verdade.

— O senhor se chama?

— Cícero.

— Seu Cícero. Prazer. Sou o Gonzaga. Vou almoçar e já volto. Não conta nada a eles, não. Senão estraga a surpresa.

— Conto não, seu Gonzaga.

Despedidas concluídas, subo até o topo e desço rápido rumo ao bar. Minha vontade é correr. Não posso. Não devo.

— Calma. Falta pouco — falo sozinho. Xeque-mate.

29 de abril, 14h08.

Voltei ao banheiro do bar para trocar a roupa, novamente.

Todos reunidos e prontos. Nós, o povo da DRACO: eu, Marquinho, Tonico e Aluízio. E os cinco agentes federais, contando com os motoristas do Santana e do Gol. Antes de entrar nos carros, checamos os detalhes.

Subimos a ladeira nos carros e os deixamos em fila dupla. Os federais ficariam embaixo para dar suporte em caso de necessidade.

Na portaria, Cícero mal me reconhece e se assusta quando eu lhe digo:

— Seu Cícero, não se assuste. Polícia.

Um agente se posta dentro do balcão do porteiro para evitar que alguém do prédio ou que o porteiro se comunique com algum morador.

Entro com dois colegas da DRACO no elevador e aperto o botão do quarto andar. Marquinho vai pela escada. É o mais novo do grupo. Checamos mais uma vez as armas e os rádios.

São quatro apartamentos por andar. O corredor é pequeno. Ao lado da porta social do 402, ouço alguma coisa. Aproximo o ouvido da porta. Vozes e o som de televisão. Futebol. Alguém está vendo um jogo italiano. Dá para ouvir perfeitamente. Parece que não vamos ter problema.

Aluízio e Tonico se colam às paredes, nos dois lados da porta. Marquinho nos cobre, postado na porta que conduz à escada de serviço, de onde pode nos ver.

Respiro fundo e bato forte com o punho na porta de entrada social do apartamento 402.

— Polícia. Abre ou a gente arromba. O prédio está cercado.

Bato mais uma vez e repito a ordem, me preparando para meter o pé.

Não é necessário.

Priscila abre a porta. Eu aponto a arma para o meio da sala e meus colegas saltam das laterais da porta para o centro do cômodo, armas nas mãos.

— Perdeu, cara. Polícia Civil do Rio de Janeiro. DRACO.

Luciano Perver está deitado no sofá, sem camisa, ao lado do menino, assistindo a futebol italiano na TV de plasma.

A mulher fica muda. O menino, também. Perver empalidece e se mantém calado.

Meus colegas revistam o apartamento e procuram rádios e celulares para bloquear uma eventual tentativa do bandido de fazer contato com seus pares, no afã, quem sabe, de deslanchar um resgate. A ousadia desses mafiosos não tem limites. Aliás, não seria a primeira fuga.

Priscila abraça o garoto, que chora convulsivamente. E eu lamento que ele esteja presente. O menino não tem culpa, seja ele quem for. Lamento. Mas é claro que me calo, enquanto fixo as algemas nos pulsos do miliciano.

Mostro o mandado de prisão.

O garoto treme, agarrado à mulher, aos prantos.

Não consigo entender como uma pessoa que tem um filho é capaz de assassinar um menino da mesma idade e seguir vivendo como se nada tivesse acontecido. Não compreendo como um sujeito que é pai e que nasceu do ventre de uma mulher arranca um bebê da barriga da mãe a tiros. Tem gente que pensa em roubo e corrupção quando ouve falar em máfia, em milícia. Eu penso no sangue dos inocentes. E são tantos. Milhares.

A TV continua narrando o jogo na voz vibrante de um locutor eloquente. Ninguém desliga a merda da televisão. A sonoplastia me perturba.

O menino está descontrolado. Chora mais forte e chama pelo pai.

Melhor sairmos logo dali.

Perver ainda tenta a última cartada:

— Dá pra negociar?

— Você me respeita — respondo, na iminência de me tornar o segundo naquela sala a perder o controle. — Não vou dizer o que você merece ouvir porque essa criança já sofreu o suficiente. E você sabe quem é o responsável por isso.

Arrasto Luciano Perver para fora. Ele tropeça, mas cede. Pede uma camisa à mulher e lhe aponta o papel em que ela encontrará o telefone do advogado.

Ao passar pela portaria, Luciano abaixa a cabeça.

Faço questão de não cumprimentar seu Cícero. Não agradeço, não desejo boa tarde, nada. Para não o constranger. E não provocar uma situação delicada. O menor sinal de que há algum relacionamento entre o policial e o porteiro pode condená-lo a figurar, no enredo imaginário e paranoico do criminoso, como alcaguete e, consequentemente, futura vítima de vingança.

Em homenagem ao sossego de seu Cícero, exercito a antipatia mais ostensiva.

Naquela noite, partimos todos no mesmo voo de volta ao Rio. Perver viajou algemado. Duvido que um juiz do Supremo Tribunal Federal discordasse de mim e fizesse diferente.

30 de abril, 0h25.

Diz-se que todo retorno é mais rápido do que a viagem de ida. É assim que as pessoas, em geral, sentem, percebem. Não é o que acontece, entretanto, quando o domingo invade a segunda-feira e a missão ainda não está encerrada.

O retorno é longo, penoso e tenso, ao lado do miliciano. Não porque tenha medo dele. Nem porque duvide da capacidade do delegado Fausto para montar uma boa estrutura de recepção e encaminhamento do preso. Mas porque, de repente, me dei conta de que tenho vivido para prender Perver, os que mandam nele, os que obedecem a ele. Minha vida tem se resumido a isso. Claro que outra maneira de dizer deixaria o estado das coisas mais palatável. Por exemplo: minha vida tem sido investigar e liquidar o crime organizado sob a face mais cruel: as milícias. Dito assim soa bem? Acho que sim, mas não cauteriza nem preenche o buraco que o destino cavou imenso em minha vida pessoal. Com o anjo da morte na cadeia, mais um passo vai ser dado no rumo certo. Tudo bem. Contudo, outras milícias brotarão Rio afora, hoje, amanhã. A fonte continua ativa. As polícias estão aí, entregues à própria sorte e a um ou outro corregedor destemido, nadando contra a corrente. O esforço, meu, do Fausto, de Aluízio, Marquinho e Tonico, de nossa tribo, vai dar em que lugar? O esforço é generoso, concordo. Mas vai mudar o quê? De que adianta chorar pelo leite derramado, apagar incêndio, reduzir os danos de uma tragédia maior do que nós?

Confesso que não era este o fim de capítulo que eu planejara. Juro que esperava um final feliz. Pelo menos essa batalha está ganha. Devia ser momento de celebração. No mínimo uma cerveja com os companheiros na chegada ao Rio.

Nada disso. Estou com uma dor insuportável na boca do estômago. Não comi nada o dia inteiro e não sinto fome. Não consigo nem pensar em beber. Tudo o que desejo é ir para casa e dizer a Maria Clara que ela é muito importante para mim. E que talvez nosso casamento ainda tenha salvação.

Não disse nada antes sobre isso por pudor. Mas também porque dói. Um casamento de muitos anos tem altos e baixos. Uma mulher poderosa, mais forte do que eu, doutora em linguística e pró-reitora de universidade, respeitada e bem-remunerada, autora de livros, orientadora de teses, diretora de grupos internacionais de pesquisa, admirada por tanta gente; essa mulher ao meu lado, mesmo sem reclamar, criticar, dizer nada, às vezes me atormenta com a lembrança de que um dia eu quis ser mais do que sou e me acomodei. Talvez eu pudesse estar no lugar do Fausto. Talvez pelo menos me sentisse à vontade para tratá-lo de igual para igual, como colega e, quem sabe?, amigo. Admito que não convivo bem com essas ideias. Elas me fazem mal. E eu acabo dando um jeito de culpar Maria Clara pelo mal-estar. É duro, muito duro reconhecer isso: tenho medo de que seja inveja o que me tortura. Às vezes, acho que não mereço minha mulher. Nessas horas, quando penso em Fausto, sinto ciúme. Chego a especular que ele a mereceria mais do que eu. Pode haver amor sem admiração? Uma linguista, doutora e pró-reitora pode admirar um inspetor de polícia? Em teoria, claro que sim. Ou não haveria casamentos felizes de cientistas e reitores com esposas dedicadas a profissões menos prestigiadas. Contudo, numa sociedade machista como a nossa, o homem que ganha menos e desempenha uma função menos valorizada do que a mulher pode mesmo ser amado? Volta e meia despejo a inveja e o ciúme sob a forma de ódio por qualquer coisa que sensibilize Maria Clara. Para me vingar do amor improvável que ela diz que ainda sente por mim. Faz sentido uma coisa dessas? Será que alguém entende isso? Aos poucos os meus ataques passaram a corroer a liga que mantinha o nosso casamento. Parece que estou condenado a destruir o que desejo. Como se meu desejo fosse ilícito e eu tivesse de demonstrar a mim mesmo que não estou à altura dela, que ele não é possível. Chego a me perguntar se me exponho tanto aos riscos não por coragem, mas para provar alguma outra coisa, no tribunal interno em que Maria Clara é a juíza, sábia e poderosa. Só que não sou nenhum idiota e logo concluo que o juiz severo sou eu mesmo. Quanto mais fraco me sinto, mais me arrisco. Tenho de cuidar da minha vida. Tenho de cuidar do meu casamento.

Toda essa história me emociona em pleno voo. Um amor fulminante me sacode e comove.

A aeromoça interrompe os pensamentos sombrios. Tem o mérito de evitar que eu dê um vexame no meio de tanto macho. Só faltava eu chorar ao lado de Perver. O comandante pede que eu vá à cabine.

— Uma chamada para o senhor. O delegado Fausto Clemente está na torre de controle do aeroporto Tom Jobim, com o superintendente da Polícia Federal.

Ele me passa o *headphone* e diz que posso falar. Já estão na linha.

Fausto conseguiu que a Justiça determinasse a transferência de Perver para um presídio federal de segurança máxima, longe do Rio. Ele chega, vai direto para Bangu e amanhã toma outro rumo. Vão fechá-lo na caixa-preta.

Cumprimento Fausto. Está exultante.

Não consigo decifrar o segredo. Não conheço o código. Perdi a senha. Sei lá. Em que arquivo ele recupera essas emoções, o entusiasmo?

Volto para o lado de Perver e não sinto nada. Nem ódio ou desprezo. Nada.

Vejo o preso a meu lado, escuto sua respiração, sem querer roço com o braço sua pele, e me pergunto, a onze mil pés de altura, o que é um homem.

V
Tuitando sobre lealdade e delação

 Dracon1ano

Ser leal é sempre legal? A lealdade é uma virtude para os dois lados, polícia e bandido. Contudo, pergunto: o crime merece lealdade?

about 10 minutes ago via web

A deslealdade merece a lealdade? Acho que não.

about 10 minutes ago via web

Por isso valorizo a delação premiada. Ela tem sido um instrumento formidável para nós, policiais civis, que trabalhamos com investigação.

about 6 minutes ago via web

E tem aberto a porta de saída para quem se vê enrolado no novelo de lealdades e ameaças dos grupos criminosos.

about 5 minutes ago via web

Sair do crime não depende só do desejo. Sair para onde? Com que garantias? Quais as alternativas? É possível sair sem ser morto por traição?

about 5 minutes ago via web

Contra milícias, delações premiadas são a melhor arma. Em contrapartida, a mais eficiente arma dessas máfias são as ameaças às testemunhas.

about 4 minutes ago via web

Os companheiros da DRACO foram decisivos na luta contra milícias. Me orgulho de ter jogado nesse time. A lealdade entre nós foi essencial.

about 4 minutes ago via web

Do lado de lá, a lealdade só durava enquanto o sujeito não se sentia em condições de tomar pra si alguma região e enfrentar o antigo aliado.

about 3 minutes ago via web

Por isso o êxito da delação premiada; por isso começamos a virar o jogo. O problema é que quanto mais a gente prende, mais mafioso aparece.

about 1 minutes ago via web

VI
Dia da caça ou do caçador?

Na segunda-feira, os planos mudaram. Ou melhor, foram postergados, porque o chefe de polícia tinha sido pressionado pelo governo a exibir o preso como a caça capturada — aquele espetáculo grotesco, que sempre me lembra um zoológico humano. O governador queria faturar, politicamente, a prisão. Perver só iria para Catanduvas depois do show.

No caminho para a apresentação à imprensa de Perver capturado, Fausto recebeu um telefonema, me relatou o que ouviu do subchefe e ordenou ao motorista a mudança do destino. dr. Procópio avisou que o show não aconteceria na chefia da Polícia Civil, mas na Secretaria de Segurança. Não disse mais nada. Mas tenho certeza de que interpretou aquela alteração de itinerário menos como sintoma da vaidade do secretário e mais como indício da argúcia do chefe de polícia, que matou dois coelhos com uma cajadada só: deve ter ligado para o secretário e sugerido que, para valorizar o papel dirigente da Secretaria, os presos fossem exibidos nos domínios do secretário. Assim, ganhava pontos adulando o secretário e se livrava do calvário que seria para ele conduzir o espetáculo pessoalmente, associando sua gestão a uma guerra contra as milícias. Isso ele não queria. Faria tudo para evitar. Melhor equilibrar-se no muro, com palavras vagas e ambíguas sobre as milícias e com ações sensacionais, efeitos especiais, multimídia, concentradas contra os decadentes traficantes.

Dr. Fausto seguiu calado. Semblante fechado. Expressão indecifrável. Eu nem por um minuto duvidei de que ele estivesse pensando como eu e pensando a enrascada em que estava metido, ameaçado por baixo, hostilizado pelos lados, cercado por cima. De quanto tempo a DRACO disporia antes de ser asfixiada? Por meio de quais métodos seria realizada a asfixia? Homeopáticos? Estrangulamento lento, gradual, seguro? Redução de recursos, autoridade, apoio? Criação de instância institucional competitiva — uma outra delegacia, por exemplo — cujo progresso implique nosso esvaziamento? Uma promoção que remova Fausto do caminho? A dispersão de sua equipe? Dossiês apócrifos? Ou um golpe mais direto, físico?

Abrimos passagem com o bom aparato de segurança que mobilizamos e entramos no saguão do prédio da Secretaria com Perver, nosso troféu de guerra. Fotógrafos e repórteres já nos aguardavam. Os demais provavelmente já teriam subido para o andar do gabinete do secretário, buscando as melhores posições para as fotos. Elas seriam candidatas às principais manchetes nos jornais do dia seguinte.

Formamos uma coluna e invadimos o elevador como uma brigada de assalto. Estávamos eu, dr. Fausto, Marquinho, quatro policiais militares e o preso algemado. Na saída do elevador, o chefe de polícia nos esperava. Cumprimentou Fausto e andou ligeiro ao lado do preso. Eu o ouvi dizendo, sem pudor, cônscio de que o ouvíamos:

— Lamento, sargento. Vamos abreviar essa merda porque não há motivo para carnaval. É tudo política. O secretário é candidato. Vamos fazer nosso trabalho com o devido respeito.

Não soube, na hora, o que passou pela cabeça do dr. Fausto. Uma semana depois, ele me disse mais ou menos o seguinte:

— O chefe da polícia não gostou. Não está nada satisfeito com o andar da carruagem. O subchefe me chamou num canto e disse que a ordem agora é maneirar, esfriar, porque o governo não quer muita marola. Boa segurança é aquela de que ninguém ouve falar, aquela que não frequenta as manchetes nem a conversa das pessoas. É um não assunto. Problema que inexiste. Fez lá uma teoria sobre a percepção de segurança. Não sei se ele falou em percepção ou sensação. Não importa. O fato é que o sentimento e a impressão das pessoas contam mais do que números e fatos. E que número só serve para elevar a temperatura do medo e transmitir uma sensação de insegurança. Moral da história: quanto menos manchete, melhor.

— Disse assim, na lata? Sem vaselina? Mandou a gente suspender o trabalho e ponto final?

— Não. Teve vaselina. Eu é que pulei essa parte pra te poupar.

— De fato, com vaselina é pior. Nesse caso, é pior.

Fausto trancou-se.

— Mas a ordem é parar? — perguntei.

— Digamos que seja reduzir a velocidade. Ir com calma. E principalmente não mexer com o pessoal que domina a favela da Alvorada. Ele frisou bem esse ponto. Pegar leve com Alvorada, Carneirinho, Mantchuria, aquela área.

— A área dominada pela milícia do coronel Teles — completei.

— Pois é.

— Pai do inspetor Telinho — insisti. Como Fausto não prosseguiu, tomei a liberdade de pôr os pingos nos is: — Telinho, ligado ao dr. Procópio Passos, subchefe de polícia.

Fausto me olhou como a criança que derrubou o prato de feijão no tapete novo da sala, sabe o que a espera e se dá conta de que só lhe resta rir para o colega da escola que o visita.

Perguntei como se ignorasse a resposta:

— E o que a gente vai fazer?

— O que o cara mandou. Reduzir a velocidade.

Não era essa a resposta que estava na ponta da minha língua e que eu jurava que seria pronunciada pelo delegado Fausto Clemente. Acho que não escondi a decepção. Tanto que ele me jogou de volta a bola de fogo:

— O que é que você quer? Avançar de peito aberto? Comprar todas as brigas ao mesmo tempo?

Engoli em seco. Ele continuou:

— Um dia de cada vez. Conhece a grande lição dos Alcoólicos Anônimos? Um dia de cada vez. Tem também a tática do camarada Lênin: um passo atrás para fechar a retaguarda, costurar melhor as alianças, trabalhar bem os apoios, e depois dois passos à frente. E assim caminha a humanidade, meu caro.

Fausto é mais velho do que eu. Não se é mais velho impunemente. Ele concluiu:

— Os conflitos entre os milicianos vão trazer para nós muitas vias novas de acesso a informações. Informantes vão se multiplicar. Delações premiadas virão. É só ter paciência e, por ora, não ameaçar os interesses do Telinho e do pai dele. Uma briga de cada vez. A meta agora é consolidar os processos e as condenações dos mafiosos que prendemos. E já é muito.

Eu disse aquilo, "vamos em frente", para me convencer de que valia a pena reunir forças e avançar. Forças internas. Meu estado de espírito acompanhava minha deplorável condição física. A pressão alta dava sinal de vida nas têmporas que latejavam. Está aí um sinal de vida muito peculiar: paradoxal e ambíguo. Nesse sentido, minha patologia era mais do que apropriada para servir de metáfora da instituição que era a fonte dos meus males.

VII
Tuíte-me, leoa

Dracon1ano

Esta noite nada de histórias policiais. Um descanso para memória e coração. Não para a patrulha da madrugada: a vigilância noturna de Maria.

about 9 minutes ago via web

Minha esposa não se convence de que escrever de madrugada ajuda a conviver com a insônia; não a provoca, nem a fortalece.

about 9 minutes ago via web

No fundo, ela acha o Twitter uma perda de tempo. A mistura de um exibicionismo adolescente com um voyeurismo decadente e senil.

about 6 minutes ago via web

Já viram que ela está em outro mundo. Mostro artigos de gente séria. Ela despreza. E completa: só quero o seu bem; me preocupa sua saúde.

about 6 minutes ago via web

Devo ao Twitter as noites mais saudáveis desde o episódio. É como se o mundo estivesse comigo. Lembro o pai cruzando noites no rádio amador.

about 6 minutes ago via web

Homens se dividem pelos polos: dia e noite, gravata e repulsa à gravata. Sim, há o notívago de gravata, tipo bizarro que talvez seja você.

about 5 minutes ago via web

ELITE DA TROPA 2

Já as mulheres em minha vida foram todas matutinas. E saudáveis. Excessivamente saudáveis. O que fez de mim, cedo, um doente no armário.

about 2 minutes ago via web

Minha saúde era um disfarce, e a patologia, o destino inevitável. As mulheres sempre estiveram prontas a identificá-la ao primeiro sinal.

about 2 minutes ago via web

Maria, querida, agora você não tem do que reclamar. Desista de fiscalizar meu sono. E uma noite, quando o sertão virar mar, tuíte-me, leoa.

about 1 minutes ago via web

VIII
"Mataram alguém da DRACO"

Fausto abriu nossa conversa, em sua sala, na manhã de uma quarta-feira.

— Lembra da Samantha?

O caso da Samantha nenhum de nós, na DRACO, esqueceria, porque a mulher rompeu todos os estereótipos, frustrou todas as expectativas. E fez isso numa direção positiva — porque as expectativas eram negativas, por motivos mais do que naturais.

Ela chegava à casa, numa noite, de carro com o namorado. Ele a deixou diante do portão da garagem e foi circundar a pracinha para não cruzar a rua de mão dupla. Enquanto Samantha abria o portão, um Honda Civic preto saiu sabe-se lá de onde e fechou o Corsa do rapaz. Firmino — o miliciano, ele mesmo, o indefectível e onipresente sargento Firmino — saiu pela porta do carona, apontou a pistola e acertou o namorado de Samantha na cabeça três vezes. Voltou para o Honda e arrancou, fazendo barulho e acelerando.

Provavelmente, o assassino não percebeu que Samantha, de onde estava, tinha perfeita visão da cena. Ela gritou, mas talvez ele nem sequer tenha ouvido, considerando-se os disparos, o motor do carro e o ruído dos pneus no asfalto, na arrancada. Quando ela chegou ao Corsa, o namorado já estava morto. Vários moradores ouviram os disparos e os gritos. Alguns se aglomeraram em torno da cena do crime. Uma viatura da PM que estava próxima chegou pouco depois.

Samantha registrou na delegacia do bairro denúncia contra Firmino, que ela conhecia bem, porque ele comandava o esquema de vigilância informal na rua. Seus homens se revezavam nas farmácias e padarias. O namorado, que morava ali muito antes da invasão dos mafiosos e vendia jornais e revistas em uma banca na outra esquina, se recusara a aceitar o aumento da taxa que a milícia cobrava sobre o dinheiro que ganhava na banca. Fez pé firme. Negou-se a admitir a inflação dos valores cobrados, ainda que, por mais de um ano, viesse se submetendo à extorsão. Pressionado, ameaçou denunciar os milicianos. Pagou com a vida o preço da desobediência. Mais: da insubordinação.

Samantha parecia disposta a honrar o exemplo de coragem do namorado que perdera. Abriu o verbo na delegacia. Resultado: foi advertida por um capanga de Firmino de que melhor faria se evitasse o caminho que conduzira seu namorado ao destino desafortunado. Ela insurgiu-se e, ante a reiteração da ameaça, indignada, voltou à delegacia. Registrou nova queixa. Agora, ameaça.

Poucos dias depois, foi forçada por um desconhecido a entrar num bar e sentar-se. A seu lado, além do homem que a levara pelo braço, sentou-se o próprio Firmino. O outro apresentou-se como advogado do sargento. Foi ele quem explicou o propósito do encontro inusitado. Ela deveria retornar à delegacia para prestar novo depoimento, no qual isentaria Firmino de qualquer responsabilidade pelo homicídio de seu namorado. Diria que o assassino era um negro baixo e calvo. Ela se confundira porque pensava que o sargento era outra pessoa. Quando o mostraram a ela na rua, deu-se conta do equívoco e apressou-se a esclarecer para prevenir injustiças e porque, afinal, desejava que o verdadeiro culpado fosse logo identificado e punido. O sargento ouviu a instrução sem emitir uma palavra. Levantou-se mudo e sumiu. O advogado, de terno e gravata, forçou-a a acompanhá-lo em seu carro até o centro do Rio de Janeiro. Dirigiram-se a um modesto escritório em um prédio comercial, onde outro homem de terno os aguardava. Sem que o advogado dissesse nada, o segundo homem repassou as instruções, introduziu alguns detalhes, treinando-a para a eventualidade de algum questionamento por parte da autoridade policial, e, por fim, lhe perguntou se tinha entendido tudo ou se restava alguma dúvida. Não a poupou de uma ameaça direta. Tratava-se da última chance. Que ela não ousasse fugir. Os endereços de seus pais e de sua irmã eram conhecidos. O rapaz recitou os nomes das ruas e os números das residências.

Diante desse movimento mais radical de Firmino, Samantha recuou. Foi à delegacia, desdisse o que depusera, repetiu as falas que os desconhecidos lhe impuseram e que ela havia decorado. E mudou-se do Rio para uma cidade do interior do estado.

O inquérito avançou e recuou, truncado pela decisão derradeira de Samantha de render-se aos algozes de seu namorado.

Relendo em minúcia a papelada, Fausto descobrira farta munição contra Firmino. Munição capaz de reverter o recuo de Samantha. Nos depoimentos tomados a termo na delegacia, moradores que correram para ajudar a vítima declararam, todos eles, sem exceção e sem terem ouvido os relatos alheios, que Samantha gritara várias vezes: "Foi Firmino, eu vi. Foi Firmino."

Os depoimentos dos policiais militares que acorreram à cena do crime coincidiam com as declarações dos moradores ouvidos. Afirmaram que Samantha acusara Firmino diversas vezes, diante do corpo do namorado, sem demonstrar nenhuma dúvida, sem vacilar.

Ora, as peças se encaixavam perfeitamente. Os elementos disponíveis constituíam indícios mais que suficientes, sobretudo quando os depoimentos dos populares e dos policiais eram analisados à luz da subsequente denúncia de ameaça, que a própria Samantha fizera e formalizara espontaneamente na delegacia.

Nada disso era considerado nas conclusões do inquérito conduzido pela delegacia do bairro em que ocorreu o homicídio. A interpretação final do inquérito acatava a última versão de Samantha como a verdadeira. E não ponderava sobre nada mais. A peça sepultaria de vez a suspeita de que ele tivesse tido qualquer participação em mais um assassinato.

Fausto retomou a palavra:

— Acho que descobrimos o caminho. — Olhei para o delegado sem entender. Continuou: — Um bom promotor, diante de um inquérito bem-instruído, oferece a denúncia e deslancha o processo para o juiz. Um bom juiz entende a gravidade e acata a denúncia, levando adiante o trabalho da Justiça. Expede os mandados necessários, autoriza as escutas e depois determina a prisão preventiva de uma vez.

— Maravilha. Vamos nessa.

A tarefa era retomar o caso Firmino e ir abrindo sua árvore das relações e cumplicidades, tomando o assassinato do namorado de Samantha como ponto de partida. Construída a base, o resto, as dezenas, centenas de crimes, viriam por gravidade. Cairiam maduros no cesto.

Dois ou três dias depois, no meio da tarde, uma notícia esticou e trincou os nervos de todos nós na DRACO, nervos já estirados ao máximo e expostos. Alguém tinha morrido, uma pessoa da delegacia, da nossa delegacia. Morrido, não. Sido morto. Endereço: uma rua residencial de bairro de classe média na Zona Oeste da capital. Quem mora lá? Quem está na rua, cumprindo missão externa? Uma corrente de contatos foi disparada pela energia de nossa ansiedade. Alguém foi para a Zona Oeste? Quem não está aqui? Sigam a lista, um por um, determinei aos colegas. Telefonei para o dr. Fausto, que estava em São Paulo, em uma conferência sobre criminologia. Prometeu pegar o primeiro voo da ponte aérea. O problema seria o trânsito. Se chegasse rápido ao aeroporto de Congonhas, não demoraria a aterrissar no Santos Dumont. De lá para a DRACO, um pulo. Ninguém tinha ido para aquela zona da cidade. Ninguém deixara de atender às chamadas. Todos os detetives, escrivães, funcionários, técnicos, motoristas, os outros dois inspetores mais jovens, todos, sem exceção, haviam sido localizados. Estavam bem. Todavia, o sentimento da tragédia persistia. Afinal, o colega da delegacia distrital responsável pela circunscrição em que ocorrera o crime me disse, ao telefone, enquanto se deslocava para o local, que a informação registrada no 190 mencionava explicitamente a DRACO. A pessoa que ligara para a central de atendimentos da PM fora muito clara e enfática: "Chamem a DRACO. A vítima é deles."

Eu e um grupo numeroso de colegas embarcamos em duas viaturas. No caminho, repassei várias vezes, um a um, os nomes dos servidores de cada seção. Refiz a tabela dos turnos e dos plantões. Chequei com os chefes de divisão a lista de seus subordinados. Nossa convicção de que todo mundo estava a salvo e a informação transmitida ao 190 não eram compatíveis.

Os minutos passando, nossos valentes motoristas toureando o trânsito indisciplinado do Rio, as cabeças voltaram, aos poucos, ao lugar. Foi Marquinho quem chamou a atenção para um dado óbvio:

— A pessoa que telefonou para o 190 com essa informação conhecia a vítima e sabia que ela era ligada a nós. Nesse caso, por que não nos ligou diretamente? Ou, pelo menos, não deu o nome da vítima?

Tonico, que também estava em nossa viatura, lançou outra hipótese perfeitamente possível:

— E se não for nada disso? Pode ser um aviso. Uma ameaça. Uma tentativa de intimidação do tipo: não aconteceu, mas pode acontecer. Vai acontecer.

Liguei de novo para o colega da delegacia local. Ele já deveria ter chegado à cena do crime.

— Prometeu me ligar e agora não atende.

Não recordo se disse em voz alta ou pensei. Tentei mais uma vez. Caixa postal.

Do centro da cidade, onde estávamos, ao bairro da Sagrada Família era uma viagem. Não suportaria uma hora dentro do carro com o ar-refrigerado quebrado e a dúvida cravada nas costas.

Graças a Deus o colega da delegacia ligou:

— São duas pessoas, um homem e uma garota, copiou?

— Copiei. Por acaso você reconheceu o homem?

— Não dá pra saber quem é, copiou?

— Copiei.

— A carteira da vítima é da Polícia Civil, mas não dá pra ler direito, porque um dos projéteis atravessou o documento. E tem muito sangue.

Você está mexendo no corpo, seu babaca, cretino, idiota. Quer desfazer a cena do crime? Tira a mão porca do cadáver, seu filho da puta. Foi o que pensei. O que consegui dizer foi mais ou menos o seguinte:

— Colega, quem sabe você espera um pouquinho. Já acionei o pessoal da perícia. Talvez fosse bom preservar a cena do crime. Pode ser? O que você acha?

Se eu estivesse lá não sei se teria sobre meus braços o domínio que logrei exercer sobre a voz e as palavras.

O colega da delegacia local respondeu à minha cordata ponderação com os vastos recursos de seu vocabulário:

— Já é.

Agradeci. Ele completou:

— É nós.

Desliguei.

As expressões "já é" e "é nós", celebrizadas por traficantes, são empregadas para expressar aprovação ou concordância, a primeira, e afirmação triunfal de que somos unidos e fortes, a segunda. Uma espécie de ufanismo adolescente. Um patriotismo de história em quadrinhos.

Virei o pescoço até onde meu renitente torcicolo permitiu e compartilhei com os colegas sentados no banco de trás da viatura a resposta do colega:

— "Já é". O cara me disse "já é" e "é nós".

Tonico se insurgiu contra meu elitismo:

— Tu queria o quê? Uma citação de Camões?

Marquinho não perdoou:

— Esquenta, não, Tonico. De vez em quando ele tem uma recaída. Esqueceu que ele estudou letras?

A palavra estava com eles.

Tonico respondeu, dirigindo-se a mim:

— Tu anda metido a besta, hein? Quem te viu e quem te vê!

Antes que eu respondesse, Marquinho atalhou:

— Sabe o que foi que subiu à cabeça dele?

Tonico tentou o nocaute:

— Claro, diretor de investigações da DRACO. Homem de confiança do delegado Fausto Clemente.

Marquinho bateu no fígado:

— Não. Nada disso.

Eu já estava rindo e me questionava como era possível rir no meio do redemoinho, e no escuro.

Virei a cabeça de volta para a frente mas não escapei ao golpe baixo de Marquinho:

— Foi o casamento. Casou-se com a linguista, a cientista, pró-reitora, e pronto. Entrou para o clube privé. A aristocracia. Não é pra qualquer um, não, compadre. Sei que já faz tempo, mas essa marca não desaparece.

Mandei suspender a sacanagem e fazer silêncio.

Os dois, em coro, acataram a ordem:

— Já é.

E, depois de um intervalo, o coro entoou:

— É nós.

Fausto ao telefone. Embarcaria em vinte minutos. Não pude tranquilizá-lo completamente. A situação permanecia incerta.

Antes tivesse demorado mais. Antes tivesse chegado depois da remoção dos corpos. Algumas coisas são insuportáveis em minha profissão. Pelo menos para mim. O homem e a mulher foram fuzilados dentro do carro, uma BMW blindada. O carro estava parado no momento do ataque, e a janela, abaixada. Portanto, provavelmente, a vítima ao volante conhecia o assassino. Muitos tiros. Os corpos estavam quase desfigurados. A assinatura não deixaria dúvidas: o homicida ou os homicidas eram milicianos. Não deixaria dúvidas se eu as tivesse. Não tive desde que vi o homem morto. Eu o conhecia. Era Flávio Paulino, vulgo Efe-Pê, um dos principais líderes milicianos da facção comandada por Firmino e inspetor da Polícia Civil. Impossível saber, de imediato, se os assassinos eram de grupos rivais ou se as mortes assinalavam mais uma cisão na linhagem de Firmino.

A menina ainda era adolescente. Pelas fotos e referências, linda. Chamava-se Vanessa. Tinha uns 16 anos, no máximo. Não demoramos a descobrir que eram amantes, nem os motivos pelos quais o nome da DRACO foi evocado. Quem chamou a polícia foi o irmão da moça, Ricardinho. Um rapaz afetado, dono de um salão de beleza no bairro. Salão que ele tomou à força do proprietário original, com uma pequena ajuda de seus amigos mafiosos, aos quais se ligara ainda jovem, cumprindo tarefas as mais diversas. Tarefas que inicialmente se reduziam àquelas típicas de office boy: leva e traz documentos, embrulhos e contas. Mais tarde, tendo conquistado a confiança dos chefes, passou a levar e trazer produtos mais valiosos e menos lícitos. Até que, finalmente, couberam-lhe responsabilidades maiores, funções que talvez a máfia defina como sendo as mais nobres. Não preciso nomeá-las. Em poucas palavras, Ricardinho mergulhou na vida criminosa, no âmbito da milícia local.

Ele não se perdoava, porque a irmã conhecera Flávio Paulino por seu intermédio. Desde o começo do namoro, temia o desfecho trágico. Não porque a esposa traída de Efe-Pê representasse algum risco. Pelo contrário, era uma boa moça, mãe recente. Mas porque ele era um alvo ambulante. Ricardinho tinha medo de que a irmã estivesse no lugar errado, na hora errada, e que o erro lhe custasse a vida. Mais do que isso, o intuía, pressentia e profetizava em suas visões de médium. Contudo, conforme ele mesmo admitiria mais tarde, não era necessário ser dotado de qualidades excepcionais ou de poderes paranormais para antecipar um final infeliz. Efe-Pê era sinônimo de perigo, problema, confusão, violência. Ricardinho sabia disso melhor que ninguém. Dez anos na máfia lhe abriram os olhos, ao preço de que os fechasse para o que não deveria ver.

Venerava Vanessa e a alertava constantemente, a ponto de ter levado uma surra do cunhado informal. A irmã não tinha ideia do que acontecera, porque Flávio proibira a vítima de contar-lhe. Denúncia à polícia, nem pensar. Ricardinho não era bobo, nem suicida. Suicida ele considerava a opção da irmã, que, entretanto, na contramão do bom-senso, advertida, o tranquilizava com a ingenuidade adolescente: "É só pra curtir." Ricardinho estava convicto de que o objeto da curtição de Vanessa era antes a BMW que seu dono. Brinquedo perigoso demais, ele repetia aos prantos, sempre que falava sobre o assassinato.

Prestou vários depoimentos e se tornaria uma das fontes mais esclarecedoras e mais confiáveis. Sobretudo após o ingresso no Programa de Proteção à Testemunha. Ricardinho negociou o acordo para a delação premiada com Fausto, o promotor Parker e a juíza Maria Duília. Sua contribuição foi fundamental. Deprimido, arrasado e se sentindo culpado, a despeito de todos os esforços que fez para afastar a irmã de Efe-Pê, a primeira iniciativa de Ricardinho foi chamar a polícia. Ele foi, por coincidência, um dos primeiros a chegar ao local do crime. Em segundo lugar, teve a lucidez de envolver a DRACO. Foi muito esperto. Dizendo que alguém da DRACO tinha sido morto, sabia que nós viríamos e que isso implicaria realização de uma investigação para valer. Foi perspicaz também porque, nos envolvendo, afastaria, automaticamente, a delegacia local do caso. Delegacia da qual era íntimo, porque uma de suas tarefas era discutir os acordos entre seus funcionários e a milícia, e de intercambiar dinheiro, armas e até drogas. Depois de expulsar de territórios sob seu controle os traficantes, matá-los e cooptar outros tantos, empregando-os em sua rede criminosa, certas falanges da facção de Firmino incluíram as drogas ilícitas em sua cesta de produtos para o comércio no varejo, em determinadas áreas. Tudo, como sempre, em perfeita harmonia com delegacias e batalhões, aos quais, não esqueçamos, boa parte dos mafiosos pertencia.

Devo explicações ao leitor. Disse que reconheci Efe-Pê, apesar do estrago que os assassinos fizeram em seu rosto. Eis como o conheci, cerca de um ano antes.

IX
Efe-Pê: crime e castigo

Sérgio Sá Moura é um dos melhores delegados da Polícia Civil fluminense. Não sou eu quem o diz. Ele figura na lista de Fausto:

— E não são muitos os que se salvam

Moura salva-se, segundo meu chefe. Pessoalmente, concordo. Já o vi em situações em que as opções eram o fim da carreira ou sociedade no grande negócio das maquininhas de azar, aquelas que estão proibidas mas fazem o maior sucesso nos botecos das favelas e dos subúrbios, e rendem muito dinheiro com o que Fausto chama de "a domesticação do acaso". Escolheu o colapso da carreira e acabou levando a sorte grande. O azar foi de quem o chantageou. Destino tem dessas coisas. Minha madrinha daria outro nome à trama das circunstâncias: providência. Suponho que Deus tenha mais o que fazer. Imagino que se ocupe de temas épicos: as guerras mundiais, o aquecimento global, a Al-Qaeda, a bomba do Irã, o conflito árabe-israelense, o racismo, as pestes, a fome na África, o renascimento do nazismo na Europa, a intolerância e as pernas da Belinha, a técnica terceirizada que mantém os computadores da DRACO funcionando e que ilumina o tugúrio fétido em cujo terceiro andar plantamos a delegacia. Perdão pelo machismo, mas as pernas da Belinha são épicas. O que é que eu vou fazer? É verdade. E, nesse caso, os caminhos se bifurcam: ou a sinceridade ou a boa educação, politicamente correta. Fico com a primeira sem vacilar. Melhor você não gostar de mim do que desconfiar do que lê. Entre mim e a palavra escrita já bastam as regras da gramática. São disciplina suficiente. E barreira suficiente entre nós.

Dr. Sá Moura cuidava de um assassinato em Pouso Alegre, Zona Norte do Rio. Era titular da delegacia distrital responsável pela área em que ocorreu o homicídio. Estranhou a dinâmica do fato — nosso dialeto é esquisito mesmo, não se aborreça — e nos avisou:

— Vale a pena ouvirem a testemunha antes que o medo ou coisa pior a emudeça.

Fui buscá-la na casa de uma amiga. Eu mesmo dirigi a viatura descaracterizada. Queria evitar o ambiente, o estilo e personagens policiais. Na primeira gíria, o motorista poria a perder a atmosfera acolhedora e informal que desejava criar. Chamava-se Elza. Imediatamente, lhe falei do Programa de Proteção, cogitei a hipótese de seu ingresso e me antecipei a eventuais recuos e desmentidos que poderiam resultar da insegurança que a afligia. Era uma senhora idosa, viúva, madrasta da melhor amiga da mulher de Efe-Pê. Essa melhor amiga era, de fato, próxima, quase irmã, de sua enteada. Por isso, a esposa de Flávio Paulino, que ficara órfã muito cedo, a tratava como uma segunda mãe. A tal ponto os fios de suas vidas se cruzaram que dona Elza foi convidada a batizar a filha de Efe-Pê.

Madrinha de sua filha, era, por consequência, comadre de Flávio. O vínculo simbólico — desabafou Elza — manchava sua denúncia com as cores do pecado e da traição. Mas o laço afetivo com a mãe do bebê era mais forte, mais antigo, e a autorizava — mais que isso, a obrigava — a acusar o meio-genro. Finalmente, a afilhada de seis meses. Dona Elza não sabia o que pensar. Por um lado, a denúncia poderia condenar Efe-Pê à prisão e privar a menina do pai. Por outro, o silêncio poderia condená-la a ter aquele pai presente a seu lado. De que vale um pai que serve de exemplo ruim e leva os filhos para o lado errado e escuro da vida?, ela se perguntava, ainda que contasse a mim por que decidira falar. Estávamos chegando à igreja que ela mesma escolhera como o lugar ideal para nossa conversa.

Distante de casa, em outro bairro, aquela era a igreja que costumava frequentar antes de perder o segundo marido e ver-se constrangida por motivos econômicos a se mudar. Levá-la à DRACO seria uma temeridade. Não confio em dois ou três funcionários das outras delegacias situadas no mesmo prédio. A última coisa de que dona Elza precisava e que merecia era a vingança do meio-genro.

O padre a esperava e nos cedeu uma sala discreta. Fechou a porta e nos deixou a sós. Eu não necessitava de um escrivão porque a conversa seria informal. Parte do trabalho comum de investigação. O depoimento formal havia sido tomado a termo, como dizemos na polícia, pelo dr. Sá Moura. Cauteloso e íntimo das ciladas, hábil na gestão dos recursos informatizados da delegacia legal, bloqueou o acesso eletrônico ao arquivo com o depoimento de Elza. Só ele tinha a senha. O que a velha senhora relatara estava no cofre digital. Garanti a ela o mesmo cuidado. O sigilo era a alma do negócio, do meu negócio, expliquei a ela. Corpo e alma na vida de um investigador. Ela tinha antigo relacionamento indireto com Sá Moura. Por isso o procurara. Seu falecido marido era policial civil. Antes de aposentar-se, trabalhou com o delegado, em início de carreira. Elza herdara a confiança.

A história narrada por dona Elza era tão simples quanto chocante. A gente pensa que já viu tudo, já ouviu tudo, mas continua sendo surpreendido pela inesgotável capacidade humana de superar-se no campeonato do horror. Já disse isso, eu sei, mas faço questão de repetir.

Passava das dez da manhã. A filhinha de Flávio Paulino tinha acabado de mamar e caíra no sono. Ela usou o nome completo, Flávio Paulino, e fez questão de esclarecer. Dona Elza não gostava de apelidos. Achava o nome do meio-genro bonito e rechaçava a vulgaridade das letras soltas. Coisa de filme americano, me disse.

— Parece sigla, "Efe-Pê". Isso lá é nome de gente? Pode ser banco, remédio, marca de geladeira.

Elza era uma mulher forte. Contou sua história do começo ao fim, sem titubear:

— Estava visitando minha afilhada. Ia praticamente todo dia. Moro perto, e a mãe é uma filha pra mim. Não é, mas é como se fosse. Ajudei a dar banho, secar, vestir. A neném está uma gracinha. Só vendo. Mamou no peito da mãe. Leite não falta ali, benza Deus. Ela demorou pra arrotar, e você sabe que se a criança não arrota depois de mamar fica irritada, incomodada, chora. Peguei ela no colo, andei um pouquinho pela casa, saí pelo quintal e voltei, passando pela varanda, uma varanda larga, arejada, que fica de um lado da casa.

Dona Elza parou e me perguntou se eu estava prestando atenção. Eu disse:

— Claro, dona Elza, claro. Pode continuar.

Ela retomou a palavra, e eu mudei a posição da cadeira para provar que era absoluta a minha atenção:

— Quando ia passando pela varanda, vi que o Flávio estava ali, deitado na rede. O bebê já estava dormindo. Parece um anjinho quando dorme. Não desperta por nada nesse mundo. Nem música, nem conversa, nem buzina. O Flávio me viu com a menina nos braços, se levantou e me pediu para segurar a filha. Andou pra lá e pra cá com ela no colo e se sentou numa cadeira. Nisso, a Tereza Beatriz entrou na varanda. Todo mundo chama a mulher do Flávio, essa moça que considero filha, de Tizinha. Eu, não. Pra mim é Tereza Beatriz. Ela perguntou ao marido se queria café, ele disse que não. Ela então brincou comigo e disse: "A senhora quer, não é? Sei que a senhora não recusa um cafezinho."

"Não neguei. Não recuso mesmo café. Ela me conhece. Sentei ao lado do Flávio. Nem tive tempo de puxar papo — nunca fui com a cara dele e era sempre um sacrifício conversar com ele. Desde a época do casamento, ouvi muita coisa horrível sobre ele, mas engolia a convivência pra não brigar com Tereza Beatriz. Para falar a verdade, ele parecia um bom marido. Bom marido e bom pai. Nunca vi ele tratar mal a mulher. Muito menos a filha. Ele é até bem carinhoso com a criança. O nome de minha afilhadinha é Carmem Lúcia, mas confesso que tenho dificuldade de chamar um bebezinho de Carmem Lúcia. Os pais chamam de Carmucha, mas eu não gosto de apelido".

Fez uma pausa, talvez se dando conta de que se aproximava o momento de evocar uma lembrança dolorosa, cujo relato talvez fosse melhor omitir. Percebi que dona Elza espichava a narrativa sobre o que não interessava e adiava o confronto cara a cara com o que preferia esquecer.

Ela continuou:

— Tereza Beatriz trouxe meu café e sentou-se conosco. Era um final de manhã tranquilo de uma família normal. De repente, um rapaz bateu no portão, que não estava trancado, e foi entrando como se conhecesse o lugar e as pessoas. Deu bom-dia a nós três, na varanda, riu por um instante para o bebê no colo do Flávio e, olhando na direção dele, disse que tinha um aviso importante. Flávio respondeu alguma coisa como "pode falar". E o rapaz falou. Estava bastante nervoso. Dava pra sentir pelo tremor na voz. Disse que um sujeito do grupo do Almir estava rondando de carro pelo bairro, armado e cercado de policiais, falando pra quem quisesse ouvir cobras e lagartos sobre o Flávio e o grupo do Firmino, e mandando informar aos interessados que aquela área estava prestes a cair nas mãos do Almir. Quem quisesse viver que fugisse logo, porque Almir não teria piedade. O rapaz terminou dizendo que só estava transmitindo o recado porque não queria que nada acontecesse ao Flávio, à sua filhinha e à sua família.

Elza abaixou a cabeça, se ajeitou na cadeira, respirou e concluiu:

— Acho que não preciso contar mais nada, não é? O senhor deve ter lido meu depoimento.

— É importante que a senhora conte de novo — respondi.

— Foi o que contei em detalhes ao doutor delegado. Foi aquilo que aconteceu. De uma hora pra outra, não me pergunte por quê, o Flávio, que estava imóvel, ouvindo o relato do rapaz na maior calma, com a filha no colo, com tranquilidade, sereno, puxou da cintura uma pistola, e atirou na cabeça do moço. Um tiro só. Certeiro. Depois, sem mexer o corpo, segurando o bebê com o braço esquerdo, guardou a pistola no mesmo lugar de onde a tinha tirado e mandou que a gente se calasse, pra não assustar a menina. Carmem Lúcia dormiu o tempo todo. Não acordou nem com o tiro, graças a Deus.

Dona Elza era valente e mantinha a voz firme, mas nesse ponto do relato fraquejou. Saí da sala para buscar um copo d'água. O intervalo lhe deu tempo para reencontrar o equilíbrio e organizar as ideias. Ela prosseguiu:

— Apesar das ordens do Flávio, é claro que eu e Tereza Beatriz não paramos de gritar e chorar. O homem já estava morto. Ele mandou a gente pegar a criança, fazer as malas e viajar para o Espírito Santo, onde ela tinha parentes. Foi isso o que aconteceu.

— O Flávio Paulino atirou com o neném no colo?

— No colo, no braço esquerdo.

— Nunca soube de nada parecido, dona Elza.

— Matou com a filha no colo, quase sem se mexer.

— Que coisa.

— Na cabeça.

— Um disparo só, preciso.

— Fatal, meu filho.

Repeti alguma interjeição. Dona Elza continuou:

— O moço era jovem. Ficou ali, estirado no chão. Sangrando. Morto. Foi uma cena terrível.

— E o Flávio não se abalou.

— Não se abalou. Refletindo depois, fiquei convencida de que deve ser mesmo verdade o que dizem sobre ele. Frio assim.

— Se bem que ele é policial. A senhora tem de levar isso em conta.

— Eu sei, mas é diferente. Meu segundo marido era policial e nunca matou ninguém. Aquela frieza não era uma técnica profissional, meu filho. Era indiferença de matador. De quem está acostumado.

— E a senhora sabe por que ele matou o rapaz?

— Não entendi. O moço não estava armado, não ofendeu, não ameaçou. Só falou da ameaça. Me pareceu que tinha a intenção de alertar. Não sei.

— Difícil entender.

— Mas foi assim. Exatamente do jeito que eu contei. Sem tirar nem pôr.

— Ele talvez tenha imaginado que o rapaz era mensageiro dos inimigos e estava envolvido no complô.

— Não sei.

— A senhora nunca tinha visto a vítima antes?

— Nunca.

— Chama-se Aurélio Rios.

— Nunca tinha visto nem ouvido falar.

— Pelo jeito dele, cumprimentando, desejando bom-dia, entrando no quintal e na varanda como entrou, a senhora ficou com a impressão de que ele era conhecido do casal, não foi?

— Foi.

— Por acaso o Flávio ou a Beatriz disseram alguma coisa sobre ele ou falaram alguma coisa com ele que a senhora esqueceu de mencionar?

— Não, senhor. Só devolveram o bom-dia. Ou melhor, Tereza Beatriz respondeu ao bom-dia, bem baixinho. Flávio nem isso.

— E a resposta de Beatriz sugeriu à senhora que ela o conhecesse ou não?

— Não sei. O modo como ela respondeu caberia nas duas situações.

Já era hora de liberar dona Elza. Falar sobre coisas como o que ela testemunhou desnorteia qualquer um. Menos o Efe-Pê, claro. Não fazia sentido prolongar a agonia. A narrativa era clara e coerente, ainda que a cena soasse inverossímil. A segurança de dona Elza me persuadiu de que o relato era fidedigno. Restava levantar o passado da vítima e tentar identificar alguma relação com o assassino ou com a facção rival do Almir. Flávio Paulino estava desaparecido. dr. Sérgio Sá Moura já havia providenciado junto à Justiça o mandado de prisão.

Insisti no Programa de Proteção à Testemunha, pensando no bem de dona Elza e, admito, na boa condução do inquérito policial contra Efe-Pê. Seria inevitável, se ela não sumisse, a ameaça seguida de recuo. Na melhor das hipóteses. Quantas vezes já tinha visto aquele filme.

Elza não era uma mulher como as outras de sua idade. Pelo menos não como a maioria das outras. Descartou a sugestão porque não lhe convinha renunciar a tudo que a ligava à cidade e a seu passado. O corte radical lhe parecia insuportável e desnecessário. Nas suas palavras:

— Meu filho, aprendi algumas coisas com meu finado esposo. Marginal do tipo do Flávio não dura muito. Seu destino é ser morto pelos inimigos. E, se os inimigos o pouparem, os amigos dão um jeito nele. Acabam com ele. O fim é um só. E é rápido.

— A senhora tem razão, dona Elza. Mas...

— Mas vai existir um tempo entre o momento em que ele descobrir ou desconfiar que eu sou a testemunha que denunciou o crime e o momento em que será executado.

— Exatamente.

— Sei disso.

— Esse tempo pode ser maior do que a senhora supõe.

— Pode ser.

— Mesmo que seja curto, é suficiente para ele...

— Aprontar para o meu lado. Pode falar, meu filho. Sei o que você está pensando. Só que eu também já pensei nisso.

— Então, a senhora tem um plano.

— Tenho.

— Vai viajar.

— Passar esse tempo fora do Rio.

— Assim é melhor. Fico aliviado.

— Tenho parentes em Minas.

— Bom. Muito bom. Só lhe peço para deixar comigo... ou com o dr. Sérgio, pode ser com o dr. Sérgio, seus contatos, porque pode ser necessário...

— Deixo com você. Dr. Sá Moura me falou de você.

— Obrigado pela confiança. Um último pedido. Cuidado com... Como é que eu vou dizer sem ofender a senhora? Veja, não se trata de duvidar de Tereza Beatriz. Não é nada disso. Mas o Efe-Pê, o Flávio, é esperto, experiente.

— É policial.

— Pois é. Se ele quiser chegar à senhora, vai usar a mulher para armar a cilada. Sem ela saber, claro. Vai usar a mulher e a filha. Entendeu o que quero dizer, dona Elza?

— Você acha que é muito perigoso visitar minha afilhada, no interior do Espírito Santo?

— Acho, não, tenho certeza. Aguenta um pouco, dona Elza. Mas é imprescindível que a senhora não visite, não procure, sequer telefone para Tereza Beatriz. Se a senhora quiser enviar uma carta, tudo bem. Mande pra mim, que eu dou um jeito de remeter de um bairro distante do seu, do meu, do dr. Sérgio ou da DRACO, que é a delegacia em que trabalho. Já lhe expliquei, não é? Tudo que se saberia é que a senhora teria enviado a carta do Rio de Janeiro. O que seria até bom para confundir o Flávio. Mas telefone é um problema. Dá para localizar a origem da chamada. A não ser que a senhora saia de Minas só para ligar de um telefone público. É complicado.

— Telefonar não adianta. Não interessa. De que serve falar pelo telefone com um bebê?

Dona Elza perdeu a fleuma pela segunda vez. Busquei mais água. Por fim, prometeu seguir meu conselho. E lamentou a distância da afilhada durante o período que é único na vida. Uma ausência que jamais poderia ser compensada. A conversa terminou de um modo melancólico; Elza, inconsolável.

Dias depois, me ligou para se despedir. Confirmou que cumpriria a promessa de seguir à risca o que lhe havia sugerido.

As investigações em torno da vítima não avançaram. As informações chegavam truncadas, ambíguas. Era preciso controlar o contexto mais abrangente, e nosso trabalho ainda estava longe de alcançar esse nível de desenvolvimento.

Efe-Pê evaporou. Localizar alguém é difícil. Localizar sem contar com a capilaridade policial é quase inviável. A presença abrangente da polícia resulta da ação de milhares de profissionais espalhados pelo estado e pelo país, e é potencializada pela tecnologia. Se muitos desses milhares estão nas mãos dos milicianos de alguma forma — como omissos, atemorizados, cúmplices ou sócios —, os tentáculos institucionais congelam, gangrenados. Consequência: os olhos que estão em toda parte para vigiar e identificar, prevenir e controlar, localizar e orientar a ação inibidora transformam-se em guaritas de proteção do criminoso, guardas de sua segurança, veículos de dissimulação e despiste, bússolas para guiá-lo. Tiro pela culatra. Considerando-se nossas polícias, hoje, no Rio, menos é mais.

Sábia dona Elza. Cantara a pedra, inspirada no esposo falecido. Marginal violento dura pouco. Deixa um rastro de sangue, mas sai de cena rápido. Em mãos inimigas ou amigas. Concordei quando ela enunciou a lição herdada, mas confesso que não pensei que pudesse ser tão rápido. Que o vaticínio se realizasse assim, de imediato. Questão de semanas. Pois foi o que ocorreu. Era sábado. Lembro perfeitamente porque tinha começado a desligar os comandos para, gradualmente, reduzir a velocidade de cruzeiro dos neurônios e me preparava para uma noite especial. Maria Clara merecia. Eu também. Vivíamos um momento bacana, carinhoso, de muita animação em todos os departamentos do amor, depois de uma fase de convivência educada mas fria, cada um cuidando da sua vida, a rotina nos afastando como dois transatlânticos que partem do mesmo porto para destinos diferentes. O casamento é assim: não se manobra um transatlântico facilmente, de uma hora para outra. Foi difícil salvar a alma da relação, que tinha evaporado. Por isso, eu estava atento, disposto a não desperdiçar a nova chance que a vida nos dava.

A tarde terminava sem sustos, depois de uma semana de muito trabalho e alguns resultados. Parcos, mas promissores. Em circunstâncias como essas, a boa notícia é recebida com má vontade. Uma certa atmosfera de decepção, alegre decepção, tomou conta de minha sala, na DRACO, quando compartilhei com os colegas a informação de que Efe-Pê tinha dado entrada no hospital Barra Pró-Vida, baleado. Um assalto, explicou na portaria a pessoa que o levou até lá. Claro que não era nada disso. Tratava-se de mais um episódio das disputas entre milicianos. O nome e os demais dados da boa alma logo se revelariam falsos. O hospital notificou a PM, que acionou a delegacia do bairro. Mais tarde, a delegacia local nos avisou, porque constava no sistema que éramos nós, a DRACO, os encarregados pela direção das buscas.

Quando cheguei, Flávio Paulino já havia saído da sala cirúrgica e recuperado a consciência. Não corria risco de morrer. Sua condição era estável. Foi engraçado encarar na UTI, enroscado numa teia de tubos, plugado em equipamentos de monitoramento eletrônico, o famigerado Efe-Pê, o matador profissional que acabara cometendo um erro ao matar com a filha no colo, na varanda de casa. Engraçado observar a alteração dos sinais vitais que minhas palavras causavam. Era tão divertido quanto um videogame. Que poder fantástico têm as palavras. Até o tom da voz. E o que eu disse ao sujeito ali amarrado à vida pelos fios da tecnologia médica foram poucas palavras e em tom suave — calmo como ele era ao matar. Só emiti três palavras:

— Você está preso.

Isso bastou para fazer saltarem as agulhas que registravam a pulsação cardíaca, disparando o alarme. Cena de comédia. O roteiro é meio macabro; nem por isso menos hilariante. Convenhamos, era irresistível devassar as oscilações emocionais provocadas por minhas palavras por trás da cortina de ferro armada pela máscara de macho frio, calculista e calmo do Efe-Pê. Quando me esforçava para disfarçar o riso na UTI, me dei conta de que o apelido coincide com as iniciais de "filho da puta". Ganhei a noite que tinha perdido.

Deixei dois policiais de confiança postados na porta da UTI e mais dois no saguão do hospital, próximos à recepção. Era uma questão de tempo. Portanto, de paciência. Fui para a viatura descaracterizada, liguei o rádio e relaxei, mantendo a atenção no pátio que servia de estacionamento. Meia hora depois, chegaram juntos Manolo Quebra-Ossos e Lourival do Alambrado, também conhecido como Diabo Louro. Os dois eram ex-oficiais da Polícia Militar — um, major; outro, capitão. Contavam com a proteção que o rico patrimônio de informações lhes garantia. Informações sobre colegas e superiores. Esse tipo de riqueza significa poder e risco, porque quem a detém será paparicado ou definitivamente calado.

Manolo Quebra-Ossos e Lourival do Alambrado chegaram sozinhos. Não é notável? O aparato de segurança não veio. Provavelmente, para não chamar atenção. Achavam que a visita ao amigo era segura, porque sua identidade era falsa e falsos seriam os registros hospitalares. Eles não contavam com a pedra no meio do caminho. Como já disse, tem muita gente séria e honrada na polícia. Um policial honesto e competente reconhecera Efe-Pê e nos dera o serviço. Pronto. Agora era só estender a rede e abrir os braços. Os perigosos mafiosos, assassinos brutais, ricos e poderosos, caíam como patinhos. Que delícia. A noite estava ganha, de novo. Acionei pelo rádio os colegas. Nosso movimento foi rápido. Os bandidos foram surpreendidos no estacionamento.

O mandado de prisão contra Manolo poderia se referir a um variado cardápio de barbaridades, mas só conseguimos manter a denúncia a propósito de um deles. Sempre o problema das ameaças às testemunhas. Num país decente, prescindiríamos de depoimentos de testemunhas. Trabalharíamos com tecnologia pericial. Aqui, a PM sequer preserva a cena do crime. Culpa da PM? Negativo. A perícia não tem gente nem condições para estar presente nos mais de cinco mil homicídios que acontecem por ano no Rio, para não falar nas mais de mil mortes provocadas por ações policiais. Dificilmente os peritos estão disponíveis para coletar os vestígios para os exames. Solicitações não atendidas de laudos periciais? Mais de cem mil, segundo o último levantamento de que fiquei sabendo — ninguém vai divulgar esse número absurdo. Resumo da ópera: dependemos da coragem das testemunhas.

Não se esqueça de acrescentar à feijoada mais um tempero desagradável: nossa capacidade de garantir a proteção da testemunha é, na melhor das hipóteses, bastante limitada — tanto que o Programa de Proteção é montado e administrado por entidades não governamentais, com exceção do sistema que funciona no Rio Grande do Sul. É verdade que, hoje, mundo afora, se difunde a opinião de que o melhor é mesmo retirar das polícias a responsabilidade pela proteção para melhor compartimentar as informações e evitar vazamentos. Não sei se é o melhor, mas garanto que não foi por isso que o sistema brasileiro nasceu do jeito que é.

Além do mais, nem todo juiz está disposto a condenar um réu com base no depoimento, às vezes isolado, de uma pessoa. E com razão. As pessoas se enganam e têm seus interesses. Nem sempre lícitos.

X
Apresentando Manolo e Luciano com um comentário venenoso sobre desgovernos, bondes, caveirões, prêmios, omeletes, gavetas e outros detalhes macabros

Ambos fizeram o nome ainda tenentes, quando estavam lotados numa unidade local da PM que à época se chamava "batalhão sinistro" e formavam o popular "bonde do mal", que espalhava o terror em diversos bairros da Zona Norte do Rio. Depois que a Secretaria comprou os blindados para a PM, os caveirões, já na primeira década do século XXI, os dois oficiais trocaram os camburões pelo novo veículo, mas mantiveram os métodos e intensificaram a violência. Entravam nas favelas atirando e hostilizando a população com palavrões e ameaças pelo alto-falante do blindado. Confirmada a eficiência dos caveirões, passaram a alugá-los, inicialmente a traficantes, mais tarde a milicianos aliados. Os blindados eram utilíssimos nas invasões. Por isso, o empréstimo era caro. Em geral, sessenta mil reais por uma noite. O preço era alto, mas os dois facilitavam. Não fizeram fortuna à toa. Sempre foram bons nos negócios. Eram flexíveis. Aceitavam receber em arma, munição e droga.

O "batalhão sinistro" foi generosamente recompensado pela premiação faroeste, em meados dos anos 1990. A Secretaria de Segurança condecorava e pagava ao beneficiário um adicional — que era imediatamente incorporado ao salário — por atos de bravura, medidos pelos êxitos obtidos no enfrentamento com traficantes. Os êxitos correspondiam mais frequentemente a mortes do que a prisões.

O título macabro foi inventado por um jornal, mas pegou. A despeito da intenção crítica, "batalhão sinistro" passou a ser ostentado com orgulho pelos próprios paladinos da bravura. Casos envolvendo esse BPM se acumularam nas cortes internacionais de direitos humanos, mas o governo do Rio desdenhava a opinião internacional. O secretário e o governador consideravam antipatriótico admitir interferências externas. As críticas feriam a soberania. Acho que as autoridades pensavam o país como o espancador de mulheres pensa a casa onde mora. Pode encher a esposa de porrada, porque em briga de marido e mulher ninguém está autorizado a meter a colher. A lei fica na porta. Não entra. No domicílio, ele é soberano. O governador e o secretário podiam arrebentar. Era a casa deles, o país deles. Ou não? E que nenhum vizinho se metesse a besta.

Um membro da Secretaria de Segurança constituída no governo seguinte, que herdou móveis e apetrechos do valente comandante, conta que encontrou nas gavetas das mesas amontoadas na pequena sala da Assessoria de Imprensa centenas de cartas fechadas, endereçadas ao secretário por entidades das mais diversas partes do mundo.

Hoje, quando os editoriais reclamam da corrupção e da ineficiência, a culpa recai exclusivamente sobre nossos ombros, como se os policiais tivéssemos toda a responsabilidade, como se os governos e as políticas adotadas não fossem os maiores responsáveis pelo caos que herdamos.

As milícias têm uma relação distante mas importante com a política de premiação faroeste. Ou melhor, com a mentalidade que ela simboliza. De certo ponto de vista, pode-se dizer que são um subproduto degradante e nocivo das práticas que os governos adotaram, na medida em que elas consagraram a violência policial, valorizando a morte dos suspeitos, os quais passaram a ser tratados como inimigos, cuja rendição sequer se aceitava. Inimigos deviam ser executados e ponto final. Aceitar execuções extrajudiciais equivale, indiretamente, a mandar o recado de que se tolera a formação de grupos de extermínio. E todos sabem que esses grupos carregam em si vários ingredientes que, nas milícias, são desenvolvidos e potencializados.

A ideia simplória, aparentemente astuta, mas suicida, estúpida, era de que vivíamos uma guerra, e na guerra, vale tudo. Tudo se justifica. Nela, o melhor desempenho é o mais destrutivo, porque a meta é eliminar o inimigo. O resto são acidentes de trabalho. Afinal, tudo tem seu preço. Se um policial atira porque confundiu com traficante armado um cidadão que fazia obra na varanda de casa com uma furadeira, tudo bem. Afinal, seria só um equívoco na identificação de uma imagem distante. Atirar não estaria errado se o homem alvejado portasse uma arma, mesmo que, no momento do disparo, não estivesse ameaçando a vida do policial nem de um inocente. Numa guerra, atira-se e pronto. O resto é o resto: acidente de trabalho. Matar suspeito não se questiona. A origem dessa degradação cultural e moral tem raízes antigas e tornou-se uma praga difícil de extirpar da opinião pública e da visão dos profissionais. Esse é o câncer que mastiga as entranhas da polícia.

Quem não se lembra da frase de efeito do célebre ministro da Fazenda da ditadura, que vários secretários de Segurança do período democrático, curiosamente, adoram citar? "Não se faz um omelete sem quebrar ovos." Tudo bem. Desde que não sejam os deles. Desde que seus filhos estejam sãos e salvos em casa. Nós, policiais honestos, e a população pobre que mora nas áreas de confronto, nós que nos danemos. Fodam-se, eles pensam ao apagarem a luz da cabeceira e adormecerem no colchão macio. Desde que as manchetes destaquem o heroísmo governamental no combate ao tráfico e desprezem os ovos quebrados, tudo bem. Eles saem no lucro, tanto as autoridades políticas quanto os policiais vigaristas. Uns acumulam votos; outros ficam com a grana, o espólio da guerra e o poder para elevar o valor do acordo — que eles chamam "arrego"— no mercado da corrupção. Claro, porque inimigos dos traficantes eles são à noite, nas incursões policiais. E há os milicianos, que são muitos. O tráfico já era. Está em franco declínio. As milícias, as nossas máfias, não param de crescer. São um sucesso. A tendência é que as máfias substituam o tráfico ou se unam a ele.

Enquanto isso, não são muitos os colegas que discutem essas questões a sério, até mesmo porque alguns dos mais participativos, em vez de enfrentar os grandes desafios, trocam a gestão e a profissão pelo poder: no Brasil todo, secretários de Segurança e policiais se candidatam e fazem carreira política. Mesmo que haja vários colegas bem-intencionados, confesso que não consigo engolir essa promiscuidade dos profissionais da segurança com a política. Acabam se perdendo porque têm de negociar apoios, angariar votos e fazer caixa de campanha. Antes da eleição, favorecem os aliados do partido, e quando não se elegem, voltam chegam cheios de compromissos e interesses. Quando se elegem, pensam mais em se reeleger do que em lutar por causas difíceis e desgastantes. Por mim, polícia e política seriam carreiras mutuamente excludentes. E secretário só poderia se candidatar quatro anos depois de deixar o cargo. E olhe lá.

XI
Meio amargo

 Dracon1ano

Tem gente me criticando porque sou amargo. Acontece que quem gosta de doce é criança. Além disso, o salário do policial não adoça ninguém.

about 7 minutes ago via web

Dizem que sou um cara muito crítico e que nunca vejo coisas boas. E elogiam as UPPs, Unidades de Polícia Pacificadora, implantadas no Rio.

about 4 minutes ago via web

Tudo bem. Vou dar o braço a torcer. O projeto é bom, sim. Também acho. Retoma o que funcionou no passado com novo nome e mais grana. Ótimo.

about 4 minutes ago via web

Só tem um detalhe. Vai tudo pelo ralo se não fizerem o dever de casa: mudar profundamente as polícias, a começar pelos salários.

about 3 minutes ago via web

As conquistas das UPPs vão se perder se policiais e segurança privada (informal e ilegal) continuarem casados, procriando milícias.

about 2 minutes ago via web

Já que falei em casamento e procriação, uma palavra amena e amiga aos meus vinte e poucos seguidores: obrigado pela paciência, pessoal.

about 1 minutes ago via web

XII
Manolo Quebra-Ossos Soares

O caso que fundamentou a expedição judicial do mandado de prisão de Manolo foi o homicídio da empregada. Gravei parte do depoimento informal que extraí de uma testemunha, Cristiano Rossi, que se manteve anônimo até ingressar no Programa de Proteção:

— Você viu o que aconteceu?

— Mais ou menos.

— Fala do mais e esquece o menos. O que você viu diretamente, com seus olhos? Esquece o que te contaram.

— O que eu vi com meus próprios olhos foi só a filha da dona Margô passando, amarrada, na frente da minha casa.

— A Rosa, Rosinha, Rosa Pinto?

— Rosinha, perfeitamente. Não sei o sobrenome.

— Amarrada como? Como é que ela passava se estava amarrada?

— É que só amarraram ela da cintura pra cima. Os braços estavam presos nas costas e tinha uma corda em volta do pescoço.

— Alguém estava com ela?

— O major.

— O senhor sabe o nome do major?

— Manolo. O dono daqui da comunidade. O senhor sabe, não sabe?

— Não sei, não.

— O chefe da milícia. Ele é que comanda a Águia de Ferro. Não é assim que eles chamam a milícia daqui?

— Eu não sei. Só faço as perguntas. Quem responde é você. Então o major Manolo levava a Rosinha. Como é que ele levava?

— Empurrava, não é? Ia empurrando.

— Eles diziam alguma coisa?

— Eram só uns gritos mesmo.

— Que gritos?

— A Rosinha chorava muito. Implorava. Não queria morrer. Falava nos filhos pra criar. Dizia que era inocente.

— E o major?

— Só batia.

— O major empurrava e batia.

— Empurrava e batia.

— A Rosinha estava machucada quando passou na frente de sua casa?

— Muito machucada.

— Em que parte do corpo?

— O rosto estava bem inchado. Saía sangue pela boca. O nariz e os dentes estavam quebrados. Os olhos, nem dava para ver os olhos. Tinha umas manchas roxas nos braços. E ela andava devagar, bem devagar. Tinha um monte de ferida e queimadura nos pés e na parte das pernas que a gente via.

— Alguém mais viu o que você viu?

— Todo mundo viu.

— Quem é todo mundo?

— A vizinhança. O pessoal já tinha voltado do trabalho.

— A que horas foi isso?

— A hora mesmo eu não sei, mas estava no meio da novela. Devia ser nove e pouco da noite.

— E o que as pessoas fizeram?

— Não fizeram nada, não. O que é que se podia fazer?

— Ninguém disse nada?

— Algumas pessoas pediram pelo amor de Deus que o major não matasse ela, não. A Rosinha era mãe de família. Essas coisas.

— Só isso?

— Fui até os soldados que acompanhavam o major e fiz o que pude. Disse que se ela tinha roubado, se tinha mesmo roubado, a surra já estava de bom tamanho. A lição tinha sido dada. Ela não ia repetir.

— E os soldados?

— Um deles disse que não tinha desculpa. Roubar parente do major era uma desmoralização.

— A Rosinha roubou um parente do Manolo?

— Dizem eles. Ela negou até a hora da morte. Acho que ela era mesmo inocente, porque negar como ela negou todo o tempo, debaixo de pau, debaixo da surra de ferro, até de ferro em brasa, e manter a palavra na hora da morte, é difícil sendo a pessoa culpada, o senhor não acha?

— Mas você ficou sabendo da acusação que fizeram contra ela?

— Ela trabalhava na casa dos parentes do major, que moram aqui na comunidade, naquela parte melhorzinha ali.

— Doméstica? Trabalhava como empregada doméstica?

— Acho que sim. Era babá, ajudava a cozinhar, lavar, passar, limpar a casa. Eles estão bem de vida. Se mudaram duas vezes. A casa tem dois andares. Fizeram mais uma laje e um puxadinho. O major é que é o dono. Ele é o dono de quase todas as casas da rua principal.

— E a acusação?

— É que sumiu um dinheiro. E aí o cunhado do major cismou que foi Rosinha.

— Acharam o dinheiro?

— Acharam nada. Ficou o dito pelo não dito. Palavra contra palavra. O cunhado se enfureceu e contou pro major. Foi assim.

— E você imaginou que matariam a Rosinha, depois que ela passou diante de sua casa?

— Tinha certeza. Todo mundo sabia.

— Por quê? O major disse que ia matar?

— Não falou nada. Passou calado. Só dava uns arrancos, assim, e uns berros, como quem está tocando gado, levando porco pro abate, sabe como é?

— Se não disse, por que é que você tinha tanta certeza?

— Nunca foi diferente.

— Como assim? Já aconteceu outras vezes?

— Ih! Muitas vezes. Muitas vezes. Sempre que o major aparece com alguém no laço, daquele jeito, feito animal, pode saber que é morte certa. Pra ele vir em pessoa, pode escrever que a sentença já foi decidida.

— Sentença de morte.

A testemunha fez um movimento com a cabeça. Eu fiz outra pergunta:

— Ali, naquele recuo da rua, onde ele matou Rosinha, foi ali que ele matou as outras pessoas? É sempre ele mesmo que mata ou alguma outra pessoa?

— Ele mesmo. Faz questão. Na hora H, ele diz que faz questão. Mas outros também participam.

— Atiram também.

— Com certeza.

— Mas ele é o primeiro.

— O primeiro, faz questão.

— Você disse que não viu mais nada, só viu Rosinha passando, mas agora contou que o major, na hora H, fala que faz questão.

— É que nesse caso da Rosinha eu fiquei com o estômago tão embrulhado, um nó tremendo na garganta, que não fui olhar. Até fechei a janela. Levei as crianças pra dentro.

— Porque é perigoso que o major saiba que alguém viu?

— Não. Eles chamam. Convocam as pessoas para assistir. Vão batendo nas portas e janelas e chamando. Matam na frente de todo mundo. Não é escondido, não.

— Por que você acha que eles agem dessa forma?

— Ué, não é uma lição que estão dando? É uma lição. Só funciona se as pessoas assistirem e contarem pros outros tim-tim por tim-tim como eles procederam. A lei aqui é essa. É bom pra livrar a gente de ladrão, estuprador, traficante. Mas está ficando ruim. Eles não respeitam mais nada. Estão matando gente inocente, trabalhador, o povo mesmo da comunidade.

— Por isso é que você resolveu denunciar?

— Foi. O que fizeram com a filha da dona Margô foi uma covardia. Não se faz uma coisa dessas com um cristão. Outro dia foi um rapaz que desrespeitou o toque de recolher.

— Tem toque de recolher?

— Onze da noite. Depois das onze, a pessoa só pode sair de casa com autorização. Uma pessoa doente, um problema, um chamado do trabalho. Mas tem de explicar.

— O rapaz saiu sem explicar.

— Duas vezes.

— Pra fazer o quê?

— Parece que tinha uma namorada e eles se encontravam escondido. Sei lá. Acho que o caldo entornou porque na segunda vez pegaram o garoto fumando maconha.

— E aí?

— Aí, justiçaram ele.

— Mataram?

— Com certeza.

— Você viu?

— Esse eu vi com meus olhos. Por isso é que falei que o major diz, na hora H, que faz questão.

— Mataram como? A tiros?

— Aqui só matam desse jeito. Fuzilando. É muito tiro. Muito. A pessoa fica deformada.

— Irreconhecível.

— Com certeza.

— Como é que a polícia não ficou sabendo dessas outras mortes?

— É difícil alguém falar. É difícil.

— Eles fazem o que com os corpos?

— Enterram lá atrás, depois da caixa d'água. Sabe a caixa d'água? Depois não tem uma pedra? Lá no alto? Pois então, enterram lá mesmo, depois da pedra, naquele mato lá de cima.

— Tem um cemitério clandestino ali?

— Com certeza.

A pessoa que interroguei viajou com a família para outro estado. Está no Programa de Proteção.

XIII
Lourival do Alambrado

O caso que fundamentou o mandado de prisão de Lourival do Alambrado foi descrito por uma testemunha, Onofre da Silva, conhecido como Onofre da Oficina, que também entrevistei.

— É melhor o senhor começar fazendo um resumo da história. Não se preocupe comigo. Quando surgir uma dúvida, eu pergunto.

— A história eu já contei ao seu colega.

— Conte de novo, por favor.

— O Helinho apareceu lá na minha oficina, no final da tarde da quinta-feira passada. Disse que o Diabo Louro precisava tratar de um assunto comigo. Eu fiquei chateado, porque estava cheio de serviço atrasado, e ele insistia que tinha de ser naquela hora.

— Sua oficina fica na Grota Bonita, na favela de Nossa Senhora da Conceição.

— Ficamos um tempão nisso. Você tem de vir, não posso agora, coisa e tal.

— Helinho é o cabo Hélio Cortes.

— É conhecido por Helinho Papagaio. Ficamos naquilo. Até que ele engrossou: "Cara, tu não tá entendendo. O homem mandou chamar. Mandou." Aí eu fui, né? Fazer o quê? Deixei a oficina com meu sobrinho, que me ajuda, e fui atrás do Helinho.

— Ele não disse pra que era.

— Não disse. Resumindo a história: o Diabo Louro decidiu resolver uma questão com o Alex.

— Diabo Louro é o capitão Lourival Sarmento, vulgo Lourival do Alambrado.

— Correto.

— E o Alex?

— É o dono de uma cooperativa de vans que atende a nossa comunidade e outras vizinhas.

— Cooperativa Aliança.

— Correto.

— Alex Andrade.

— Andrade. Isso mesmo. Ele era dono da cooperativa e tinha um esquema com os policiais.

— O senhor sabe alguma coisa do passado do Alex? Como é que ele juntou dinheiro para comprar as vans?

— Os motoristas das vans falam algumas coisas. Não sei. Eles às vezes usam algum serviço da minha oficina e ficam de conversa fiada. O que eles dizem é que o Alex enriqueceu quando ficou sócio de uns policiais que dominavam os esquemas de táxi na rodoviária. Ele entrou com uma grana e administrou o esquema. Uma coisa assim. Ganhou dinheiro e investiu nas vans.

— Tinha sócios?

— No começo, não. Parece que ele não queria. Dava um troco aqui e ali pros policiais e uma grana pro movimento, quando tinha tráfico lá na comunidade. Mas aí é que está. Quando a milícia do Diabo Louro entrou, botou o pessoal do movimento pra correr e tomou posse de tudo. E aí é que as coisas se complicaram pro lado do Alex.

— Ele não aceitou pagar a taxa pra milícia?

— Claro que ele pagava a taxa. Não era maluco. Conhecia os caras. Sabia como é que a banda tinha de tocar. Ele pagava, sim, senhor. Acontece que o Diabo Louro quis tomar a cooperativa, inteirinha, pra ele.

— Pra ele?

— É, quer dizer, pra turma dele, pra milícia que eles chamam Leão do Mar e que ele comanda. Foi um golpe de Estado.

— Tomar e pronto. A seco.

— Mais ou menos. O capitão Lourival perguntou a ele quanto é que valia a frota. Ele disse que não estava interessado em vender. Lourival insistiu na pergunta. Alex falou uma soma qualquer, acho que um milhão e meio, uma coisa assim. O capitão respondeu que não pretendia comprar. Que ia ficar com a frota. Que a partir daquele momento a frota era dele, mas que faria um agrado ao amigo. O cara é um sacana. Disse que pagaria 150 mil pelas vans. Pra fazer um agrado. Moleque.

— E o Alex?

— O pessoal conta que ele saiu do sério. Armou o maior barraco. Citou oficial de tudo que era batalhão. Até coronel. Disse que tinha muita amizade na polícia e na política, e que não ia admitir aquele roubo.

— Aí mataram o cara.

— Espera. Tem mais. O capitão deu uma chance ao velho. Mandou ele esfriar a cabeça. Prometeu esquecer aquele palavreado ofensivo. Afinal, Alex estava com a cabeça quente. Tudo ia se arranjar na paz. Mas Alex não entregou os pontos. Começou a telefonar para policiais e deu a maior merda, porque ligaram pro capitão, perguntando, pedindo, sei lá o que mais. O Diabo Louro mandou buscarem o Alex. Foram lá uns meganhas, uns PMs da milícia, puxaram o velho, a família gritando, aquele drama. E foi aí que mandaram o Helinho me buscar.

— Qual sua relação com o Alex?

— Nenhuma.

— Então por que...?

— Me chamaram? Porque eu sou conhecido e respeitado na comunidade. Só por isso. Se qualquer um disser que viu isso e aquilo, muita gente vai duvidar. Se eu disser que aconteceu, é porque aconteceu. A comunidade confia, entendeu?

— Levaram o senhor para o local em que executaram Alex?

— Levaram.

— Que local era esse?

— Era um galpão abandonado que tinha servido aos operários que trabalharam nas obras de contenção da encosta. Sabe a encosta do morro da Conceição?

— Além do Diabo Louro, mais alguém estava no local?

— Outros cinco, lá do grupo dele.

— Milicianos.

— Milicianos.

— O senhor sabe os nomes?

— Três eu conhecia pelo nome: o Helinho, que foi me buscar, o Valter e o Custódio. O Valter é sargento. O outro acho que é sargento do Corpo de Bombeiros.

— Os outros dois o senhor não conhecia?

— Tinha visto pela comunidade, mas não sei os nomes.

— E eles levaram mais alguém da comunidade, além do senhor?

— Levaram também o pastor Cícero pra assistir. Outra pessoa conhecida e respeitada. Quando ele fala, as pessoas acreditam.

— E aí?

— Aí foi horrível. Torturaram muito o velho antes de matar.

— Não precisa falar de novo sobre isso, não. Já está registrado no depoimento.

— Está bem. Já está registrado, não é? Então não precisa. Não gosto de lembrar, sabe? Fizeram o velho sofrer cortando ele todinho, e com as mesmas facas abriram a barriga dele. Ele vivinho ainda. Morreu abraçado às tripas. Não consegui dormir, comer. Deixei de ser uma pessoa normal. Assim, uma pessoa como eu era. A minha vida foi uma antes daquele dia e tem sido outra, diferente, depois.

— Todos agrediram a vítima, ao mesmo tempo?

— Não. Só o Diabo Louro.

— O capitão.

— Isso.

— Foi ele quem deu o golpe mortal?

— Ele fez tudo. Os outros só auxiliavam.

— Auxiliavam como?

— Dando os facões, estimulando, falando um monte de coisas contra o Alex, vibrando com aquela monstruosidade.

— Ele usou várias facas.

— Várias facas. Eram uns facões. Cada um de um tipo. Tinha até espada. E uma bem pequena, que parecia bisturi. Até gilete.

— E os ajudantes iam passando.

— Igual se faz em operação. Pelo menos no cinema é assim, não é?

— O senhor acha que eles estavam drogados?

— Só podia ser. Eu acho. Não sei. Não posso dizer, porque pareciam fora de si, assim, loucos, mas logo depois agiam com calma, sabe?, como profissionais, como técnicos.

— Então o senhor não sabe? Não tem certeza?

— Não tenho.

— Queriam o senhor lá, e o pastor, pra que todo mundo ficasse sabendo do que aconteceu. Era uma lição. Um advertência pra quem desobedecesse, não pagasse as taxas, não se submetesse ao que a milícia determinasse. Certo?

— Expliquei isso direitinho. O que o senhor falou está lá, no meu depoimento.

— Então, é isso. Muito obrigado. Seu depoimento vai ajudar muito.

— A vida humana não vale nada, sabe? E tem gente que não é humana. Nem vou dizer que é animal, porque nunca vi bicho fazer uma coisa dessas. Acabou minha crença no ser humano. Nunca fui religioso de ir à missa, frequentar terreiro, templo, centro espírita, nada disso. Mas tinha a minha fé. Depois daquilo, perdi tudo. A mente de uma pessoa que passa pelo que eu passei muda. Não é a mesma. Deus, humanidade, compaixão, amor ao próximo, justiça, essas coisas todas tão bonitas que fazem a vida ficar melhor, ou parecer melhor, tudo isso, sabe?, desceu tudo pelo ralo. O que é que sobra? O que é que uma pessoa tem, na idade em que estou, nos meus 55 anos? Tenho minha mulher, milha filha única, separada, que mora comigo, dois netos, e só. Mais nada. Não me importa mais nada, se o senhor quer saber. Enquanto tiver saúde, vou tocando. A gente tem de viver, não é? É o que a gente tem de fazer.

O pastor negou. Declarou que desconhecia as circunstâncias da morte de Alex e que não tinha opinião sobre Lourival e a milícia. Compreensível. Já Onofre, o dono da oficina, aceitou falar. A revolta superou o medo. A força avassaladora da experiência levou de roldão o torpor, a prudência, a instintiva busca de refúgio. Onofre ficou indignado. Primeiro chocado, depois deprimido, finalmente consciente de que o mais saudável e digno era vencer o trauma falando a seu respeito e denunciando os criminosos, como um cidadão decente faria se fosse capaz de livrar-se das ameaças. Largou tudo e fugiu com a família. Recusou-se a ingressar no Programa de Proteção. Disse que tinha alguns recursos e familiares em outro estado. Deixou comigo um endereço no Pantanal.

O major Manolo Quebra-Ossos Soares, o capitão Lourival do Alambrado Sarmento, vulgo Diabo Louro, e o inspetor Flávio Paulino, o Efe-Pê, foram presos naquele sábado, no estacionamento do hospital e na UTI. Havia muitas contas a prestar à Justiça, mas os pegamos pelos assassinatos de Alex de Andrade, Rosa Pinto e Aurélio Rios.

Graças à coragem de dona Elza, de seu Onofre da Oficina e de Cristiano Rossi.

Manolo e Lourival ficaram detidos no Batalhão Especial Prisional, de onde continuaram a dominar sua facção criminosa, entre churrascos, mordomias, mulheres e muito, muito videogame.

Efe-Pê ficou numa sala confortável numa delegacia concentradora de presos. Um lugarzinho improvisado para "presos especiais". As delegacias concentradoras são responsáveis pela cautela dos presos enquanto não são transferidos para casas de custódia, onde aguardam julgamento. Isso em teoria, porque, na prática, os presos provisórios acabam passando longas temporadas nessas carceragens de delegacias. Efe-Pê tinha título universitário. Fez direito. Tentou concurso para delegado e não passou. Acomodou-se como inspetor. Beneficiou-se da prerrogativa da prisão especial — essa absurda e vergonhosa anomalia, que só existe no Brasil. Efe-Pê poderia ter aproveitado para escapar pela porta da frente, sem alarde. Não foi necessário.

Um mês depois de preso, Flávio Paulino foi solto pela Justiça. Seus advogados apresentaram uma declaração de insanidade de dona Elza, endossada por um psiquiatra, responsável pela unidade de saúde mental do Lar dos Idosos de Colatina, interior do Espírito Santo, onde teria sido internada por Tereza Beatriz.

Complicado desfazer o nó que amarrou a legitimidade do depoimento de dona Elza. Não tivemos tempo de encontrá-la ou localizar sua filha e sustar os questionamentos sobre seu depoimento. Os advogados de Efe-Pê foram abençoados pela generosidade da Justiça e por nossa dificuldade em sair do mata-leão que nos aplicaram.

Flávio Paulino voltou às ruas. O inquérito administrativo aberto na Polícia Civil não fez mais que afastá-lo do cargo que exercia numa delegacia distrital. Deslocaram-no para a geladeira — um setor burocrático —, onde aguardaria decisões posteriores. Nada mal para quem esteve com a corda no pescoço. Continuou a receber seu salário de inspetor — que, aliás, é uma merda e não pagaria nem o pneu ou a gasolina da BMW.

Logo depois da libertação de Efe-Pê, a Justiça mandou soltar Manolo e Lourival. Motivo? Não há crime quando não há vítima. "Falta de materialidade", como escreveram os advogados nos documentos de defesa.

Manolo matou Rosinha? Cadê o corpo? Cristiano Rossi dignou-se a denunciar? Pois outras pessoas da comunidade apresentaram-se "voluntariamente" para contestar a acusação, afirmando que o denunciante tinha dívidas com o acusado e teria prestado o depoimento com a intenção de provocar sua prisão e, consequentemente, conseguir a abolição, na prática, da dívida. Outros depoentes ofereceram o álibi: estariam reunidos com o acusado vendo futebol e tomando cerveja, na noite em que Rosinha desapareceu.

Lourival matou Alex? Onde está o cadáver? A defesa seguiu o mesmo modelo com pequenas variações. Por que um juiz aceita esse jogo? Apego formalista às leis? Ignorância da realidade? Medo? Motivação escusa? Mais uma vez ficou claro que sem a união das forças do bem não vamos a lugar nenhum — escrevi e apaguei a palavra "bem" inúmeras vezes, até decidir mantê-la. Essa união será decisiva pelo menos enquanto não aprimorarmos nosso trabalho de investigação policial, o que só vai acontecer quando pudermos aplicar a sério toda a fantástica tecnologia pericial disponível no mundo contemporâneo.

XIV
Do condomínio Deus é Fiel ao inferno

A partir da morte de Efe-Pê, o circuito da violência nas áreas sob controle das milícias se intensificou e acelerou. Abriu-se a temporada de rachas e conflitos nas organizações criminosas. Era o momento oportuno para agirmos.

Na DRACO, vínhamos de um revés: o subchefe da polícia pedira a Fausto para maneirar, na tarde em que apresentamos Luciano Perver à imprensa, preso. Desde aquele dia, nos preparávamos para a retomada da iniciativa. O assassinato de Efe-Pê nos oferecia uma grande oportunidade. Tínhamos recuado um passo; era hora de dar dois à frente.

Fausto convocou o grupo dirigente da delegacia para uma reunião importante em seu gabinete — ele achava "gabinete" uma palavra pretensiosa e me corrigia:

— Sala. Tenho sala e recebo as pessoas ou me reúno com elas. Quem tem gabinete e marca audiência é o governador. E talvez o secretário. Nem o chefe de polícia usa esse vocabulário pernóstico. Quanto mais eu. Sou apenas o delegado titular da Delegacia de Repressão ao Crime Organizado, a DRACO. OK?

Quem sou eu para questionar? Na escadinha da hierarquia, estou abaixo do delegado. Nem delegado eu sou. Para falar a verdade, nem gostaria de ser — já até quis, quando ainda não conhecia direito o que cada um faz numa delegacia. Prefiro deixar as formalidades jurídicas para os delegados. Meu tesão aponta para outro lado. Gosto é de meter a cara na investigação. Ser inspetor de polícia e chefe do setor de investigação da delegacia mais prestigiosa está de bom tamanho. Não vou falar do salário nem do reconhecimento da sociedade. Não vou falar porque praticamente não existem. Ou melhor, não são dignos de comentários.

Já houve um tempo em que tive minhas ambições: ser delegado, chefe de polícia, essas coisas. Passou. Se eu puder voltar a fazer o que fazia, se a vida me proporcionar, de novo, o privilégio de trabalhar com Fausto e seu pequeno time de craques, vou me sentir realizado. Por ora, já disse, estou fora. Por ora me contento com o que posso fazer, sentado aqui. Observo, escrevo meus tweets e minhas memórias, conto as histórias acontecidas, as experiências que vivi. Mas esse não é, ainda, o último capítulo. Para o bem ou para o mal, o futuro não é previsível, porque a liberdade humana e o destino não são controláveis. Para o bem ou para o mal, repito.

Na reunião, Fausto foi enfático. Tinha chegado a hora. "Bola ou búlica", ele disse, e acho que só nós dois entendemos. Bola de gude não era o esporte mais popular entre as crianças da geração de Marquinho, Tonico e Aluízio. Mesmo assim, a ninguém escapou o significado da exortação do delegado. Se estivéssemos no BOPE, o comandante, inspirado num filme de guerra ou num faroeste, pescaria do fundo do baú uma declaração épica do tipo "matar ou morrer". Para nós estava bom o "bola ou búlica".

Os milicianos matavam-se uns aos outros. Era a nossa chance.

Já dispúnhamos de munição na agulha: a restauração da legitimidade da denúncia de Samantha contra Firmino. Esse passo já significava uma conquista e teria bastado para reabrirmos as investigações sobre a organização criminosa. Mas, agora, tínhamos material investigativo mais promissor, de dimensões mais abrangentes.

Primeira tarefa, portanto: identificar os motivos do assassinato de Efe-Pê. O fio da meada nos levaria às disputas pelo poder.

Isso nos permitiria tomar o assassinato de Flávio Paulino como um marco que justificaria a abertura de novo inquérito. Tudo ficaria mais fácil e, provavelmente, começaria a fluir. A juíza e o promotor certamente dariam suporte às novas quebras de sigilo telefônico e à expedição de novos mandados de prisão. De forma sustentável, ressaltou Fausto. De que adianta prender se não há condições de manter as pessoas presas e levá-las a julgamento?

O exército de Brancaleone deixou a sala de Fausto Clemente com as missões definidas. Em primeiro lugar, cumpria responder à pergunta: por que mataram Efe-Pê?

Ricardinho tinha sido muito útil. Trouxe informações importantes sobre conexões criminosas entre as milícias que dominam diferentes bairros e favelas.

Contudo, não foi além de vagas especulações sobre as causas do homicídio de Efe-Pê. O máximo que conseguiu foi sugerir uma linha de investigação: talvez Flávio estivesse se fortalecendo demais e se movimentando com autonomia excessiva. Talvez estivesse cogitando a hipótese de candidatar-se a deputado sem o aval de Firmino. Suas conhecidas ligações com um secretário municipal pareciam apontar para algo mais que os negócios comuns a ambos e a ocupação de posições na máquina administrativa do município e do estado. Corriam boatos de que estariam tramando uma candidatura de Efe-Pê com o apoio do partido do governo e o empenho do tal secretário.

Sabemos que os planos de Firmino e seu grupo, que já elegeram outros parlamentares e têm sido hábeis na preservação da unidade dessa rede política, incluem a ampliação do leque de candidaturas. A ideia é eleger mais representantes nas zonas Oeste e Norte da capital, na Baixada Fluminense, em São Gonçalo e em algumas outras áreas do estado. Porém, em ritmo gradual, para evitar o risco da dispersão de votos e da derrota dos principais líderes. Talvez Ricardinho estivesse certo e o movimento de Efe-Pê em direção a uma candidatura estivesse sendo avaliado como precipitado e perigoso, porque divisionista. Pelo menos potencialmente. Os cálculos da máfia são racionais. As decisões estratégicas e táticas não admitem voluntarismo e leviandade.

Entretanto, não poderíamos ignorar que, pior do que a precipitação política seria a independência ou até a rebeldia que ela expressa. Pior do ponto de vista dos chefes milicianos.

Quanto ao fortalecimento de Efe-Pê, Ricardinho citava como prova sobretudo o que, no âmbito da milícia, se chamava projeto habitacional. Segundo nossa fonte, Flávio teria feito muito dinheiro com essa iniciativa, que tinha sido exclusivamente sua. Foram dele tanto o conceito quanto a execução prática. Era verdade que ele não invadira território de outro miliciano do mesmo grupo, dizia Ricardinho. Mas nem por isso sua atitude vinha sendo acolhida com naturalidade, considerando-se a ousadia inovadora na qual ele investira sem pedir licença. Uma vez que o projeto se realizaria em área sob seu comando, Efe-Pê julgou dispensável aconselhar-se, negociar, solicitar autorização ou até mesmo informar Firmino. Liberdade demais, autonomia em excesso, talvez os líderes tenham concluído. No mínimo, desconsideração.

Somando todas as hipóteses suscitadas pelas especulações de Ricardinho, tínhamos, de fato, elementos suficientes para compreender que não era despropositado supor que se criara uma atmosfera pesada e suspeita em torno de Flávio Paulino e suas ações. A partir de que ponto essa vaga atmosfera, que vai aos poucos se adensando, atinge o limite e sofre uma inflexão, desabando em raios e tempestade sobre a cabeça de quem a provoca? Não sabíamos se o crime tinha sido a culminância e a ruptura de uma dinâmica gradual ou se algum ato específico desencadeara a execução. Ato esse que ignorávamos. Todos nós. Inclusive Ricardinho.

Outra hipótese me parecia a mais natural, ainda que Ricardinho não acreditasse nela: facção rival, composta por milicianos inimigos do grupo de Firmino, teria matado Efe-Pê na velha disputa por território e poder entre as organizações mafiosas. Segundo o mapeamento da DRACO, três facções conviviam ou se enfrentavam, conforme as circunstâncias, ainda que houvesse núcleos menores e independentes atuando em áreas mais isoladas ou ainda não cobiçadas pelas facções mais estruturadas e mais fortes. A facção de Firmino, com presença já significativa na Câmara de Vereadores da capital do estado e na Assembleia Legislativa, era a mais antiga e com mais lastro nas polícias, e a que mais expandira os ramos de negócio.

A segunda facção fora constituída havia pouco tempo e não passava de uma costela extraída pelo diabo do corpo da primeira. Orca, Salomão, Fininho, Passos, Mariano, Paulinho Salame e o Engenheiro tinham todos rompido com a milícia de origem, desgostosos com a repartição dos ganhos provenientes da distribuição do gás, ramo em que mais investiram e cujo monopólio construíram. Saíram em bloco e fundaram a própria facção. Ela continua pequena e se limita a atuar em um único complexo de favelas.

A terceira facção — segunda em força e presença — era comandada pelo coronel da PM Teles, Irany Teles, pai do inspetor Telinho, braço direito do subchefe da Polícia Civil. Essa facção era menor e sem presença na vida política, porém mais compacta, mais unida, menos marcada por defecções e conflitos internos cujos desfechos eram chacinas e execuções. Quando digo que esse grupo não tinha presença na vida política, na verdade, induzo o leitor ao erro. Presença havia, mas indireta. O grupo tinha seus vínculos, suas preferências, seus acordos e seus negócios com vários políticos dos níveis mais diversos. Entretanto, nenhum de seus líderes tinha transitado para a carreira política. Pelo contrário, cultivavam a sombra, quase o anonimato. Na medida do possível, mantinham a discrição. Até seus crimes eram menos espetaculares, ostentavam menos violência, ainda que tão selvagens quanto os assassinatos, as mutilações e as torturas cometidos por seus rivais.

A opção preferencial pela sombra e o uso indireto de representantes eram métodos que se ajustavam melhor à escolha estratégica do grupo: o controle progressivo dos aparatos policiais. Assim, se um secretário de Segurança tivesse ambições eleitorais, encontraria no grupo acolhida para seu projeto. Milhares de votos lhe seriam oferecidos, em bairros e favelas dominados pela facção, e o preço seria mais que simplesmente financeiro. Teria de negociar posições na PM e na Polícia Civil, e na própria Secretaria, nos governos atual e futuro. O Corpo de Bombeiros também era visado. Muitos milicianos que atuavam em núcleos filiados ao grupo de Teles eram bombeiros — como acontecia nas demais facções, mas talvez em proporção menor —, o que obrigaria o secretário candidato a pôr na roda os cargos da defesa civil.

Teles estava convencido, pelo que a DRACO descobriu, de que seria mais eficiente e seguro não ocupar a linha de frente da política e não se expor à mídia. Investia nos pactos de bastidores. Além disso, falava com escárnio e desprezo sobre a voracidade dos principais rivais e apostava no rápido colapso do poder deles. Considerava completamente fora da realidade os planos de Firmino e companhia de impor a hegemonia de sua facção nas zonas Oeste e Norte da cidade do Rio, nos municípios da Baixada, e de estender os tentáculos até o outro lado da baía de Guanabara, em Niterói e São Gonçalo, e na Região dos Lagos. Teles sabia que um projeto dessa magnitude nunca seria possível sem a cumplicidade ativa de pelo menos alguns agentes do Judiciário e a castração de segmentos do Ministério Público. Não bastava uma boa base parlamentar. Até porque os jornalistas mais experientes não engoliram o discurso que os políticos envolvidos com as milícias tinham tentado vender, na primeira etapa de expansão desses grupos: a tal história da autodefesa comunitária, da justiça pelas próprias mãos ante a ausência do Estado.

Esse papo sem pé nem cabeça já tinha virado pó — sem ironia. Ninguém que fosse sério e minimamente sensato comprava mais essa lorota. "Próprias mãos" de quem, cara pálida? Dos moradores de favelas é que não eram essas tais mãos invocadas pelos arautos da legitimidade das milícias. Autodefesa supõe que a comunidade se defenda a si mesma, mas tropas de policiais violentos e corruptos não são a comunidade; não se confundem com ela, nem moral nem economicamente. Quem faz autodefesa não explora nem brutaliza os protegidos, simplesmente porque é um contrassenso uma autoexploração, uma autoviolação.

A conversa fiada cheirava — e cheira — mal, e já se esvaiu pelo esgoto, que é seu lugar. Essa baboseira de autoridades, deputados, vereadores está politicamente sepultada. Graças a Deus, os meios de comunicação pularam fora do barco da justificação e da conivência. Pelo menos os mais respeitáveis. Claro que a mídia não é uma unidade. É uma galáxia, como deve ser.

O fato é que facção criminosa, mesmo engravatada ou fardada, não tem mais espaço digno nessa galáxia. Acabou. Velhas raposas insinuam aqui e ali suas teorias ambíguas, tentando ganhar adeptos entre milicianos e evitar que sejam abaladas suas velhas alianças com as máfias.

Vou botar a boca no trombone para denunciar essa escrota apologia ao crime, essa nojenta servidão. Para mim, esses políticos são criminosos também, mesmo que só se beneficiem indiretamente da tirania exercida pelos milicianos. Vou varar as noites escrevendo em meu Twitter e divulgar minha revolta aos quatro cantos. Não importa que eu tenha só vinte e poucos seguidores. Não importa. Vou fazer a minha parte, como fiz na DRACO até o episódio acontecer. Hoje, mais tarde, vou postar o seguinte:

 Dracon1ano

Estamos na merda porque policiais malpagos sobrevivem graças à insegurança. A degradação começa no bico e evolui até a milícia.

about 16 minutes ago via web

Havia, e ainda há, grupos de extermínio. Policiais tiravam graninha por fora matando quem atrapalhasse comerciantes e o sossego do bairro.

about 15 minutes ago via web

Havia, e há, segurança privada informal. O bico. Policiais recebem pagamento de clientes voluntários. É ilegal, mas o serviço é decente.

about 15 minutes ago via web

Você jogaria a primeira pedra? PF e autoridades fingem que não veem por escrúpulo de reprimir ações decentes que compensam salários ruins.

about 15 minutes ago via web

Tem mais. Os governos toleram o bico porque, sem essa complementação, a demanda salarial levaria os policiais às ruas e o orçamento ao ralo.

about 14 minutes ago via web

Entenderam? A segurança privada (informal e ilegal) financia o orçamento público da segurança. Maravilha! É o gato-orçamentário. *Budget-cat*.

about 13 minutes ago via web

Sensacional: Brasil, paraíso da malandragem e do jeitinho. Você não olha o que faço e eu fecho os olhos pro que você faz. E está tudo certo.

about 12 minutes ago via web

Claro que sempre há os parasitas que recebem uma grana fixa ou um percentual do tráfico, das maquininhas caça-níqueis, do jogo do bicho.

about 12 minutes ago via web

Agora vem a melhor parte. O mar estava pra peixe, e os mais espertos avaliaram que era hora de virar tubarão e passar do varejo pro atacado.

about 11 minutes ago via web

Pronto, chegamos à máfia. Às milícias. Os espertos conclamaram os comparsas a organizar a bagunça e ganhar dinheiro feito gente grande.

about 11 minutes ago via web

Por que só os políticos ganham propina de empreiteiras, em licitações? Por que não cobrar taxa de tudo que tem valor, é útil ou gera renda?

about 9 minutes ago via web

Se o cara é policial, tem arma e sabe o caminho das pedras, por que não cobrar pelo direito de morar, vender, transportar, ter luz, gás, TV?

about 8 minutes ago via web

O Estado não usa força para cobrar impostos? Por que não fazer o mesmo com menos burocracia? Até 'segurança' os milicianos dariam em troca.

about 7 minutes ago via web

Começaram expulsando traficantes e os substituindo no domínio territorial e político das favelas e dos bairros pobres. Rico repele extorsão.

about 7 minutes ago via web

Os caras enriqueceram, se elegeram vereadores e deputados, absorveram parte da mão de obra do tráfico, explodiram delegacias e estão por aí.

about 6 minutes ago via web

Estão em toda parte: Zona Oeste e Sul, Baixada, São Gonçalo. Violentos e audaciosos. Matam, extorquem, torturam, humilham, sequestram.

about 6 minutes ago via web

Nas eleições, além de elegerem-se, diretamente, aliam-se a políticos corruptos e vendem acesso exclusivo a comunidades inteiras.

about 4 minutes ago via web

Com mandatos e aliados no coração do poder, ganharam relativa imunidade. Muito relativa, pelo menos desde que a DRACO partiu para o ataque.

about 2 minutes ago via web

Pior é ver uns cretinos defendendo milícias. Não sei se são idiotas ou cúmplices, ou ambos. Hoje, andam meio envergonhados, os canalhas.

about 1 minutes ago via web

Ricardinho mencionou o mais recente empreendimento econômico de Efe- -Pê. Uma iniciativa inovadora e arrojada sobre a qual os barões não teriam sido consultados. Ele falou em negócio com moradia, alguma coisa assim. Tratava-se do seguinte: no bairro de Nova Aparecida, na Zona Oeste, a Caixa Econômica Federal estava concluindo a construção de um condomínio com 340 unidades residenciais. Quando os blocos, os apartamentos, a infraestrutura e o acabamento estavam prontos, faltando apenas os retoques nas áreas externas, Flávio Paulino e seus agentes milicianos promoveram uma invasão. Uma ação bem-organizada, bem-planejada.

Ele trabalhou muito tempo na preparação do movimento. Identificou, nos territórios sob seu controle, potenciais interessados. Cadastrou as famílias. Distribuiu os candidatos de acordo com a origem e as relações de parentesco, vizinhança ou amizade. Ouviu profissionais competentes, simulando preocupação social e disposição de fundar uma ONG. Consultou gente com experiência em remoção de favelas, mobilização e liderança comunitária, produção de eventos, assistência social, crédito popular e logística. Informou-se sobre a legislação relativa a reintegração de posse.

Cada unidade foi vendida por cinco mil reais. Efe-Pê e seu grupo arrecadaram um milhão e setecentos mil reais. Taxas mensais permanentes complementariam os ganhos.

Finalmente, com um sistema bem-montado de transporte, dirigiu a migração em massa para o conjunto residencial Deus é Fiel — o título foi escolhido com a participação dos futuros moradores. Trezentas e quarenta famílias receberam auxílio para a mudança de seus móveis e pertences. Sem tumultos, com disciplina, cada uma ocupou sua unidade. Em cada prédio, a equipe de Efe-Pê indicou síndico e um pequeno conselho de gestão, que contrataria zeladores entre os próprios residentes. Regras de higiene, comportamento, tratamento do lixo foram estipuladas pelo comando geral miliciano, ouvidas as sugestões dos conselhos dos prédios. A máfia responsabilizava-se pelo fornecimento de água, luz, TV a cabo e gás. E pelas vans que passariam a servir aquela população.

Um testa de ferro de Efe-Pê, infiltrado entre os moradores, fez-se eleger presidente da Associação dos Moradores do Condomínio Deus é Fiel. A entidade foi fundada por advogados ligados ao grupo, que usaram nomes de moradores selecionados.

Consolidada a invasão, passaram à luta política e judicial. Era preciso resistir à ação de reintegração de posse solicitada à Justiça pela Caixa Econômica. Flávio ouviu dizer que, além da politização da luta, uma aliança com a Defensoria Pública poderia ser decisiva, porque a instituição é respeitada e provavelmente aceitaria assumir a defesa dos moradores, desde que sua causa fosse apresentada pelos representantes deles aos defensores públicos numa linguagem convincente, com argumentos bem-elaborados, apoiados em relato verossímil, apesar de mentiroso, dos acontecimentos. A abordagem dos defensores foi bem-trabalhada e a receptividade foi positiva. Os defensores públicos costumam ser gente sensível e comprometida com os interesses populares. Eles poderiam ser conquistados se o teatro demagógico fosse bem--feito.

O único obstáculo complicado e inesperado foi a Associação dos Moradores de Nova Aparecida. Essa entidade não estava nos cálculos de Efe-Pê porque ele não conhecia a área. Ainda que Nova Aparecida lhe pertencesse no "Tratado de Tordesilhas" que negociara com Firmino, ele não a havia explorado. Considerava-a muito extensa para ser imediatamente submetida, do ponto de vista militar e social. Seu grupo era pequeno. A ideia de tomada do condomínio da Caixa surgiu exatamente como uma espécie de cabeça de ponte, quer dizer, um posto avançado que ajudaria a criar as condições para a progressiva colonização do território.

Não contava com uma associação em pleno funcionamento e, o pior de tudo, metida a independente. O presidente suspeitou, movimentou-se, visitou o condomínio, conversou com as pessoas e não teve dificuldade em entender qual era a jogada. Efe-Pê tinha de agir, e era melhor que agisse rápido, ou os problemas começariam a se agravar.

A primeira tentativa de resolver o problema não teve êxito. Os homens que Flávio ordenou que ameaçassem o presidente ouviram uma resposta surpreendente. O sujeito mandou avisar que tinha contatos políticos, relações com a imprensa, aliados no governo e amizades na polícia. Que não tocassem um dedo nele ou na família dele ou a chapa esquentaria.

Tráfico não havia na área. Outra milícia, tampouco. O bairro era reserva de mercado do grupo de Firmino, que o confiara a Efe-Pê. Pelo que levantei, Flávio chegou a cogitar se a facção de Teles estaria com alguma intenção de operar em Nova Aparecida. Não fazia o estilo do coronel Teles. Sabendo dos interesses e das expectativas da facção mais forte, a tendência era que ele evitasse bater de frente. Pelo menos enquanto houvesse fartura para todos. O Rio era e é grande. A falta de controle por parte do Estado era e é grande. Por que complicar?

Efe-Pê achou aquela insolência do presidente da Associação de Moradores de Nova Aparecida inadmissível e uma oportunidade de fazer como certos animais que urinam no terreno para demarcar sua supremacia sobre ele. Em geral, aquela prática tinha mais a ver com a disputa pelo acesso às fêmeas e com os processos curiosíssimos da reprodução do que com acesso a alimentação, que seria o equivalente da riqueza material entre os humanos. Se bem que eu me pergunte às vezes se no reino animal o poder não está presente, mesmo que se manifeste pelo atalho da reprodução, e se, entre os humanos, a riqueza, a glória e o poder não remetem e se resumem, no fundo, ao sexo ou talvez à vontade de ser desejado.

O fato é que Flávio Paulino mijou ao redor do conjunto Deus é Fiel e marcou diâmetro mais largo, incluindo Nova Aparecida. Mandou matar Juscelino, o rebelde presidente da Associação.

Como o pessoal que levou o primeiro recado já havia sido visto pela vítima, convinha mudar a turma. Três outros milicianos foram escalados para a tarefa. Seria recomendável passar o rodo. Não bastava matar. Os pistoleiros tinham de assinar sua obra com os muitos tiros de fuzil característicos da milícia de Firmino. Seria bom acrescentar um toque pessoal, uma caligrafia original, digamos assim, para que Efe-Pê, sem descurar de sua filiação ao grupo de Firmino, assinalasse sua individualidade. Uma cena, algum método, um estilo novo. Efe-Pê decidiu acompanhar a equipe destacada para a missão.

Sabiam como ele era, tinham visto sua foto, conheciam o endereço da casa e do trabalho, uma autoescola situada entre uma lan house e um açougue.

Às 21h, foram os quatro na viatura policial descaracterizada que Efe-Pê usava nessas ocasiões. Preferia reservar a BMW para o lazer. Não gostava de misturar trabalho e vida pessoal. Além do mais, para que dar chance ao azar? Acreditava que não haveria investigação séria, mas não era preciso exagerar. A assinatura do crime deveria ser remetida à milícia e, consequentemente, a seu dono, seu chefe na área: Efe-Pê. Tudo bem. A morte seria uma lição exemplar. Sinalizaria que manda quem pode e obedece quem tem juízo, como costumava dizer o próprio Flávio Paulino. Entretanto, a participação pessoal dele deveria ser insinuada, sugerida, tornar-se objeto da convicção dos moradores, e não explicitada. Não seria adequado que o assassinato fosse testemunhado por muita gente sobre a qual não se tinha ainda pleno controle. Não é demais recordar que a área era extensa e a chegada da milícia de Efe-Pê, muito recente. Em um bairro, o controle territorial e social se constrói de modo diferente. Uma favela pequena pode ser tomada de uma vez. Um complexo de comunidades exige tempo e expansão gradual do domínio. O mesmo vale para um bairro popular, mesmo pequeno e pouco povoado, como era e é o caso de Nova Aparecida.

O açougue estava fechado, mas a lan house bombava. O que era positivo. O espetáculo requeria plateia. Eles vestiam touca ninja.

Lentamente, na penumbra, percorreram a rua de alto a baixo e escolheram uma posição estratégica, sob uma árvore, longe dos postes de iluminação e próximo o suficiente para identificar Juscelino quando saísse da autoescola. Um dos auxiliares de Efe-Pê ligou de um telefone público para a autoescola, cinco minutos antes, pedindo para falar com Juscelino. Responderam que ele estava em outra ligação e iria atender em um minuto. Ou seja, ele estava lá. Era uma questão de tempo. Tempo e paciência.

Vinte minutos depois decidiram ligar e chamá-lo à rua. Usariam um celular pré-pago, descartável. Ele atendeu. O soldado Aguiar, orientado por Efe-Pê, disse mais ou menos o seguinte:

— Você mora na rua L, casa 17, estrada do Valão?

Juscelino não respondeu.

— Um carro branco já passou várias vezes por aqui. Diminui a velocidade na frente de sua casa, depois arranca e vai embora. Passa um tempo, volta de novo. Daqui dá pra ver sua mulher. Acho que eles estão atrás dela.

— Ela está aqui comigo. Quem está falando?

Aguiar desligou. A aposta é que ele sairia com a mulher. Juscelino tinha carro. Sabiam o número da placa e já o haviam localizado. O Siena prata estava estacionado em frente à autoescola, do outro lado da rua de duas mãos.

Um homem saiu pela porta da frente da autoescola, que era a única. Certificaram-se disso com antecedência. Não eram amadores. Ele saiu, olhou para um lado, depois para o outro. Não pareceu notar a presença da viatura descaracterizada. A garotada fazia uma algazarra diante da lan house. Um Passat comido pela ferrugem parecia mais um aparelho de som do que um carro. Pela porta aberta se projetava o som rouco de um rap funkeado. Moças e rapazes bebiam cerveja e pousavam os copos em cima do carro. Provavelmente o barulho teria contribuído para confundir os sentidos e embaralhar a visão de quem fosse à calçada fazer uma inspeção rápida.

O homem magro, postura encurvada, estatura média, voltou para a autoescola. Não parecia, não era Juscelino. O presidente da Associação era alto, moreno, forte. Difícil não o distinguir numa multidão. Mais fácil ainda ali. A circulação era festiva e animada, aos poucos o ajuntamento crescia, mas não chegava a ser nada que se aproximasse do que o dicionário define como uma multidão.

Os quatro homens não suportavam o aperto na viatura, cada um sugeria uma tática diferente, e o menos inquieto sentia aquele amargo que a tensão instila na saliva quando ultrapassa a faixa do tolerável. Os policiais sabem do que estou falando.

Por sorte, ou azar, outra pessoa saiu da autoescola. Pronto. Enfim. O motorista e o carona quebraram a casca do silêncio que, a muito custo, Efe-Pê conseguira restaurar:

— É ele.

— Juscelino na pista.

Mas o homem, digo, o alvo voltou para a toca. O sujeito, que tinha saído com passos largos e confiantes na direção do carro estacionado em frente, no lado oposto da rua, girou sobre os calcanhares subitamente e entrou de novo.

Os homens na viatura mal tiveram tempo de avaliar a surpreendente coreografia, porque, em segundos, ele surgiu de novo na calçada, agora ao lado de uma mulher. As passadas dessa vez eram mais lentas, talvez para acompanhá-la. Ela era miúda, pernas curtas, e lhe deu a mão, automaticamente, quando se aproximaram da rua que atravessariam se o destino fosse o carro estacionado do outro lado.

Efe-Pê deu a ordem:

— Vai.

A ideia parecia ser aproveitar a oportunidade de que ninguém mais estava cruzando a rua além do casal.

O motorista pisou fundo. Como não havia obstáculo, partiu em velocidade para o meio da pista a tempo de colher o homem e a mulher quase no mesmo golpe. Entre o rompante dos pneus que cantaram a partida e o grunhido da borracha esfregada no asfalto divulgando a freada, ninguém poderia ter contado, sei lá, dez segundos. Não sei. A trilha sonora do crime mixou o rap com o baque dos corpos, os gritos de horror das testemunhas e a voz esganiçada da parada tardia.

Enquanto a plateia estarrecida e histérica corria para o meio da rua, os policiais milicianos, saltando da viatura, dispersavam a turba com tiros para o ar.

Observados pelos jovens, na batida do rap, os milicianos ergueram as vítimas do chão.

Até esse momento, a hipótese de um acidente não podia ser descartada.

Os rapazes e as moças que bebiam e dançavam na calçada, e os frequentadores da lan house e seus funcionários, assistiam, em choque, convocados pelos metais da tragédia.

Desfalecidos ou semiconscientes, os corpos desconjuntados e sangrando ainda tinham vida.

Aguiar disparou contra a maçaneta e a fechadura das portas da frente do Siena de Juscelino, que se abriram.

As vítimas foram depositadas nos assentos dianteiros.

Efe-Pê, o rosto escondido pela touca ninja, subiu no capô do Siena, apontou o fuzil 762 contra o para-brisa e fulminou o casal. Um de seus companheiros gritou, a seu lado, alucinado, contemplando a orgia de sangue e vísceras:

— Larga o aço, larga o aço, larga o aço, larga o aço.

E depois:

— Não para, não para.

Declamava o mantra da execução e disparava para o ar como se soltasse fogos em uma celebração satânica.

A imagem de Flávio Paulino fuzilando os corpos, de pé sobre o capô do Siena prata, foi flagrada, capturada e eternizada por um membro maníaco da plateia. Plateia que não teve pernas para correr até a lan house e se jogou no chão. O maníaco teve a frieza de filmar a cena de terror com seu celular. A ele devemos a prova que, associada a outras evidências, talvez nos tivesse levado a Efe-Pê, se ele não tivesse sido morto em circunstâncias tão semelhantes: fuzilado, dentro do carro, ao lado de uma mulher. Um crime parece que cita o outro, como se ambos obedecessem a uma estética perversa e como se dialogassem entre si. Como se o segundo comentasse o primeiro e o ironizasse, reencenando-o com uma inversão de papéis. Por isso, não estou totalmente convencido de que Efe-Pê não tenha sido assassinado por vingança. Não creio que seja impossível que Juscelino tenha matado Flávio. Ou alguém em seu nome.

Talvez, por que não?, o próprio Juscelino. Não conheço seu perfil psicológico e, para falar a verdade, nem acredito em perfil psicológico. A pessoa tem determinadas características até deixar de tê-las.

Juscelino não morreu. As vítimas do massacre da lan house, como ficou conhecido o show tenebroso, morreram, claro. Quase digo "mais que morreram", porque o verbo morrer soa incorreto, incompleto, débil diante do que aconteceu. Diante da fúria que despedaçou os corpos e os misturou. Os cadáveres foram sampleados, mixados no festival de rua que Efe-Pê e seus comparsas milicianos produziram. Música sinistra.

Quem saiu da autoescola não foi Juscelino. Quem estava com o homem confundido com Juscelino era uma aluna da autoescola. O homem era seu marido. Parecido com Juscelino. A distância, pelo menos. O mesmo tipo físico. Certamente, contribuíram para a confusão a ansiedade dos milicianos, a noite, o movimento na rua e o fato de Juscelino ter dito ao telefone que estava com a esposa.

Mesmo com as vítimas erradas, o recado foi dado. Juscelino sumiu. Saiu de casa com a mulher. Os vizinhos não souberam mais deles. A autoescola está fechada. A secretária me disse que não sabia de nada. O patrão pagou o mês e a dispensou. Os três rapazes que dividiam com Juscelino as aulas foram informados de que ele viajaria por um tempo e de que não convinha manter aberto o local. Nenhum deles tinha carteira assinada. Alguns alunos receberam telefonemas; outros, nem isso. Não consegui ainda descobrir o paradeiro do presidente da Associação dos Moradores de Nova Aparecida. Os demais membros da diretoria entenderam a mensagem e resolveram suspender, provisoriamente, as atividades. A sede está fechada.

A nova associação, fundada às expensas da milícia e sob o comando de Efe-Pê, responde pela representação dos moradores do bairro. Alguns defensores públicos foram seduzidos pelo canto da sereia, pelo palavreado demagógico e pela real falta de alternativas das famílias que invadiram o condomínio da Caixa Econômica. A DRACO mal teve tempo de fazer contato com os defensores e alertá-los. A Justiça deferiu a reintegração de posse, mas depois acatou a liminar impetrada pelos defensores públicos. A situação permanece indefinida. Os moradores induzidos à invasão vivem o suspense, mas ainda confiam na milícia e acreditam que tudo se resolverá, definitivamente, a seu favor. A notícia da morte de Efe-Pê correu como um raio no conjunto Deus é Fiel. Mas o soldado Aguiar e os milicianos órfãos de Flávio trataram de se organizar para não desperdiçar a oportunidade única que aquele momento lhes proporcionava. Parece que negociaram com Firmino o usufruto da herança de Efe-Pê, desde que repartissem com a liderança superior parte maior do lucro que Flávio comprometera-se a transferir.

O relato de Ricardinho, que contrastei e completei com alguns outros poucos e tímidos depoimentos colhidos por nossa equipe em Nova Apareci-da, teve o mérito de deslocar nosso foco para o condomínio da Caixa Econô-mica e suas 340 unidades residenciais.

O celular que filmou o vandalismo esteve em minhas mãos. O doido meti-do a repórter me mostrou as imagens com a condição de que eu não as divul-gasse, nem registrasse seu nome no inquérito. Eu vi. Apesar da baixa definição e da má qualidade do áudio, assisti ao circo de horrores. Por isso, atesto sem vacilar a fidedignidade dos depoimentos com base nos quais compus a nar-rativa do crime.

XV
Eduardo e Yasmim

Não demorou a surgir uma primeira brecha pela qual pudemos penetrar nos domínios do falecido Efe-Pê.

Um casal apareceu na delegacia responsável pela área que inclui Nova Aparecida fazendo acusações gravíssimas. Foi levado ao Instituto Médico Legal, onde Tonico foi encontrá-lo. O homem e a mulher estavam bastante machucados. Principalmente o homem, que se chamava Eduardo. Pareciam baratinados, ainda que suas falas fossem coerentes e coincidentes. Acho que só mesmo meio enlouquecidos teriam tido coragem de procurar a polícia. Enlouquecidos mais pelo ódio do que pelo medo. Tonico os levou para a DRACO, o que nem sempre é prudente, mas, naquele caso, justificava-se, considerando-se a disposição das vítimas para colaborar e para confrontar seus algozes.

Eis, em resumo, o que nos contaram:

Eduardo era irmão de Ednardo, cabo da PM que trabalhava com Efe-Pê e seu grupo no condomínio Deus é Fiel. Eduardo estava casado havia pouco tempo com Yasmin. O casal participou da invasão patrocinada pelos comparsas de Ednardo e resolveu ao mesmo tempo dois problemas: moradia e emprego. Eduardo tornou-se zelador do prédio em que morava.

Por mais competente, organizada e disciplinada que tenha sido a invasão, o processo não foi perfeito. Pessoas não cadastradas apareceram na última hora, brigas complicaram o desembarque das famílias em suas unidades, alguns já admitidos ficaram de fora, espertinhos furaram a fila, penetras se insinuaram e invadiram as posses dos invasores, e assim segue a lista dos percalços. Foram poucos casos, mas houve. Resultado: a milícia teve de impor a ordem com energia e, diante de bate-bocas e contestações que tumultuaram a chegada dos últimos lotes de famílias, alguns apartamentos acabaram ficando vazios.

Por isso, uma das tarefas de Eduardo era receber interessados e mostrar os apartamentos disponíveis.

Na noite de terça-feira, tinha mostrado um apartamento a um interessado e o levara ao bar mais próximo para uma conversa mais relaxada, regada por uma cervejinha. Ednardo estava sentado ao fundo do estabelecimento com Aguiar e um terceiro membro da milícia apelidado de Sapo. Não tinha boas relações com o irmão, nem contas a prestar a nenhum dos três. Por isso, sentou-se na frente com o candidato a morador sem qualquer preocupação. Pouco depois, Ednardo se aproximou de um jeito provocativo, hostil e estranho. Quis saber quem era aquele sujeito que bebia com o irmão. Eduardo respondeu:

— É o Jorge. Veio ver o apartamento.

— Que apartamento?

— O 107.

— De que prédio?

— Do meu.

— E tu agora tem prédio, é?

— Do prédio onde moro.

— E que história é essa de mostrar apartamento?

— Mandaram mostrar.

— Quem mandou?

— O sargento Fróes.

— E desde quando o Fróes manda nessa merda?

Eduardo contou que, nesse ponto, preferiu se calar. Achou que o irmão buscava um pretexto para brigar. Ele fedia a cachaça e fungava muito. Tudo indicava que tinha abastecido pulmões e artérias com muitas carreiras de pó.

Ednardo passou, então, a dirigir-se ao visitante:

— O que é que tu está fazendo aqui?

— Vim ver o apartamento.

— Tem algum apartamento aqui dentro? Não estou vendo apartamento nenhum. Tu bebeu ou está de sacanagem comigo?

O candidato a inquilino contraiu-se e olhou para baixo. Ednardo aumentou o volume:

— Tu me respeita. Olha pra mim quando eu estiver falando contigo, veado.

Eduardo levantou-se. Erguendo-se, levou o primeiro soco do irmão. Caiu por cima do visitante. Os outros frequentadores do bar saíram rapidamente.

Aguiar e Sapo já estavam em frente à mesa quando Eduardo pôs-se de pé. Sapo interveio, voltando-se para Eduardo:

— Que porra é essa de trazer qualquer um pra cá? — De imediato, cobrou do visitante: — Melhor tu explicar direitinho, seu bosta. Tá procurando sarna pra se coçar? Quem te mandou aqui, seu babaca? Tá procurando o quê?

Eduardo empurrou o irmão, que ameaçava esmurrar o candidato a inquilino, e foi golpeado por Sapo. Ao mesmo tempo, Aguiar agarrava o visitante pela gola da camisa e o arrastava para fora do bar, gritando:

— Vaza, filho da puta. Vaza.

Cercado pelos três, Eduardo, de cabeça quente, pediu satisfação:

— Eu é que pergunto que porra é essa. Não sou pago pra limpar o prédio e receber quem quiser alugar ou comprar?

Ednardo partiu para o ataque no momento em que Yasmin chegava, alertada pelos vizinhos sobre a confusão em que o marido se metera:

— Tu é um merda. Tu devia ser expulso do prédio. Tu e a tua putinha.

Na DRACO, Eduardo confessou que era estourado e não levaria desaforo para casa, sobretudo em se tratando de ofensa à mulher. Desferiu um soco violento no queixo de Ednardo, que ficou uns minutos fora de combate. Sapo e Aguiar assumiram a iniciativa na peleja e lhe deram uma surra. Quebraram uma cadeira e uma garrafa em seu corpo e o chutaram caído. A mulher lançou-se sobre ele e apanhou também, mas acabou conseguindo deter o impulso feroz dos milicianos.

Recobrando a consciência, mas não a lucidez, Eduardo balbuciou qualquer coisa sobre ir à delegacia denunciar a gangue do irmão. Ednardo, refeito do nocaute, lançou-se sobre o casal e convocou os comparsas a uma solução definitiva.

— Então tu vai ver, seu merda. Quero ver tu denunciar alguém debaixo da terra com um tiro nos cornos.

Aguiar e Sapo empurraram marido e mulher até o carro de Ednardo, estacionado perto do bar, e avisaram que quanto mais gritassem mais tempo sofreriam antes de morrer.

Eduardo e Yasmin se debateram enquanto tiveram forças. Foram amarrados, amordaçados e jogados no assento traseiro do Audi preto. Sapo assumiu o volante. Aguiar sentou-se a seu lado. Ednardo foi no banco de trás, vigiando e batendo no casal.

O Audi seguiu para um campo ermo numa área rural, no extremo oeste do município do Rio, que serve de cemitério clandestino. Por engano ou para cortar caminho, Sapo atravessou o portão que demarca o limite da Colônia Juliano Moreira, antiga casa de loucos que abriga também alguns enfermos abandonados pela família.

O erro do motorista salvou o casal, porque havia um porteiro, cuja função era anotar as placas dos veículos que cruzassem o portão. Quando se deram conta do que ocorria, Sapo freou e Aguiar encarregou-se, com seus métodos civilizadíssimos, de ensinar ao porteiro que seu ofício pode ser muito perigoso, em particular quando a placa de um veículo que transporta mafiosos é registrada no momento em que conduz um casal à sua última morada. O livro de registros foi rasgado, e o porteiro, advertido por um corretivo físico que lhe custou os dentes.

Retomaram o rumo, já no interior da Colônia, e discutiram se havia riscos, câmeras, algum outro controle. Decidiram desistir da empreitada. Levaram Eduardo e Yasmin para o hospital situado no centro da colônia sob a justificativa de que o casal estava embriagado e tinha brigado. O enfermeiro na recepção recusou-se a receber o casal, porque ali não era lugar para tratamento de embriaguez, muito menos para os cuidados de emergência que o homem e a mulher evidentemente requeriam. Recomendou um hospital cuja emergência dispusesse de unidades de traumatologia e ortopedia. Mas Eduardo e Yasmin agarraram-se a funcionários e enfermeiros, dizendo que dali só sairiam mortos. Ednardo e Aguiar não viram mais sentido em levá-los à força. Havia testemunhas demais na eventualidade de que o crime viesse a ser investigado. Largaram o osso. Ou melhor, os ossos, alguns fraturados, de suas vítimas. Voltaram para o Audi, onde Sapo os esperava.

Perguntei a Eduardo a que atribuía o ataque do irmão e dos demais. Disse que se fazia a mesma pergunta. Yasmin meteu a colher e se referiu a uma rixa constante entre os irmãos. A um desses ódios atávicos que, em tese, seriam incompatíveis com relações familiares, mas que exatamente entre irmãos brotam mais fortes. Não me pareceu motivo suficiente, mas assenti para seguir adiante.

Ofereci a ambos o Programa de Proteção à Testemunha, porque Eduardo trouxe outras informações pertinentes. Não se tratava de delação premiada, porque, salvo melhor juízo, nem ele nem a esposa estavam envolvidos. No máximo, se beneficiaram de relações pessoais e embarcaram de carona na invasão. De resto, ninguém poderia ser indiciado por trabalhar como zelador. Depois de resistir, Eduardo aceitou minha oferta. Yasmin concordou assim que mencionei a hipótese. Ele ainda ponderou quanto às limitações de contato com amigos e parentes e quanto às condições materiais que lhes seriam proporcionadas, mas Yasmin o calou com o mais indiscutível dos argumentos:

— Pelo menos a gente vai estar vivo.

Antes de viajar para o destino que o Programa de Proteção determinaria, Eduardo prestou longo depoimento. Falou sobre a ação das milícias onde morava, antes de se mudar para Nova Aparecida. Contou os detalhes da invasão. Dava pra acreditar? Sobre a invasão havia confirmações no depoimento de Ricardinho e em declarações que meus colegas conseguiram colher junto a um ou outro vizinho do conjunto residencial Deus é Fiel. Quanto ao ataque furioso de que fora vítima com a esposa, efetivamente aconteceu. As provas eram o gesso, as cicatrizes, fraturas, dentes perdidos. Haviam sido severamente golpeados, sem nenhuma dúvida. Os funcionários da Colônia Juliano Moreira prestaram informações coincidentes com o relato do casal. A descrição dos homens que entregaram na recepção Eduardo e Yasmin supostamente embriagados conferia com as características físicas de Ednardo e Aguiar. O porteiro de serviço naquela noite solicitara licença médica e viajara com a família. Infelizmente, o sistema de câmeras estava em reparo, segundo o diretor. Mas os relatos confluíam.

Contudo, as razões da briga ainda me pareciam turvas, e a própria personalidade de Eduardo me intrigava. A esposa me parecia mais centrada e mais veraz. Meu faro policial detectava leve fragrância de esperteza no ar. A surra não tinha sido farsa, mas o que estaria em jogo? A participação de Eduardo se reduziria mesmo ao envolvimento com a invasão e, depois, com os serviços gerais do prédio? Nenhuma cumplicidade com o irmão antecedera a explosão de cólera de Ednardo? Não haveria negócios comuns?

As dúvidas me fizeram questionar minha decisão de sugerir o ingresso no Programa de Proteção à Testemunha e de lhes dar, ante o conselho que administra o programa, meu aval. Confesso que a consciência pesou. Talvez eu tivesse me precipitado. O que até certo ponto me tranquilizava era o fato de que Eduardo não poderia fazer mal ao programa. No máximo, provocar gastos que viriam a se mostrar inúteis. O desperdício para um programa tão importante e tão maltratado pelas autoridades políticas seria ruim, é claro. Mas não inviabilizaria seu funcionamento nem poria em risco a possibilidade de atender outras testemunhas. Esse era meu consolo. Ademais, entre errar por excesso de zelo com a segurança das pessoas e pecar por negligência, prefiro a primeira opção. E quanto a isso não tinha dúvida.

Menciono a angústia que me afligia não por preciosismo, mas porque ela se revelaria bem-fundamentada. O casamento de Eduardo e Yasmin com o Programa de Proteção não durou nem dois meses. Pelo jeito, nem o casamento entre os dois dava sinais promissores. Eduardo pediu para sair, rompeu o contrato e voltou ao Rio. Encontrou outro lugar para morar com Yasmin e não se dignou a comunicar o novo endereço à DRACO, que o acolhera com presteza e competência.

Os funcionários e dirigentes do Programa de Proteção à Testemunha me contaram que não suportavam mais. Eduardo envolvia-se com bebidas, mulheres e drogas. Aprontou tanto na pequena cidade do interior do Paraná, onde lhe foi dada a chance de recomeçar a vida longe dos riscos e das ameaças dos milicianos, que até de roubo o acusaram. Em menos de trinta dias, tiveram de providenciar nova mudança, dessa vez para o interior de Santa Catarina. E trataram de lhe dar um ultimato. Em três semanas, as brigas com a esposa chamaram a atenção de vizinhos, que telefonaram para a polícia. Por um triz Eduardo escapou de ser preso. Finalmente, ambos os lados, Eduardo e os dirigentes do programa, jogaram a toalha e optaram pelo rompimento do acordo.

O comportamento errático, as oscilações de humor, a intimidade com o ilícito, a violência em casa contra Yasmin, tudo apontava para um quadro de perturbação que eu intuíra desde o começo. Repeti a frase várias vezes para ver se entrava em minha cabeça dura: "Preciso acreditar mais em minhas intuições."

Quais outras surpresas Eduardo reservaria para quem se dispusesse a acompanhar de perto sua trajetória? Eu logo descobriria. Duas semanas depois de retornar ao Rio — fui alertado pelo programa sobre o retorno —, Yasmin me ligou. Não telefonou para a DRACO. Ligou para o meu celular. A conversa foi recheada de lacunas, mas importante. Ela estava muito nervosa:

— Estou no Rio. Não deu certo.

— Já soube.

— Vou falar rapidinho.

— Não estou com pressa.

— Eduardo vai voltar. Foi comprar cigarro. Ele não pode saber que estou falando com o senhor.

— Pode deixar. Ele não precisa saber.

Ela começou a chorar e continuou:

— As coisas estão muito difíceis. — Fez uma pausa. Prosseguiu: — Está andando com um pessoal barra-pesada. Policiais de uma milícia. Acho que ele está tramando uma vingança contra o irmão.

— Por que é que você não sai de casa? Você tem parentes? Eu posso te ajudar.

— Ele me mata se eu sair. Já disse isso pra mim. Que me mata.

O choro a tomou de assalto, mas Yasmin se controlou porque precisava falar rápido e tinha muito a dizer:

— Ele me bate. Todo dia. Ontem trouxe uma puta pra casa. É amante dele. Trouxe pra casa.

— Vamos combinar. Tem um jeito. Vou até onde vocês estão e prendo Eduardo sem machucar você.

— Não, pelo amor de Deus, é muito perigoso. Ele agora anda armado. Não faz nada. Eu vou ligar de novo.

Yasmin desligou.

A situação assumira proporções extremamente sérias. Era minha obrigação levar o caso ao delegado titular. Eu precisava ouvir, além da intuição, o dr. Fausto.

Estudamos com calma o quadro por todos os ângulos. Fausto aparentava um nível de tensão maior do que o usual. Fiquei preocupado. Cheguei a perguntar se ele tinha tirado a pressão ultimamente. Ele me cortou, seco. Estava tudo bem. Eu é que devia cuidar melhor de mim mesmo, escutar o que minha mulher dizia, parar de comer pizza toda noite, de dormir pouco, de almoçar qualquer porcaria, em geral a mais gordurosa, de tomar refrigerante e ainda tranquilizar os colegas com a justificativa pueril de que é diet. Devia tirar a minha pressão e tentar emagrecer, pelos menos uns dez quilos. E marcar logo a consulta que eu sempre adiava para avaliar minha dor de cabeça incessante, a vertigem que sinto quando subo escada, o embaçar da vista, as dores no peito. Fausto Clemente se irritou com minha atenção paternal e me passou uma descompostura. Devolveu com juros, perguntas e conselhos. Desde quando eu não fazia exame de sangue? Um check-up completo, desde quando? O colesterol, como é que estava? Sim, claro, você não tem tempo, ele disse, nunca tem tempo, há sempre um coisa importantíssima a fazer. Qualquer dia o corpo estala, rompe, explode, vaza, despiroca, degringola e se fode. Você quer se foder?, perguntou ele. Quer virar alface e usar fralda geriátrica antes dos cinquenta anos? Quantos anos mesmo você tem?, ele quis se certificar. Não respondi. Ri, balancei a cabeça, fingi que me divertia com a lição e que concordava com a lenga-lenga, mas, no íntimo, rezava para a xaropada acabar logo, porque aquilo, sim, tinha feito minha cabeça doer de verdade, como se a tivessem prensado entre duas placas de aço.

Ou seja, dr. Fausto Clemente exalava mau humor por todos os poros. Não exagero se disser que ele parecia à beira de um enfarte ou de um derrame. Outra opção: parecia ter visto o coisa-ruim, o cão chupando manga, o inominável, o boca do inferno, o pé de cabra, o tinhoso. Consequência? Descontava em mim. Sendo meu amigo, reconhecendo que eu era um sujeito dedicado, engajado, cumpridor do meu dever, trabalhador incansável — isso eu era de verdade —, como é que me daria um esporro e faria sua catarse? Só lhe restou a solidariedade ativa que se manifesta sob a forma paradoxal da porrada compassiva. Não sabe o que é porrada compassiva? É uma expressão pernóstica que inventei agora e que significa o que Fausto fez comigo. Entendeu?

Superados o intervalo de cobranças e o aquecimento de minhas culpas, que fervem em fogo brando no fundo da consciência, retomamos o fio da meada. Exploramos as abordagens diretas e algumas hipóteses menos imediatistas. E então Fausto mergulhou em silêncio reflexivo. Tentei meditar sobre o tabuleiro de xadrez em que se moviam Eduardo e Yasmin, mas as palavras sobre minha saúde eram um açoite e ecoavam, fervidas com o tempero das recriminações de Maria Clara: comer sem horário, alimentos gordurosos, vida sedentária. Um amigo meu sai pela tangente quando provocado: diz que contratou um atleta para correr por ele 12 quilômetros todo dia. Eu ri, sozinho, o que despertou Fausto de sua imersão no país das especulações. Ele anunciou:

— Vamos fazer o seguinte. — Voltou à tona para respirar e mergulhou de novo. Mais uma vez respeitei seu silêncio. Finalmente, ele disse: — Melhor não precipitar as coisas. Eduardo não vai matar a moça.

— Não tenho tanta certeza.

— Com toda a certeza a dra. Maria Duília vai autorizar o grampo. Descobre os telefones do Eduardo. Sem querer, esse cara pode servir de isca para peixes maiores.

— Atenção, tubarões, está aberta a temporada de pesca.

— Baleias assassinas. Os tubarões já estão mapeados. Questão de tempo.

— Vamos lá. Tudo bem. Só me preocupa o convívio de Yasmin com esse elemento.

— "Elemento"? Nunca mais tinha ouvido você usando esse vocabulário. Isso é uma ratoeira de vulgaridades. Faz mal ao pensamento.

— Falei "elemento"?

— Falou.

— Uma recaída, chefe. Acho que o papo sobre colesterol e calorias está fazendo efeito.

Minha relação com Fausto era engraçada. Tinha algum componente que eu não compreendia nem controlava. Ele provocava em mim uma certa inibição. Às vezes me fazia hesitar, pesar as palavras. Nada pior do que a perda da espontaneidade. Até a linguagem sofre. Quanto mais vigilante a gente fica, mais erros comete. Fausto fazia comigo o que eu fazia com meus colegas. Exercíamos o mesmo papel, representávamos o mesmo olho crítico — ou ouvido crítico —, só que de modo invertido e em contextos diferentes. Ou seja, eu era o Fausto de meus colegas. Logo me lembrei de minha atitude professoral, repelindo o "já é" e o "é nós" do detetive que me falou ao telefone sobre o assassinato de Efe-Pê. Enfim, temas para psicanálise, pensei. O que, para mim, naquele momento, era sinônimo de: frescura, bobagem ou assunto para a aposentadoria — que parecia muito, muito distante.

Insisti:

— O senhor não acha que Yasmin está numa posição muito vulnerável?

— "Senhor"? O que é que você tem hoje?

— É o hábito, delegado. Um dia, quando crescer, vou conseguir. — Tentei de novo: — Você não teme pela vida de Yasmin? Não acha que temos responsabilidade pelo que vier a acontecer a ela?

— Ela está casada com o sujeito. Foi ela que escolheu. Ela que casou. Não foi você, nem fui eu.

— Só que ela não quer mais. Quer sair de casa e não pode. Acho que já se configura cárcere doméstico.

— Base para intervir, nós temos. Base legal não falta. Entretanto, outras vidas podem ser salvas, inclusive a de Yasmin, se a gente não se precipitar. Mais uma semana não vai fazer diferença na relação com a mulher. Aposto que não. E pode fazer toda a diferença para a investigação.

Entendi que não adiantava argumentar. A decisão estava tomada. Fausto era o chefe. Amigos, amigos, hierarquias à parte.

Era hora de providenciar a identificação dos números dos telefones a grampear. Convoquei Claudinho, o Professor Pardal da DRACO. Nosso homem infiltrado no país da tecnologia. O Mágico de Oz que puxa as cordinhas nos bastidores. Competência técnica e rapidez são a alma do negócio. Para ouvir o celular, melhor trabalharmos com a maleta. O sistema, chamado "guardião", que a Secretaria Nacional de Segurança nos deu, oferece as melhores soluções. Mas quando há algum risco, por menor que seja, de vazamento, o jeito é recorrer à velha maleta e manter os dois sistemas separados. O ideal, portanto, naquele caso, dado que nosso medo de vazamento continuava presente, seria combinar os recursos da maleta com o aparato mais sofisticado e complexo do "guardião", montado em nossa central de escutas da DRACO. Para quem não sabe, maleta é o nome que a gente dá ao conjunto de equipamentos portáteis que nos permite ouvir conversas travadas via telefone celular, com a condição de que nos situemos na mesma área de cobertura de um dos aparelhos envolvidos no diálogo. Tínhamos de acompanhar Eduardo e buscar uma posição coberta pela mesma antena de telecomunicações. Era o bastante para bisbilhotar suas conversas.

Fiz questão de ir. Claudinho iria comigo. Eu quis participar diretamente não por prazer — já que o calor da Zona Oeste acaba comigo —, nem por desconfiar dos colegas que compunham o clube fechado a que reduzimos o setor de investigações da delegacia. Nada disso. Acho que eu precisava demonstrar aos que me viam como um cadáver adiado que ainda era forte e saudável o suficiente para liderar a equipe no campo. Mesmo com 10 ou 15 quilos a mais, as palpitações, a taquicardia e os enjoos de mulher grávida.

No fim do dia seguinte, tínhamos em mãos a autorização judicial e os números. Na manhã subsequente, saí com Claudinho e Omar, motorista de total confiança, para cumprir a missão, sem saber se a campana funcionaria de imediato, porque talvez chegássemos ao prédio em que Eduardo estava morando depois que ele tivesse saído. O mais provável é que ainda estivesse em casa. Eram 6h18. Duvido que ele acordasse tão cedo. Para nossa sorte, estacionando numa praça ampla e movimentada situada na esquina, era possível monitorar, perfeitamente, a portaria de Eduardo. Assim, o risco de sermos identificados era quase nulo.

Três longas horas depois, as luzes piscaram, indicando uma chamada, o que significava que, se não estivesse em casa, estaria na mesma área de cobertura. Estava em casa.

Pelo que deduzi das 26 ligações que ele deu e recebeu no primeiro dia, Eduardo havia mesmo levado a amante para o apartamento e continuava impedindo que Yasmin saísse.

No meio da tarde, desceu com a segunda mulher, entrou em um Fiesta estacionado a poucos metros da portaria do prédio, e seguiram juntos para uma churrascaria. Circulando com nossa viatura descaracterizada, contamos oito automóveis suspeitos nas imediações do restaurante. Ou eram viaturas policiais, ou BAs, apelido dos carros que foram alvo de "busca e apreensão" por transgressão cível, não criminal — o exemplo mais comum é a inadimplência no pagamento do crediário. Como as placas não vão para o banco de dados do Detran, os policiais circulam livremente com eles. Já existe até mercado de BAs. Esses automóveis são as viaturas dos milicianos, também chamadas de "carruagens da sacanagem".

No início da noite, saíram 21 homens, 14 trajando fardas da PM.

Segundo os telefonemas que ouvi, o enredo era mais ou menos o seguinte: Eduardo se afastou por um tempo porque estava aturdido com as agressões que sofrera e, de imediato, não sabia o que fazer. Nunca tencionara, de fato, permanecer no Programa de Proteção. A ideia sempre tinha sido, a julgar pelas bravatas que proclamava aos interlocutores, voltar com um plano para se vingar em grande estilo do irmão, do Aguiar, do Sapo e de todo aquele grupo. Mais do que isso, visava assumir o controle do condomínio Deus é Fiel, o que exigiria que ele se filiasse a uma facção criminosa que lhe desse suporte. Aparentemente, o plano estaria sendo implementado. Ele fizera contato com policiais ligados a milícias comandadas pelo coronel Teles, o maior inimigo de Firmino e companhia. Sua tarefa, no momento, era convencer os novos aliados de que eram sinceros seus propósitos de aderir ao Teles; de que tinha experiência e havia sido mais do que zelador; de que era um guerreiro leal; e de que a conquista do condomínio era factível mesmo sem o domínio de Nova Aparecida. Domínio que, segundo ele, o grupo de Efe-Pê, ou seja, de Firmino, jamais chegara a ter. O assassinato do sósia de Juscelino teria jogado os moradores contra os milicianos antes que estes comandassem, de fato, a área.

Para comandar, na teoria de Eduardo, são indispensáveis: aliados locais capazes de passar aos milicianos informações e disseminar na comunidade contrainformações, boatos, avisos, diretivas e ameaças; pleno domínio das unidades policiais responsáveis pelo território; presença armada ostensiva suficientemente capilarizada; regras claras sobre o funcionamento da coleta de taxas em todos os campos de atividade econômica que sejam objeto do interesse dos mafiosos; normas que imponham disciplina com o nível de rigor correspondente a cada local e circunstância; vínculos bem-trabalhados com políticos que atuem na área ou um projeto bem-definido para direcionamento dos votos.

De acordo com o que Eduardo dizia, faltava muito para que os herdeiros de Efe-Pê, ligados a Firmino, consolidassem o domínio sobre Nova Aparecida. Já não era esse o caso do condomínio, embora nem por isso fosse tão complicado tomá-lo. Justamente por seu isolamento espacial. Se o grupo de Teles conseguisse quebrar as frágeis pernas plantadas por Efe-Pê em Nova Aparecida, um eventual ataque ao condomínio poderia dar certo. Eduardo tentou convencer os homens de Teles de que o conjunto residencial da Caixa Econômica oferecia perspectivas de rendimento bastante atraentes, além de servir como base para a expansão progressiva dos domínios de Teles. Poderia ser um empreendimento de sucesso, desde que fosse conduzido com inteligência.

Ao telefone e a julgar por sua movimentação, Eduardo se revelara mais articulado do que imaginei. Sem dúvida eu o subestimei. Quando o conheci, não passava de um pobre homem acabado e humilhado. O marido de Yasmin era mais perigoso do que supus. Fausto, de novo, acertou. Investigá-lo era a aposta correta. A fonte diante de nós era fertilíssima. A última coisa que lhe ocorreria fazer seria atentar contra a vida de Yasmin. Seus projetos eram ambiciosos. Não admitiam riscos nem visibilidade. Tudo menos atenção policial. Mais uma razão para tomarmos cuidado na campana.

As conversas de Eduardo com membros das milícias comandadas por Teles se desdobraram. No segundo dia, fui substituído por Marquinho, e, no terceiro, o plantão foi do Aluízio. Rodízio é conveniente para evitar os vícios que se desenvolvem naturalmente, porque mesmo o mais qualificado profissional tende a olhar a mesma paisagem pelo ângulo com o qual se acostumou, reproduzindo o mesmo padrão de expectativas. A substituição impede o erro. Pelo menos reduz seus efeitos, gerando certa dinâmica compensatória: cada policial tem suas idiossincrasias, e uma corrige a outra.

No quarto dia, quis voltar, mas a dor no estômago que vinha azedando minhas manhãs invadiu a tarde e, à noite, me manteve acordado. Aumentei a dose das pastilhas, suspendi a pizza e a carne gorda, reduzi o café, e estava em plena forma para a campana no quinto dia.

De uma hora para outra, no fim do quarto dia, a campana, o grampo, minha terapia autoaplicada, os prognósticos sobre a receptividade de Teles às propostas de Eduardo, tudo virou de ponta-cabeça e mudou de sentido, de tamanho, de perspectiva. Drasticamente. Uma bomba de hidrogênio implodiu em meu estômago, e as têmporas latejaram. O coração disparou. Busquei uma cadeira e desabei. Respirei fundo e apurei a audição. O que o colega ouvia na campana nós ouvíamos na central onde eu estava, na DRACO, porque um dispositivo que captava os sinais da antena local os reenviava para nós — ainda que, por segurança, para prevenir vazamentos, eu só conectasse a maleta à central quando estava presente, dirigindo pessoalmente o esquema. De modo que lá perto do marido de Yasmin e na DRACO, o susto foi compartilhado. Eduardo conversava com um miliciano do grupo do Teles. O que ele disse transformou radicalmente a rota de nosso trabalho — e, depois, a trajetória de minha vida. Está aí a transcrição. Eduardo pergunta a um tal de cabo Tarso qual foi a reação do coronel Teles à proposta de tomar Nova Aparecida. Tarso responde:

— Falei, mas o homem não gostou, não.

— Explicou por quê?

— Disse que era uma área grande, espalhada, com poucos moradores. Complicado pra tomar, duro pra manter e com retorno pequeno.

— Puxa, mas é um lugar estratégico pro coronel depois avançar para dentro da Zona Oeste e, do outro lado, pela Estrada de Madureira, para se expandir na Baixada. Ele vai deixar tudo de mão beijada pro Firmino e pros grupos menores? E tem o condomínio da Caixa Econômica, que ele pode vender de novo, fazendo do jeitinho que eu disse: expulsa todo mundo, porque tem a reintegração de posse que está por aí, pendurada, por um triz. E depois organiza outra invasão. Vende tudo de novo. Fora o que rende por mês. São 340 famílias consumindo gás, transporte, luz, TV a cabo, água. Já expliquei isso tudo, Tarso.

— Eu sei. E ele entendeu tudo. Entendeu e concorda. E está até vendo mais longe. Acha que por ali tem muita terra pra grilar. Arranjando documentação falsa, dá pra grilar e vender pra imobiliária especializada em construir condomínio de luxo. A região vai valorizar. A cidade cresce praquele lado.

— Ué! Não estou entendendo, você não disse que o homem não gostou?

— Calma. É o seguinte. Gostar do plano, ele não gostou. Mas da ideia de aproveitar o vazio em Nova Aparecida para crescer e pra tomar o condomínio da Caixa, ele gostou, sim.

— Do plano é que não.

— Do plano, não.

— Qual é o dele?

— Olha, ele pediu pra não comentar, mas o que ele quer mesmo é começar pelo morro de Santa Bela, que fica na fronteira de Nova Aparecida e tem tráfico. Pequeno, mas tem. Tomar o morro é mole, e ele faz pela PM com força máxima. Está justificado, entendeu? Se tem tráfico, ele pode invadir. Instalado ali em cima, desce com a tropa para o lado. Diz que vai checar uma denúncia, faz uma operação. Mistura tudo, entendeu? Quem vai invadir Santa Bela e depois avançar por Nova Aparecida é a PM. Não é o grupo do coronel Teles. Não é a milícia.

— Mas é.

— Claro que é.

— Boa. Gostei. Compreendi. É melhor mesmo. O cara é bom, hein?

— Você acha que qualquer um é coronel, Eduardo? Neguinho pra chegar lá tem de ralar. E tem de ter tutano.

— Porra, esse tem. E não tem problema ele não comandar o batalhão da área? Não é estranho entrar na área do outro?

— O coronel Anderson está fechado com Teles.

— Coronel Anderson comanda o batalhão...

— O 39º. Lá da área.

— Tarso, será que não é muita bandeira? A DRACO não está atrás do Teles?

— Ele já conversou com o dr. Procópio. Tudo em cima. O Procópio vai até emprestar um caveirão da Polícia Civil, que a Core usa. E vai segurar a DRACO. Ele disse pro Teles que não precisa se preocupar. Pelo contrário, parece que ele está superanimado com a ideia da grilagem de uns terrenos. Tem muito por ali. A delegacia distrital, que está na mão dele, pode fornecer a documentação, entendeu?

— E eu? O que é que sobra pra um civil que não é policial, nem bombeiro?

— Tu não vai ser esquecido, não. O coronel Teles é um ser humano sensacional. Ele chegou aonde chegou porque é amigo dos amigos e nunca foi ingrato. Pelo menos essa é a fama dele. Agora, também não admite ingratidão, né? E nisso também está certo.

Duas pessoas ouviram essa conversa: Tonico e eu. Ele na campana, e eu na DRACO. Passei um rádio:

— O que você ouviu fica entre nós. Só nós dois ouvimos. Vou mostrar a gravação ao Fausto. Por enquanto, fica entre nós.

— O que nós vamos fazer?

— Relaxa, esquece, não abre pra ninguém. Faz o seu trabalho como se não tivesse acontecido nada.

— Está louco? Minha vida já não valia grande coisa, agora está na liquidação. Cara, é muito sério. Vamos suspender essa brincadeira. Está ficando muito perigosa. Se o Telinho imaginar a possibilidade de que a gente esteja com o pai dele na mão... Por muito menos esse pessoal incinera os arquivos. E o Procópio metido até o pescoço. Caralho. Se o subchefe está até o pescoço... Puta que o pariu.

— Vou desligar o rádio. Não se fala mais nisso até Fausto ser informado. Copiou?

— Positivo.

XVI
O episódio

Achar Fausto. Achar o delegado Fausto Clemente nem sempre é tarefa simples. Não queria mobilizar muita gente na localização do Fausto para não suscitar a impressão de que eu estivesse alarmado, nem de que estávamos vivendo uma emergência. Vamos lá: o celular. Fora da área de cobertura. O rádio. Sem sinal. Telefone de casa. Ninguém atende. Telefone da casa de Petrópolis — não era provável que alguém atendesse, mas, numa hora dessas, numa hora em que o improvável instaura a nova ordem, os critérios enlouquecem. Puxa, não foram só os critérios. Acho que meu estômago também perdeu o prumo. Fui obrigado a suspender os telefonemas para vomitar. O corpo fala mais alto. O mal-estar me derrubou. Deitei no sofá do Fausto e apaguei. Acho que tive um pique de pressão. Foi lá em cima, caiu de repente, foi lá embaixo e me derrubou. Acordei uns minutos depois. Não sei se desabei de exaustão e cochilei ou se desmaiei.

Despertei melhor. Lavei a boca. Fiz um gargarejo e pedi a um auxiliar que me trouxesse minhas pastilhas. Que números já havia tentado? Celular, rádio, casa um, casa dois. Porra. O homem desapareceu. E a mulher não atende em casa? Os dois filhos? Um programa familiar noturno? Já passava das 23h30. O delegado Fausto nunca desliga ao mesmo tempo o celular e o rádio. Tinha certeza de que me avisaria se, por algum motivo, tivesse de fazê-lo. Até quando está no cinema ele deixa o celular no modo silencioso para que possa identificar a chamada e desprezar o que não for urgente. Mandei mensagem de texto para o celular e enviei um e-mail: "Me liga. Urgente. Onde você está?" Enfim, saiu o "você" que ele sempre cobrava e que eu não conseguia pronunciar. Escrever "você" talvez seja menos constrangedor do que falar.

O enjoo voltou. Que diabo. Não era hora. Tenho de parar de comer porcaria. Preciso dormir direito. Vou começar a andar. Não vou mais carregar a M16 no colo quando estiver dirigindo. Umas férias, por que não? Logo que sairmos dessa situação. Foram os pensamentos que subiram à minha cabeça enquanto o sangue descia e deixava meu rosto pálido. Mais pálido do que o habitual.

Pedi ao nosso faz-tudo para me trazer um Lexotan e um Epocler. Eu me rendia, capitulava. A náusea era devastadora. Talvez porque se misturasse com a angústia e o estresse. Senti o ímpeto de buscar a M16 em minha sala e me trancar no gabinete-bunker de Fausto, onde eu resistiria até o fim. O filme era *Scarface*. A cena era a última. E, sem pretender estragar seu prazer de ver a obra-prima (na verdade, todo mundo já viu), devo dizer que o protagonista morre no final. Eu me imaginei um Al Pacino de opereta, abatido sem estardalhaço por Telinho e companhia, que comeriam uma pizza para celebrar, na sequência, tranquilamente.

O ímpeto de me armar e trancar a porta de fato eu senti, o que me deixou ainda mais tenso. Porra, será que eu estava com febre e já tinha começado a alucinar? Ou a paranoia era normal, ou razoável, digamos, dadas as circunstâncias?

Olhei inúmeras vezes pelas frestas da persiana do gabinete de Fausto, onde eu o aguardava. O carro que diminuía a velocidade não era o dele, nem o trazia. Aquele também não. Tinha certeza de que ele chegaria a qualquer momento. Mesmo sem ter conseguido localizá-lo, intuí que ele viria logo. Como quem muda de canal, passei do pânico para uma esperança quase mística. Ri pensando nisso. Que merda. Onde andaria a porra do delegado? Ou teria ocorrido alguma coisa com ele e a família? Não era minha obrigação supor o pior e agir? Antes prevenir por excesso de zelo do que descuidar por otimismo. O que seria menos arriscado? Alarmar todo mundo e agir de imediato para encontrar Fausto, sob o risco de que alguma suspeita vazasse, ou me fingir de morto e manter a fé? Me fingir de morto não seria difícil. Eu não precisaria fazer grande esforço, tal era meu estado, confesso. Pronto. Decidi. Optei por acreditar na intuição.

Fiz bem. Fausto não chegou, mas ligou. Viu mil chamadas e telefonou, assustado. Pedi que viesse. Ele não estava longe. Chegaria logo.

Por volta das 2h, bebendo baldes de café — as promessas de alimentação saudável convenientemente postergadas —, ainda girávamos em círculo. Esgotadas as soluções óbvias, todas elas inviáveis, explorávamos o campo minado do imponderável. Subíamos alto agarrados ao balão da fantasia, o outro espetava com o alfinete, despencávamos de volta ao chão, de novo, e inutilmente. Dizíamos absurdos. Por exemplo:

— Ao ministro. Vamos ao ministro da Justiça. Por que não? — perguntava Fausto, o balão subindo.

Eu espetava:

— Dr. Fausto Clemente, o ministro é aliado do governador. Ele deve saber que o governador depende dos votos controlados pelas milícias. Claro que vai supor que ninguém é chefe de polícia sem o aval do governador, por mais que a indicação seja do secretário. E ninguém é idiota a ponto de imaginar que o secretário não saiba quem está indicando. Ou que o chefe de polícia não conheça o subchefe que ele mesmo escolheu. E que todo esse novelo de tantos fios não seja uma unidade.

Depois de um intervalo para curtirmos a perplexidade, era eu que voava:

— Vamos ao diretor da Polícia Federal, em Brasília.

Fausto furava a pele de seda do balão:

— O diretor-geral da PF é subordinado ao ministro da Justiça. E a Justiça? O presidente do Tribunal? O homem é gente boa. Um cara sério. Ou mesmo a juíza Maria Duília, essa mulher fantástica?

Minha vez de representar o papel do estraga-prazeres:

— Um caso contra seus superiores, dr. Fausto. Se ela acolher, e não duvido que acolha, porque a mulher é tinhosa, o secretário o demite, sumariamente. E com razão. Como é que o senhor pode levar o chefe e o subchefe da Polícia Civil à barra dos tribunais sem informá-lo? Seria um golpe rasteiro. Uma vileza, como diria papai.

— Uma puta sacanagem.

— Puta sacanagem, sim, senhor. Por outro lado...

— Por outro lado, se eu falo, o secretário intervém, imagina que eu esteja competindo com o chefe de polícia para tomar-lhe o cargo, convoca o chefe da polícia e o interroga, a história vaza, arma-se um banzé, até na Justiça, o processo mela, e a equipe da DRACO...

— É transferida para o município de Varre-Sai.

— Numa versão otimista. Na versão realista, nossa brava equipe, ou pelo menos esse delegado que vos fala, vai responder a um procedimento na corregedoria e encerra a carreira.

Nesse ponto da conversa, eu disse sob a forma de indagação mais ou menos o seguinte:

— A gente não faz nada? Deixa passar a referência ao Procópio? Fecha os olhos?

— Não pode. Eu e você estaríamos cometendo um crime. Por baixo, muito barato, prevaricação. Além do mais...

Fausto calou-se, pôs-se de pé — ele falava sentado quase todo o tempo; quem andava era eu —, foi à janela, serviu-se de café e disse:

— Esse café está gelado. Não dá pra tomar. Detesto garrafa térmica.

Empurrei-o de volta ao trilho:

— Além do mais...

— Além do mais o quê?

— O senhor foi quem falou e não completou: "Além do mais..." Estou esperando a conclusão.

— Ah! É que os filhos da puta vão mesmo invadir o morro de Santa Bela com caveirão e o cacete. Com direito a manchete nos jornais, aplausos em editoriais, RJ-TV e o escambau.

— Eu sei, mas e daí?

— E daí que não podemos lavar as mãos. Já pensou quanta gente vai morrer nas próximas semanas? A invasão, depois a ocupação de Nova Aparecida, depois a tomada do condomínio... E os cadáveres vão se amontoando. Morrem os envolvidos e os que não têm nada a ver com isso. Não dá, porra. Isso tem de pesar mais do que nossas carreiras.

Naquele momento, juro que me emocionei. Fausto disse o que eu sentia e pensava mas não tinha coragem de verbalizar. Por isso, admirava aquele homem. Ele era capaz de sentir como eu, mas, diferente de mim, tinha coragem de dizer. Tive vontade de abraçá-lo. Mas me contive. Busquei forças para falar e não consegui. A voz estava embargada. Briguei com os sentimentos, como brigara antes com as entranhas e vísceras até domá-las. Não permitiria por nada nesse mundo que Fausto percebesse que meus olhos se enchiam de lágrimas. Acho que o mal-estar tinha mexido comigo além ou aquém das vísceras. A fragilidade do corpo faz com que a gente se lembre de que é mortal. E a vizinhança do abismo deixa as emoções à flor da pele.

Virei as costas para Fausto. Espiei a janela. Esfreguei o lado da mão direita no canto do olho direito e repeti o gesto do lado esquerdo, com a mão esquerda. Respirei fundo. Só então respondi:

— Conta comigo, delegado. Isso tudo é mais importante do que a carreira. E talvez a gente tenha se tornado policial, policial de verdade, justamente pra viver esse dia. — Precisei tomar fôlego antes de prosseguir: — Justamente pra viver esse dia em que a gente encontra, por dentro da carreira, alguma coisa que a supera e pode destruí-la.

— Acho que sim. Você tem razão. Só se descobre pra que serve o diabo da vida que se vive quando a gente tromba com o limite dela, e ela nos mostra que para vivê-la de verdade, para cumprir na plenitude a missão que ela nos reserva, pode ser necessário renunciar a ela.

— Então, a ordem é meter a cara. Pisar no acelerador, certo?

— Com cuidado. Sempre com prudência. Uma precipitação põe tudo a perder. Continua com a campana e o grampo. Não abaixa a guarda nem diminui o ritmo. — Alguns segundos de hesitação depois, Fausto continuou: — Vou amanhã cedinho visitar o superintendente da Polícia Federal, o Gontijo Peralta. Ele não tem força para fazer nada sem ouvir o diretor-geral e, portanto, o ministro, mas pode me ajudar a pensar em uma estratégia que induza o Procópio e o Teles a meterem os pés pelas mãos sem que a gente precise tomar a iniciativa. Se eles se atrapalharem, a gente dá um empurrão e apresenta as provas como o tiro de misericórdia. Para que tudo pareça muito natural.

— O senhor confia nele?

— Foi meu amigo antes dos concursos. Mais do que isso. Quase me casei com a irmã dele, e chegamos a trabalhar juntos em um escritório de advocacia. Ele fez concurso pra Federal; eu, pra Civil — e cada um foi pra um lado. Nosso sonho era o concurso pra magistratura. Mas uma coisa leva a outra, sabe como é. A gente corre atrás juntando os cacos, entrando nas brechas que vão se abrindo, e, quando olha pra trás, os compromissos cresceram tanto, as responsabilidades são tantas, que os planos de juventude não fazem mais sentido. Nem parece que somos nós aqueles caras nas fotos antigas dos álbuns de família.

— Pelo menos a gente tem as fotos.

— São quase quatro da manhã. Vou dormir aqui mesmo, no meu gabinete. Melhor você ir pra casa.

— Não vou, não. Melhor eu apagar no colchonete, na minha sala, do que no volante do carro.

— Rapaz, me diga uma coisa. Sério. Estou pra lhe perguntar isso há um tempo. Você ainda dirige com a M16 no colo, feito um bebê?

— Feito um cinto de segurança.

— Você é doido. Não tem conserto. Só amarrando numa camisa de força e internando. E o check-up?

— Vou marcar amanhã.

— Até que enfim. Vou dormir tranquilo como se acreditasse.

— Boa noite, delegado.

O que aconteceu nos dias seguintes àquela noite, que devorou metade da minha vida, ainda está um pouco embaralhado em minha cabeça. A memória funciona perfeitamente para as semanas, meses e anos anteriores ao episódio, mas falha na medida em que tento focalizar as vésperas. Só me resta pedir desculpas desde já por algum eventual relato truncado, diálogo confuso ou pensamento incompleto.

Lembro com toda clareza que acordei na minha sala quando dona Arlete entrou com a vassoura e o aspirador. A cabeça doía muito. Os olhos estavam vermelhos. Parecia que eu tinha tomado um porre federal. Quando lavava o rosto pensando nessa frase, me dei conta de que, naquela hora, Fausto talvez já estivesse com o superintendente. O amigo dele com nome esquisito. Gaúcho, Gortucho, Gramacho, Concheta, sei lá. Não me veio Gontijo Peralta naquele momento. E eu achei aquilo engraçado. Um calor desgraçado, o ar da minha sala soprando mais do que gelando, e ainda por cima fazendo um barulho horroroso, Arlete entrando pela enésima vez sem bater — precisava chamar o chaveiro —, o Rio de Janeiro em parafuso, girando como peão na mesa de uns burocratas, cúmplices de políticos, sócios de mafiosos uniformizados, e eu, barbado, cabelo melado, cheirando a mofo, poeira e suor, brincando de livre associação para descobrir o nome do superintendente. Não tem graça, eu sei. Mas achei engraçado. Acho que estava meio febril. Senti uns calafrios inteiramente incongruentes com o verão infernal, a única estação do ano pra nós no centro da cidade, no terceiro andar do prédio mais feio e malconservado que a polícia oferece a seus funcionários. Não tinha fome, o que era bom por um lado — precisava perder peso — e ruim por outro — o sintoma comprovava que havia alguma coisa errada comigo.

Decidi telefonar para Maria Clara e pedir que marcasse uma consulta para a próxima semana. Ela ficaria contente em saber que o último dos moicanos se rendia. Contente e preocupada. Não era uma boa ideia, porque, preocupada, ela seria capaz de fazer maior carga para que eu voltasse para casa. Impossível sair da DRACO no meio da batalha. Maria Clara armaria a maior confusão, e eu não precisava de mais problemas. Um dia a mais ou a menos não faria diferença. Dona Arlete criou muitos filhos. Ajudava a criar netos. Sabia das coisas. Grande sacada:

— Dona Arlete, o que é que se toma depois de vomitar? O mal-estar foi embora, mas deixou a dor de cabeça e uma febrezinha. Qual é o melhor energético?

A velha senhora adorou a consulta e exibiu um traquejo clínico que faria inveja a muito médico. Receitou e ainda fez recomendações quanto à posologia. Meu dia estava salvo. E seria longo.

Dez horas. Fausto ainda não teria novidades. Aliás, prometeu telefonar. Mesmo que não falássemos sobre o conteúdo nem por rádio, diria se o papo foi bom ou não, se rendeu ou não. Verifiquei se o sistema de rodízio na campana de Eduardo estava funcionando conforme o planejado. Mais tarde, eu ouviria a gravação das ligações que porventura tivesse perdido. Provavelmente, perdera algumas. Eduardo costumava levantar antes das 9h.

Por volta das 15h, eu acompanhava as conversas de Eduardo na central de interceptação de nossa delegacia. Não havia nada novo, ainda que a referência a Procópio tivesse surgido mais uma vez, em uma conversa com o mesmo interlocutor que o citara na véspera.

Fausto ligou. Pediu que o encontrasse no Leme, na varanda do restaurante Fiorentina. Não gostei da voz dele. Mas adorei o convite. No mesmo instante, como que autorizado pela imagem que a mensagem transportava, senti uma necessidade premente de aspirar ar puro e de me encharcar da luz do sol. A DRACO, minha sala, o gabinete do Fausto, a central de interceptação telefônica, a atmosfera turva e carregada, de súbito, me esmagaram como se eu despertasse de um pesadelo dentro de um claustro, um túnel ou uma sepultura. Ouvir no meio da treva a convocação para o Leme inundou o túnel com uma luz furiosamente brilhante.

Encontrei uma versão ruim do Fausto que conheço há tantos anos. Cabisbaixo, postura cerrada, defensiva, como quem se prepara para sofrer um ataque repentino e suspende a guarda. Desatento não por falta de atenção, mas por excesso. O problema era o foco da atenção, que não se fixava no interlocutor, nem sobre qualquer objeto ou ato do mundo exterior. Atrás de sua vista provavelmente disparavam cogitações como avalanches na cordilheira.

Aqui já misturo um pouco os momentos e não poderia jurar que ele disse o que hoje suponho, restaurando o mármore trincado da memória, removendo o musgo com as unhas e a vontade — minha única força que não cedeu depois do episódio.

De todo modo, não erro muito se puser os fatos na ordem direta e lógica, por mais que o tema evoque desordem e desrazão.

Aconteceu mais ou menos o seguinte.

Gontijo Peralta recebeu Fausto com garbo de lorde inglês — esse comentário de meu chefe ficaria grudado em meus neurônios mesmo que me congelassem por séculos. É que uma associação me ocorreu no momento em que ouvia a descrição de Fausto: imaginei de imediato o perfil esguio e nobre de David Niven. Por isso, o "garbo de lorde inglês" cravou-se no mapa dos acontecimentos daqueles dias como uma bandeira de localização no deserto ou o grampo que os alpinistas fixam na pedra para passar e prender as cordas e hastes de segurança.

Flausto Clemente achava que o amigo nunca perdera um certo esmalte de superioridade que trouxera do berço e do sobrenome. De minha parte, não saberia dizer se o desconforto proviria de alguma indesejada identificação. Talvez fosse isso. Não comigo, seria injusto acusá-lo de ter agido assim com nossa equipe, mas interagindo com outros delegados vi o dr. Fausto Clemente desdenhar de opiniões alheias com alguma arrogância. Deve ser uma lesão de esforço repetitivo na musculatura do caráter, provocada pelo exercício do cargo. Paciência.

Fausto relatou a Gontijo nossa história, sem maior cerimônia. Direto ao ponto. O superintendente da Polícia Federal no Rio de Janeiro escutou calado. Segundo Fausto, não pareceu surpreender-se. Tanto que ele chegou a pensar que Gontijo não o estava levando a sério. Logo compreendeu. O superintendente tinha sua própria história para contar. E não era menos assustadora do que a nossa.

Na varanda do Fiorentina, às 16h, no Leme, bebendo água mineral, gravata desfeita, emoldurado pela aura de cristais de sal que filtra o sol marinho, falando baixo, Fausto reproduziu a narrativa de Gontijo, e eu, reiterando as desculpas por lacunas e imprecisões, descrevo a cena suscitada pelo que ouvi.

Gontijo pediu à secretária que não fosse interrompido e que suspendessem o serviço de cozinha. Não queria garçom servindo água e café. Ele disse a Fausto:

— Pode ficar tranquilo. Faço varredura pelos menos duas vezes por semana na sala. A última foi feita hoje cedo, antes de você chegar. Podemos conversar à vontade.

Fausto não perdeu a chance de alfinetar o antigo parceiro:

— Imagino que se a sala não fosse segura você teria me avisado antes de eu começar a falar. Agora já seria tarde, não é?

Gontijo riu. Vejo-o enrolando a ponta fina do bigode. Foi ele, então, que se abriu com Fausto:

— Há duas semanas, pedi ao chefe da Polícia Civil, ao seu chefe, que fizesse a gentileza de vir ao meu encontro. Precisava conversar com ele e lhe mostrar alguns documentos, e seria necessário que nos reuníssemos aqui.

— Ele não perderia isso por nada desse mundo. Deve ter corrido pra cá, imediatamente.

— Na verdade, foi muito gentil. Não se pode negar que o homem é um *gentleman*.

Quando a narrativa de Fausto atingiu esse ponto, o imaginei enrubescendo e mastigando os próprios dentes, quase rosnando diante do amigo.

Sempre segundo Fausto, Gontijo falava lentamente, mas sem parar. Segue-se o diálogo entre Fausto e Gontijo, que disse:

— Veio, de fato, não de imediato, mas na manhã seguinte. Só que não veio sozinho.

— Trouxe o sub.

— Trouxe o sub. E mais. O sub foi o destaque do desfile. Falou mais do que seria apropriado. Parecia estar no comando. Foi mestre-sala, destaque da bateria, carro alegórico, puxador do samba. Como é mesmo o nome do camarada?

— Procópio.

— Agradeci a visita e expliquei o motivo de lhes ter pedido que viessem. Estávamos concluindo os preparativos para uma ação de grande vulto na favela da Rocinha, que é estratégica, como todos sabem. Estratégica pela localização, pela visibilidade, pela fama, pelas conexões políticas e, principalmente, pelas dimensões do tráfico que domina o morro.

— Talvez seja a última grande favela onde o tráfico reina sentado numa fortuna, porque movimenta uma quantidade impressionante de drogas e armas. Ali o mercado favorece. O acesso direto aos bairros nobres da cidade, boas relações com as polícias.

— Agora você chegou aonde eu queria chegar, Fausto. Disse aos colegas da Civil que a Federal não desencadearia a operação sem deixá-los previamente informados do que ocorreria. Não só porque é ético compartilhar com a instituição coirmã, mas também porque talvez nós precisássemos contar com a ajuda deles.

— A ajuda deles?

— É. A ajuda, a cooperação da Polícia Civil.

— E aí?

— Bom, foram muito positivos. Sobretudo o sub, que se mostrou satisfeito com a notícia e disposto a colaborar.

— Sei.

— O que foi?

— Estou ouvindo. Pode continuar.

— Chamei o Carlisson Bruni, meu braço direito. Aliás, perceba o seguinte, porque isso é importante: ele foi o único representante da PF, além de mim, presente na reunião.

— Só estavam vocês quatro.

— Só nós quatro. Antes só os três; depois que chamei o Carlisson, quatro. Ele trouxe o CD que a gente tinha preparado com imagens filmadas e o áudio de trechos de conversas grampeadas. Mostrei a seus chefes imagens dos traficantes armados. Até aí, nenhuma novidade. Em seguida, vieram as imagens mais importantes: o paiol com as armas, muitas armas, e um laboratório clandestino para refino de cocaína. Na sequência, apareceram o mapa da Rocinha, fotos aéreas com a localização do paiol e do laboratório, e também, presta atenção, das casas em que os dirigentes do tráfico se encontram e da casa em que o Rouxinol costumava dormir, no alto do morro.

Nesse momento, Fausto me disse, ele o elogiou, quer dizer, o parabenizou pelo trabalho. Mas o superintendente respondeu, decepcionado:

— Trabalho jogado fora.

Fausto me contou que perguntou "por quê?" por educação, mesmo deduzindo qual seria a resposta. Gontijo explicou:

— Eu não gosto de polícia midiática, sabe? Esse negócio de operação montada para jornalista filmar e divulgar no *Jornal Nacional,* acho uma vigarice, uma vulgaridade, e um troço ilegal. Porque é ilegal. Ainda que não fosse, certamente seria contraproducente para o trabalho. Bom para o delegado que comanda o espetáculo, para o elenco envolvido no show, e péssimo para a segurança pública. De modo que sou contra. Não aprovo isso de jeito nenhum.

Fausto interveio, concordando, enfaticamente. Gontijo prosseguiu:

— Vai ver no que resultaram as operações que deram mais IBOPE? O que funciona mesmo e produz resultado é a ação que a gente realiza com seriedade e sem vazar. Sim, porque até nesse sentido é ruim. É perigoso. Se o repórter vai junto, tem de saber com um mínimo de antecedência que a operação vai ocorrer. E, se ele sabe, o fotógrafo sabe, o cinegrafista, o diretor, o editor, a mulher do cara. E por aí vai. Daí a chegar aos ouvidos dos suspeitos é um pulo.

— Você está certíssimo. Mas está dizendo isso pra mim ou disse pra eles?

— Não, disse a eles. Fiz questão de deixar claro qual era minha posição e meu método de trabalho. Era também um recado, não é?

— Claro.

— Então falei do problema principal. Identificamos quem, quando, onde e quanto circula no acordo do tráfico da Rocinha com policiais militares que atuam na área. E mostrei fotos e filmes dos pagamentos, registros com uma precisão incrível, apesar da distância. Temos melhorado muito no emprego de tecnologia para investigação.

Às vezes, invejo a Polícia Federal, e não só quando o assunto é salário. Mas isso ninguém disse, não. É um parêntese meu. Não resisti. Gontijo continuava:

— A ideia é capturar Rouxinol na próxima sexta-feira. Apreender as armas e estourar o laboratório. E o mais interessante de todo o plano: estamos em entendimentos para a Justiça oferecer ao Rouxinol a delação premiada se ele aceitar abrir o bico e cantar o que sabe sobre os policiais envolvidos. Ele nem precisa trair os amigos. Basta entregar os inimigos. Inimigos, porém sócios, claro. No final, disse a eles que estava entusiasmado com o trabalho, porque talvez nós conseguíssemos desvendar a rede criminosa que une a polícia ao tráfico de drogas e armas e impede qualquer avanço sustentável e consistente na segurança pública.

— E eles?

— Eles ouviram muito atentos. O sub era mais extrovertido. Mas parecia que ambos estavam satisfeitos. Fechei a conversa dizendo o óbvio: os colegas vão me perdoar. Afinal, isso nem é coisa que se diga a profissionais experientes. Muito menos a colegas que ocupam os dois cargos mais importantes da Polícia Civil do estado. Mas, como sou meio obsessivo, tomo a liberdade de sublinhar que ninguém mais além dos senhores deve ser informado. Pretendo conversar com o secretário na véspera. E só. Contudo, seria muito bom se os senhores pudessem armar um plano que possa ser acionado caso surja um imprevisto. Um plano de apoio na área da Rocinha. Não quero levar a preocupação ao comando da PM, por razões óbvias. Nem se trata de desconfiar do comandante. Em absoluto. Mas, como o foco é o envolvimento de policiais militares, acho que seria até constrangedor envolvê-lo. Além de arriscado, porque, ainda que ele seja sério, esse não é necessariamente o caso dos que o cercam.

— Eles devem ter gostado da espicaçada na PM.

— Gostaram. Deu pra perceber.

— E o que aconteceu depois da conversa?

— Trinta minutos depois que eles saíram do meu gabinete... que trinta, nada; quinze minutos, no máximo... volta o Carlisson com ar aparvalhado. Entra. Invade a sala sem bater. Lívido. Esbaforido. Liga o gravador e diz que vai me mostrar o que tinha sido gravado cinco minutos antes. Era a voz de Rouxinol. Ele dizia alguma coisa como: "A Federal tá em cima. Tá preparando a festa pra cair em cima da gente. Querem me pegar. Já sabem onde estão as armas e o laboratório. Deve ser sexta, mas pode ser já. Vaza. Vaza todo mundo e desmonta tudo. Vou meter o pé por um tempo."

— Você está de brincadeira.

— Não estou, não. Foi assim mesmo como estou lhe contando.

— Não acredito. Quer dizer, acredito, claro, mas, puta que pariu... Em quinze minutos?

— Menos, porque, se o Rouxinol estava falando aquilo cinco minutos antes, ele foi informado dez minutos depois que os dois saíram daqui.

— O cara falou de dentro do carro. O motorista deve fazer parte da gangue. Eles saíram juntos, no mesmo carro? Você sabe?

— Saíram juntos. Já confirmei com o agente que os levou ao estacionamento, e o Carlisson checou, analisando as imagens das câmeras do estacionamento. É muita falta de vergonha, não é, não? Será que os cretinos imaginaram que Rouxinol não daria com a língua nos dentes? Eles sabiam que ele estava no grampo.

— Pois é. Deve ter sido o desespero.

— Foi o que pensei. A tal rede clandestina mais ampla que liga o tráfico à polícia não se esgota no varejo dos "arregos" nos morros, como a gente já sabia. Só que ela se estende até um endereço que não constava no mapa das nossas suspeitas. A gente estava acreditando que tudo começava e acabava na PM.

— Você subestimou a cooperação, a integração interinstitucional, como gostam de dizer nossos governantes, meu caro Gontijo.

Quando Fausto concluiu o relato da conversa com Gontijo, eu senti a azia pisar na base do estômago com a pata e as unhas. Temi a úlcera e suspendi o café que havia pedido. Minha cabeça tinha voltado a doer. A conversa não estava ajudando.

Fausto me jogou de volta dentro do redemoinho. Disse que não tinha acabado. Faltava o último capítulo. Meu Deus do céu, pensei. E, nesse momento, me dei conta do óbvio. Claro que eu sabia o final da história. Todo o Rio de Janeiro tinha lido nas manchetes da semana anterior. Rouxinol havia sido morto.

Fausto disse que Gontijo retomou a palavra:

— Como você sabe que Rouxinol foi morto, já deve estar especulando sobre que relações haveria entre a cena que acabei de relatar e a morte dele, certo? Você sabe que ele foi morto no interior do estado, não sabe?

— Nunca engoli a versão oficial. Como é que se faz a abordagem ao traficante mais perigoso e ele não reage? Como é que ninguém mais morreu na operação? O cara estava sozinho? Muito estranho.

— Estranho ou perfeitamente lógico. Depende do ponto de vista. Por que não houve reação? Por que só ele morreu?

— Porque todos se conheciam. Claro, só pode ser isso.

— Não existe outra explicação. O vagabundo foi morto numa cilada. Os policiais que o mataram eram os mesmos com que ele estava acostumado a encontrar, com os quais negociava.

— Sócios.

— Queima de arquivo, Fausto. Tem outra explicação? Não tem.

— E quem precisava se ver livre daquele arquivo ambulante? Quem sabia que o arquivo seria aberto em breve pela Polícia Federal, por meio da delação premiada?

— Isso aí.

— Quer dizer que estamos no mesmo barco, Gontijo.

— Em termos. Não sou subordinado deles. Você é. Eles são seus chefes.

— Eu sei. Isso dá a você uma liberdade de ação que eu não tenho. O que é que você vai fazer?

Nesse ponto do relato de Fausto, as vozes reais e irreais dele mesmo e de Gontijo Peralta se misturaram. Foi quando tive medo de apagar. Acho que a pressão subiu muito, porque a cabeça parecia que ia estourar. O enjoo voltou. O assunto era tão importante. Não fazia sentido deixar Fausto falando sozinho e resolvendo sem ajuda o dilema, que talvez fosse o dilema de nossas vidas.

Ele disse o quê?, perguntei. Acho que Fausto já tinha relatado a resposta de Gontijo, mas uma sensação ruim me confundiu e só me dei conta de que ele estava repetindo porque falava meio irritado, como se eu estivesse desatento. Entendi só o final. Gontijo teria dito que não havia decidido o que fazer. Estava estudando o caso. Estudando o caso. Como nós. Não dava mais para mim. Chato, muito chato, mas tive de abrir o jogo. Confessei que não estava me sentindo bem. Cansaço. Estresse, provavelmente um esgotamento. Melhor a gente conversar mais tarde. Fausto fez questão de me dar uma carona até minha casa. Eu devia estar mesmo dando bandeira. Fausto só usa viatura blindada, seguida por outra. Quase uma procissão. Chegar em casa daquele jeito me fez pensar em um cortejo fúnebre, e senti um arrepio. Era a febre, de novo. Tonto, de fato, eu estava. Mas não vomitei. Cumpri a meta, que era só essa. Voltar para casa como um profissional decente. Acho vomitar humilhante. Coisa de bêbado e mulher grávida.

Agradeci aos companheiros, especialmente ao Fausto. Bacana ter me levado em casa. Legal a carona. Entrei, dei um alô geral, fui para o banheiro, liguei o chuveiro e, com a água correndo, desejei que o pesadelo passasse e o mal-estar fosse embora pelo ralo. Não foi. Primeiro, os braços fugiram ao controle. A luminosidade enfraqueceu e ganhou uma espessura escarlate. E logo as pernas não estavam lá. Pressenti o tombo e gritei. Joguei o corpo para fora do boxe. Da queda não lembro. A imagem seguinte de que me recordo é a UTI fluorescente e barulhenta, os fios grudados no corpo, o tubo na garganta.

XVII
Renascimento: escrever o passado para que haja futuro

Dois meses depois, me sinto melhor. A cabeça funciona normalmente. Os braços e as mãos também. E as pernas têm melhorado aos poucos, graças à fisioterapia, mas é cedo para saber. Maria Clara tem esperança de que eu volte a andar. Os médicos garantem que os prognósticos são positivos. Vou me equilibrando entre o exagero otimista da família e minha intuição cética.

E escrevo. Atravesso as noites no Twitter e anoto as memórias em um arquivo intitulado "Aventuras DRACOnianas no combate à máfia", ou ADCOM, para os íntimos. Gostei do título porque me fez descobrir que DRACO, essa palavra horrorosa, funciona melhor se for lida não como sigla, mas como abreviação de um adjetivo que qualifica muito bem o espírito do nosso trabalho, ou talvez o espírito do nosso tempo.

Não gosto de parecer ressentido, melancólico e amargo. Nem por isso deixo de protestar contra o salário, em 140 toques, ao menos uma vez por semana.

Fausto não quer que eu me envolva com trabalho e preocupações. Decorou a mesma ladainha que Maria Clara recita sem parar. Como se fosse possível. Não me conta nada sobre a DRACO. "Tudo a seu tempo", diz ele.

Aluízio, Marquinho, Tonico e até o Professor Pardal, o Cláudio, vêm sempre que podem. Mas tampouco falam. "O delegado proibiu", declamam em coro, e desconversam. Nos jornais, nem sinal dos casos de Eduardo, Teles e Rouxinol. Desisti de perguntar. Contar a história vai ser o melhor consolo, até porque, no fundo, eu mesmo prefiro não saber. Pelo menos até que eu volte a andar e a trabalhar. Se é que isso vai acontecer. Por enquanto, a memória é a catarse possível. E a escrita é o único canal de conexão ao sentimento de plenitude que a vida ainda me concede.

Fausto se esforça para me animar: "Assim como você, nosso trabalho vai caminhar. Vai seguir adiante." Não se cansa de me repreender: "Você era um homem-bomba, fez tudo errado. O derrame te salvou. Se você não tivesse passado por esse episódio desafortunado, iria direto para a estação seguinte. Sua sorte, meu amigo, foi ter saltado do trem antes do fim da linha."

Pode ser. Talvez ele esteja certo. Bacana ele vir me ver toda semana e me chamar de amigo. É provável, delegado, é provável que antes de voltar a andar eu me renda ao "você". Que tal, Fausto?

XVIII
Dois anos depois: breve incursão pelos bastidores da política

Os dias de aflição que explodiram a bomba em minha cabeça e paralisaram minhas pernas ainda estão próximos, depois de dois anos, como se os tivesse vivido semana passada. Até mesmo a conversa com Fausto no Fiorentina, quando o caldo em minhas artérias começou a ferver e entornar, está mais clara, o que me permitiu rever o que havia escrito e corrigir algumas confusões. Mantive as desculpas pelos erros e as referências aos lapsos para preservar a atmosfera emocional em que escrevi a primeira versão do relato. A paisagem interior é tão ou mais importante que a exterior, se o propósito é ser fiel à experiência real, se a intenção é levar o leitor e a leitora pela mão para uma viagem por dentro do universo de alguns seres humanos que trabalham nas polícias. Uma viagem que se atreva a cruzar o túnel poluído dessas instituições e que explore os bastidores mofados e escuros da segurança pública do Rio de Janeiro.

Como estou, dois anos depois? Bem, estou bem. Quase digo "estaria melhor não fosse o derrame", mas não é verdade. Fausto tinha razão. O episódio que me arrebatou e sacudiu, que me arruinou a carreira e as pernas, de fato, me salvou. Mais alguns meses levando a vida de obsessão e risco, descuido e estresse, e não haveria essas memórias. Eu não existiria mais.

A cabeça está tinindo; braços e mãos, ótimos. O problema continua sendo as pernas, sobretudo a direita. Ainda não consigo dar nenhum passo. Preciso da cadeira de rodas. Mas ainda há esperança, porque a sensibilidade na perna evoluiu muitíssimo. O fisiatra foi fantástico. Se alguém precisar — espero que não —, me procure. Escreva um tweet. Faça contato. Vai ser um prazer passar os dados desse profissional incansável e paciente.

A polícia? Não voltei. Foi um choque para mim. Violento. Uma amputação espiritual. Resisti quase um ano a sequer considerar a hipótese de me aposentar. Pedi licença médica e a fui renovando. As dificuldades de recuperar a mobilidade me obrigaram a admitir, aos poucos, mês após mês, a possibilidade de parar definitivamente, ainda que haja tarefas da maior importância que um cadeirante pode cumprir, sobretudo na área de investigação e análise criminal. O problema é que a polícia não está preparada para receber um profissional com limitações de locomoção. Perde a instituição, eu acho, mais do que o profissional não aproveitado. Aliás, essa incompetência institucional não é um defeito só da minha corporação. É do país, com honrosas e raras exceções.

Os colegas me ligam de vez em quando. Fausto veio almoçar comigo e Maria Clara no meu aniversário. Volta e meia me telefona.

Doze meses depois do episódio — há um ano, portanto —, encarei os limites que o destino impôs. Reconheci, no plano exclusivamente racional, que seria o correto a fazer, mas custei muito a me resignar. Falando francamente, não era o correto a fazer; era o inevitável. Ainda me enganei algum tempo, ponderando e me congratulando por optar pela solução correta. Ilusão. Pensando assim eu fingia que tinha o controle sobre minha vida e que decidia a seu respeito. Maria Clara percebeu e teve a bondade de guardar para si o insight. Acatou a morosidade de meus movimentos — não só das pernas, mas também, nesse caso, da mente.

É uma mulher forte, que costuma olhar as coisas com realismo. Pareço um sujeito pragmático? Acho que sim; pareço e sou razoavelmente pragmático, mas quando me comparo a Maria, reconheço que tenho de comer muito feijão para alcançar sua capacidade de lidar com a realidade. Eu ainda cultivo um certo olhar romântico e moralista sobre algumas áreas da vida — não todas —, e essa fraqueza contagia meu comportamento. A imagem de mulher forte pode produzir uma impressão desequilibrada, fazendo o retrato pender para o lado da aspereza e até da insensibilidade. Nada mais falso. Por isso, corrijo o quadro dizendo o seguinte — e acho isso tão extraordinário que basta: ela aparou com delicadeza a dança convulsionada de meus sentimentos e não me deixou cair. Preciso dizer mais?

Saí da polícia. O salário, que já era ruim na ativa, piorou quando virou aposentadoria. Se não fosse a renda de Maria Clara... — ah!, se os policiais ganhassem como pró-reitores, ou como juízes ou promotores; se pelo menos os delegados conquistassem a equiparação, nós, inspetores, detetives, agentes, escrivães, nós nos beneficiaríamos também. A dependência financeira não me agrada. Para ser sincero, me deixa doido. Ela não liga. Faz discursos me mostrando que as coisas não são como suponho, que a contabilidade tem de ser diferente. Maria é uma mulher e tanto. Mas não dá. Não suporto. Pode ser machismo. E daí? Não aguento. E é por isso — e foi por isso — que, apesar de ter saído da polícia, não pendurei as chuteiras. Já explico.

Antes tenho de saciar a curiosidade de qualquer pessoa que tenha tido a boa vontade de me acompanhar até aqui. O que aconteceu, afinal, com a DRACO e nossa cruzada contra o crime organizado? Vamos lá. Meus amigos continuam na delegacia. Fausto ainda é o delegado titular. A luta prossegue. Houve avanços importantes, mas a máfia é uma doença insidiosa. Multiplica seus focos como uma metástase. Por mais que se investigue e se reprima, mais eles crescem. Claro, a fonte permanece intacta; as polícias são as mesmas, e a atitude governamental ainda é igual: omissão ou cumplicidade. Na retórica, louvações às instituições policiais e exortações patrióticas. Na prática, salários de merda e nenhuma ação firme e forte para desbaratar os covis a que se reduziram as tais egrégias corporações e para valorizar os homens e as mulheres decentes que metem a cara e arriscam a vida, a despeito de tudo. Esses homens e mulheres ainda existem, em grande número, inclusive: são uns lunáticos, obsessivos, uns malucos, como eu fui. E não têm poder e recursos para mudar (drenar e cultivar) o pântano em que florescem. São aberrações como a flor do lodo. Uma improbabilidade.

O chefe de polícia? É o mesmo. O subchefe? Também. Como é que acabou a história de Eduardo, Yasmin, Teles, Procópio e Gontijo? Em parte, não acabou.

Fausto concluiu que a correlação de forças não autorizava avanços significativos. Optou, então, por garantir a segurança de Yasmin, punir Eduardo e mandar um recado para Teles, recado que chegaria à chefia e provocaria alguns efeitos positivos. Prendeu Eduardo por transgressão à Lei Maria da Penha, que protege a mulher contra a violência doméstica e é bastante severa — inclusive bloqueia relaxamento de prisão. O rapaz já foi julgado e condenado por tentativa de homicídio, ameaça, lesão corporal dolosa, cárcere privado e estupro. A vítima, sua ex-mulher, passou uma temporada em um abrigo de mulheres vítimas de violência. Depois, preferiu não voltar ao Programa de Proteção. Mudou-se para a Região dos Lagos.

Fausto foi esperto, porque, simultaneamente à prisão de Eduardo, dando sequência a todo o trabalho que já havíamos realizado, prendeu Manolo e, gol de placa, Firmino e o deputado Dos Anjos. O parlamentar foi detido em flagrante. Fausto e nossa equipe invadiram sua casa quando ele se reunia com vários líderes milicianos, inclusive dois vereadores mafiosos. A quantidade de armas de uso exclusivo das Forças Armadas e de documentos comprometedores apreendidos, além de um estoque considerável de maquininhas de azar proibidas, foram munição mais que suficiente para a Justiça, apesar das absurdas imunidades que os mandatos políticos proporcionam.

Aproveitando o bom momento, Fausto plantou uma denúncia anônima na corregedoria da PM — tendo o cuidado de provocar seu vazamento para a imprensa —, segundo a qual o coronel Teles estaria envolvido em falsificação de títulos de propriedade de terra e grilagens no Recreio dos Bandeirantes e em Nova Aparecida. Nada ficou provado, nada obstruiu sua carreira e suas ações nas milícias, mas a mera circulação da denúncia impediu o coronel e seus prepostos de aplicar o plano de invasão do morro de Santa Bela, de onde partiriam para tomar Nova Aparecida. Portanto, a DRACO, além de impor forte revés à máfia de Firmino e Dos Anjos, freou a milícia do coronel Teles e, certamente, desagradou a chefia. Contudo, nenhum choque direto explicitou o conflito entre Fausto e Procópio.

Ninguém ousou tocar em Fausto, que tampouco tentou passos maiores do que as pernas, como ele diria. Ou como ele dizia antes do episódio que me paralisou. Hoje, teria cuidado com a linguagem para não me ofender. O que, aliás, seria uma grande besteira. Mas Fausto é assim mesmo, cheio de melindres e formalidades. Depois quer que eu abandone o tratamento senhorial. Para eu conseguir fazer isso, primeiro ele vai ter de exorcizar o próprio formalismo. Entre nós dois não estão propriamente o cargo de delegado e a hierarquia funcional, que já não me enquadra. Estão o terno e a gravata. Essa é a diferença abissal que nos faz falar línguas distintas e habitar planetas distantes, apesar da proximidade, do respeito e do afeto. Terno e gravata para mim são a linha de Tordesilhas que divide a humanidade. O dia em que eu me render à gravata, me batizo de novo.

Falta falar do Gontijo. Pois é, o superintendente, digo, o ex-superintendente da Polícia Federal no Rio de Janeiro é a nota mais caprichosa e enigmática dessa história. Menos de um mês depois da conversa com Fausto, foi substituído por um delegado federal muito jovem, do qual nunca ouvíramos falar. Em seguida, foi convidado para ser subsecretário, na verdade um assessor de luxo do secretário de Segurança do Rio. Aceitou e obteve uma autorização especial do diretor da Polícia Federal, sob a alegação de que não se tratava de simples assessoria ou de um cargo subalterno, mas do estreitamento de laços entre a PF e as polícias estaduais fluminenses no cumprimento de tarefas específicas e de elevada relevância para a segurança pública do Rio de Janeiro. Especulou-se à época — e o boato sobrevive — que ele, Gontijo, poderia suceder o secretário, também um delegado federal. O espantoso para nós é que, quase dois anos depois, nada aconteceu, nada mudou. O comando da Polícia Civil não foi trocado.

Discuti com Fausto esse caso e chegamos a imaginar a possibilidade de que Gontijo tenha descoberto que estava enganado. Entretanto, isso não explica por que ele tem evitado Fausto sistematicamente e até hoje não voltou a conversar com o velho amigo. Tampouco explica como uma eventual confirmação da honestidade dessas pessoas conviveria com as informações que Fausto lhe transmitiu e que apontam em sentido contrário.

A rádio-corredor, na Secretaria e nas polícias, refere-se a Gontijo Peralta como um animal político por excelência. Quem sabe ele aproveitou a crise e a grave suspeita como uma oportunidade? Saber muito teria se tornado moeda de troca? Ou são ambos muito bem-intencionados, Gontijo e o secretário, e planejaram um golpe chinês contra o alto comando da Polícia Civil? Chinês porque exigiria uma paciência secular. A ideia poderia ser: dar corda aos corruptos para que eles mesmos, confiantes e autossuficientes, se enforquem, levando para o buraco toda a sua extensa rede criminosa. O futuro dirá.

Resta revelar minha solução para a falta de dinheiro.

Um ano depois do episódio, ou seja, há exatamente um ano, houve eleições. O governador foi reeleito, o secretário, mantido, e outras autoridades preservaram seus cargos — inclusive Gontijo. Já mencionei os cabeças da Polícia Civil, que continuam onde estavam. Dos Anjos e os dois vereadores que tinham sido presos perderam os respectivos mandatos e, esperando julgamento, não puderam concorrer. Nem por isso as milícias abandonaram o front político. A despeito do afastamento (pelo menos temporário — esperemos que seja permanente, mas nunca se sabe) dos chefes, o grupo de Firmino fez dois deputados estaduais e contribuiu decisivamente para a vitória de dois federais. Teles permaneceu à parte. Sua política era outra, e o coronel seguiu seu método com coerência. Aos holofotes, preferia a sombra; à tribuna, o bastidor; aos partidos, as corporações e seus jogos internos. Continuava se equilibrando bem.

Foi melancólico assistir ao governador fazendo propaganda de suas realizações na TV. Chegava a ser cômico: ele, o secretário e os chefes de polícia, trajando fraque e cartola, degustavam o biscoito fino das ilusões midiáticas com os pés enfiados no pântano. E a lama subia aos joelhos, lentamente, borbulhando.

Graças a Deus, o Rio não é só sacanagem e comodismo. Tem outro lado. Gente séria e combativa. Gente determinada a enfrentar o crime organizado. Não só na polícia. Também na política. Em ambos os campos de atividade, temos sido minoritários, é verdade. Mas existimos. Emprego a primeira pessoa do plural e convido você a se sentir parte desse coletivo. O sujeito é plural. Nós existimos, afinal de contas.

Entre bandidos e mocinhos — e não me venha criticar o maniqueísmo, pelo amor de Deus, porque lhe garanto que sei muito bem que há qualidades mescladas em ambos os polos, porém não aceito relativizar o fato de que o crime organizado encarna o mal —, repito: entre bandidos e mocinhos, na zona cinzenta, vive uma fauna variada e multicolorida. Brasil é o país da biodiversidade. No Rio, ela se manifesta em toda a sua exuberância e riqueza. O meio de campo está coberto de políticos que não se rebaixam ao nível dos milicianos, embora tolerem conviver com eles e parasitar seu poder, colhendo votos em troca de apoio ou, no mínimo, silêncio.

No terreno cediço intermediário, tudo floresce: a turma razoavelmente intencionada mas que não dá murro em ponta de faca; os mais realistas que o rei, que jogam na retranca, acovardados e medrosos; os que confundem esperteza com inteligência; gente desqualificada em busca de um lugar ao sol; os deslumbrados; os profissionais fazendo carreira, que se elegem pensando nas próximas eleições e na escalada incessante; os ladrões de colarinho-branco que se julgam superiores aos botocudos semisselvagens, milicianos ou traficantes, notabilizados por esmagarem a liberdade do povão na base da porrada e da ameaça. Todos eles, contudo, tendem a sacrificar os meios, isto é, eventuais pruridos e escrúpulos, caso os fins lhes sorriam e acenem, sedutores.

Partidos não contam. A fauna pula a cerca quando lhe apetece. A zorra se expande ou contrai, dependendo das espécies, das estações do ano e das áreas do terreno, porque esse meio-campo entre bandidos e mocinhos é extenso, vincado por relevo e uma topografia desigual.

O polo oposto ao da máfia é o nosso. De novo tomo a liberdade de me incluir. Três ou quatro gatos pingados foram eleitos para a Assembleia Legislativa com gana de encarar o confronto. Mais uma vez me desculpo pelo primarismo binário — sim e não, bom e mau, nós e eles —, mas fazer o quê?, foi assim que as coisas se passaram. Entre os três ou quatro, está Marcelo Freitas.

Ele me procurou logo depois que foi eleito — há um ano, portanto —, porque pretendia propor e presidir uma CPI sobre as milícias. Sabia quem eu era, o que tinha feito, onde havia atuado, o que tinha acontecido comigo, e me convidou para trabalhar em seu gabinete, como assessor especial. Foi peremptório quando declarou que poucos, no Rio, conheciam tanto as milícias quanto eu, e eu, em resposta, lhe disse que era verdade.

Já o conhecia, vagamente. Ele tinha se metido em algumas confusões, mas parecia um sujeito decente. Atuou como mediador em rebeliões penitenciárias. Era ligado a ONGs, militante dos direitos humanos e crítico radical das polícias. Como eu. Só que ele criticava de fora e de um modo que me parecia injusto e equivocado. Com frequência, apontava erros onde eu via acertos. Demolia profissionais cujo pecado era acreditar no que lhes dizia a instituição, ao longo de sua formação, nos treinamentos e na prática cotidiana. Matraqueava demais. Santificava os criminosos, justificava qualquer barbaridade com a velha xaropada dos traumas infantis, da falta de educação, amor familiar, oportunidade etc. Tudo bem. Sou contra tudo isso. Mas o que é que a vítima tem a ver com os sofrimentos passados do criminoso? Por que o criminoso não atacou o sistema, seja lá o que isso signifique, se foi o sistema que o explorou, rejeitou, excluiu e humilhou? E por que tanta gente sofre os males do capitalismo e só um punhado vira assassino, estuprador, sequestrador e ladrão?

Não estou me referindo ao pobre-diabo que rouba um prato de comida ou furta um antibiótico para o filho que está doente. Esses casos são diferentes, e acho que o tratamento tinha de ser outro, e nem deveria envolver polícia, Justiça criminal, pena e prisão. Mas o vagabundo profissional, o pistoleiro frio, o filho da puta que vende crack, ah!, por favor. O garotão que rouba para comprar droga; o playboy que bate em prostituta; o pobre revoltado que arrasta uma criança até a morte para roubar um carro... Não admito. Não aceito. E acho absurdo qualquer abordagem que não seja a da pena mais dura, mais severa possível. Bater, torturar, não. Dentro da lei. Prender e deixar mofar até morrer. Pena de morte? Não vejo problema nenhum a não ser por um aspecto: o fato de sermos humanos, os policiais, as testemunhas, os jurados e os juízes, e até os técnicos da perícia científica. Se a pena é irreversível, quem condena tem de ser infalível. Como isso não é possível — e os erros judiciais se multiplicam, no mundo todo —, não pode haver pena capital. De resto, sou duro. Aprendi a ser no dia a dia da polícia, sentindo, bem de perto, o cheiro do corpo que apodrece e das almas que se decompõem.

Disse o que penso ao Marcelo, assim, na lata, sem floreios. Percebi que ele ficou particularmente chocado quando eu disse, sem o menor esforço de parecer simpático:

— Um marmanjo que mata com requintes de crueldade um ser humano tem de ser jogado de volta no abismo que cavou. Não importa que tenha 14, 15, 16 ou 18 anos. Tem de pagar como gente grande pelo que fez. Pagar não significa sofrer o que fez o outro sofrer. Já disse que sou contra tortura ou linchamento. Falo em prisão. Sem privilégios. Se necessário, perpétua.

Ele balançou. Percebi que meu golpe tinha atingido o fígado. Pior: era como se meu joelho o tivesse acertado abaixo da cintura. Acusou o golpe, baqueou, vai cair, pensei. A imagem positiva que ele tem de mim vai cair. O convite vai cair. Marcelo tremeu nas bases. Olhou para mim como o futuro genro olha para o pit bull que o sogro arrasta na coleira: forçando o sorriso amarelo e fingindo que está à vontade, confortável e tranquilo. Mentira. Ninguém formado na cartilha dos direitos humanos receberia com naturalidade meu bombardeio. Mas, afinal, se ele queria comprar meu passe, tinha de estar disposto a levar o pacote completo. Não sou *expert* em máfia e ponto final. Sou um pouco mais que isso: uma pessoa que pensa com a própria cabeça, avalia situações com independência, toma decisões e se desloca numa cadeira de rodas. Aceita algumas coisas, na verdade muitas coisas, e não aceita outras.

Tem limites e não transige. A menos que seja convencido com argumentos e sem chantagem emocional.

Marcelo discordou de mim, explicou rapidamente por quê, mas não se deteve nos argumentos. Não pareceu interessado em me convencer, mas em me contratar. Eu seria um jogador indispensável no time que ele desejava formar, e ele engoliria — deduzi — meu intragável conservadorismo desde que eu resolvesse as partidas e garantisse o placar favorável. Considerando que eu de fato era bom jogador e que me fascinava a possibilidade de voltar a jogar, ainda que sob outras regras e em outro campo, aceitei. Não foi assim, na primeira visita. Sou um sujeito difícil, admito. Ele me visitou outras duas vezes. Só na terceira concordei. Minha resposta frustrou todas as expectativas dos amigos dele e dos meus, e contrariou os respectivos conselhos, inclusive de Maria Clara.

Não vou esconder por que demorei a decidir, apesar de desejar ardentemente voltar à ativa. Freitas é membro de um partido de esquerda. A turma engajada no "mandato" — é o nome que eles dão ao gabinete e ao exercício da representação parlamentar — tem duzentos anos a menos que eu, em média. Digo em média porque um velho comunista, ex-dirigente sindical e ex-hippie, compensa a juventude da garotada. O Garcia, Ernesto Garcia, que nunca perdeu o sotaque portenho. Não sei se está ali para vigiar os meninos ou para zelar pela fidelidade aos dogmas. São menininhas bacanas, rapazinhos legais, todos bem-nutridos e educados, todos muito bem-intencionados, cuja vocação é promover o bem da humanidade — e dos animais também; e do planeta, claro. Não escorregam em infrações à gramática politicamente correta. Jamais. O que me enlouquece.

Não se trata de não gostar deles. Minha reação é de outra ordem. Confesso que me vejo como um ser de outra espécie, outra natureza, habitante de um planeta alienígena. E sei que me veem assim também. Não falamos a mesma língua.

O fato é que nunca me senti à vontade no mandato, nem me identifiquei com as bandeiras, o vocabulário e os sentimentos da equipe do Marcelo. Política para eles é um interminável Fla-Flu. Acontece que sou Botafogo.

Seria injusto, tremendamente injusto, se dissesse que tenho sido maltratado ou desrespeitado. Pelo contrário, abrem a porta para mim, reservam o melhor lugar para minha cadeira, me escalam para falar em primeiro lugar, servem meu café primeiro, me ouvem com atenção, valorizam o que proponho. Nosso convívio é uma contínua demonstração de deferência. Sou quase paparicado. É também verdade que me chamam de companheiro, mas ninguém é perfeito.

De minha parte, claro que procuro manter certa discrição sobre o que penso. Cumpro a missão e pronto. A tarefa me basta. Se o faço bem, valho o que me pagam e a reverência que manifestam.

Antes de responder ao convite, levantei a vida pregressa do Marcelo. Ou melhor, Aluízio pesquisou. Ficha limpa. Não constava nada. A única mácula já estava apagada. Tinha sido uma suspeita de ligação com traficantes presos que se mostrou falsa. A acusação foi forjada. Ainda assim, a P2, o serviço de espionagem da PM, e a Subsecretaria de Inteligência, ou seja, quase toda a comunidade dos arapongas do Rio de Janeiro o monitorava atentamente, porque o considerava "elemento perigoso", "inimigo do governo e das polícias". Sem comentários. Conservador em muitos aspectos, pode ser que eu seja; idiota, não. Provavelmente, me monitoram também.

O primeiro ano de trabalho começou mal, porque a segurança no Rio parecia caminhar bem — quer dizer, dentro do padrão. É evidente que o padrão é desastroso, mas a população já o considera mais ou menos parte da paisagem. E os jornais de elite, salvo exceções, fingem que não veem, a menos que os problemas afetem os bairros nobres da capital. Resultado: Freitas apresentou no primeiro dia da nova legislatura o pedido de CPI sobre as milícias, mas só outros dois deputados aceitaram assinar com ele. O pedido foi devidamente arquivado.

Marcelo insistiu várias vezes, sempre que os colegas da DRACO me passavam novas denúncias. Em vão. Até que, pouco antes do final do primeiro semestre, profissionais de um jornal popular foram barbaramente torturados por milicianos, em uma favela da Zona Oeste: repórter, fotógrafo e motorista. Ingênuos, acreditaram que a favela fazia parte da nação, regida pela Constituição Federal e o Estado democrático de direito. Amarga ilusão. Imaginaram que lhes seria assegurada a liberdade de ir e vir, perguntar e ouvir, entrevistar, fotografar, enfim, cobrir o dia a dia da comunidade. Só não foram assassinados porque os mafiosos descobriram que uma mensagem de texto havia sido enviada antes da apreensão do aparelho. O feliz vazamento que indicava sua localização obrigou os policiais criminosos a liberá-los. Traumatizadas, as vítimas aderiram ao Programa de Proteção à Testemunha e fugiram do estado, com o apoio do jornal.

A consequência foi um estardalhaço sem paralelo. Ondas de notícias chocantes sobre as milícias se sucederam. Recuperaram visibilidade e projeção reportagens importantes, corajosas e de excelente qualidade, que haviam sido publicadas, no ano anterior, inclusive durante o processo eleitoral, e a seguir esquecidas por quase todos, inclusive pelo governo e pela Secretaria de Segurança, que não davam à DRACO, nem de longe, o apoio necessário e merecido.

A deterioração da segurança, que não era novidade embora não estivesse no centro da agenda, veio à tona, revelando toda a sua gravidade. Mais uma lição para os mafiosos: não provoquem os jornalistas. Finalmente, o céu ameaçava desabar sobre as milícias.

O presidente da Assembleia, pressionado pela opinião pública, rendeu-se. Desarquivou o pedido de CPI, a instalou e entregou a presidência a seu autor. Do ostracismo a que seu radicalismo o confinara, o jovem deputado de primeiro mandato foi empurrado para o centro do palco, onde renasceu para um outro momento de sua vida, reencarnando o herói da lei e da ordem, o guardião da segurança, o guerreiro da civilização contra a barbárie. O bom menino de poucos votos se metamorfoseava em um ator político de envergadura, promissor e eleitoralmente viável. O gueto já não o continha. Cresceu. Do dia para a noite, ficou maior que o mandato, o catecismo, a disciplina de Garcia, as ONGs e o partido.

A hora de Marcelo Freitas era também a minha. Não desperdiçamos a oportunidade. Levamos à CPI os mais importantes milicianos, exceto os que já estavam presos. Contando com a colaboração de meus amigos da DRACO, especialmente de Fausto, submetemos os mafiosos ao constrangimento de responder baterias venenosas de perguntas que eu preparava cuidadosamente. Responder não é o verbo adequado, porque muitos se calavam, evocando o direito de não gerar provas contra si mesmos. Os depoentes que se dispunham a falar, com frequência, se contradiziam ou inventavam mentiras tão escandalosamente hipócritas que os resultados terminavam sendo quase tão desastrosos quanto uma admissão de culpa. Nosso único problema foi um político, ex-secretário de Segurança, que driblou seguidamente os convites para depor, porque sabia que não teria como responder às questões e que sua omissão nada ingênua no trato com as milícias acabaria desmascarada. Quando mandava na segurança, cruzou os braços e abriu espaços para milicianos, porque cobiçava os votos dos currais eleitorais dominados pelos mafiosos. Ele venceu nossas tentativas de ouvi-lo, mas não há de ser nada. Sua chance de continuar indefinidamente ocultando o passado é inversamente proporcional à sua ambição, que não é pequena.

A mídia não nos faltou. Nem à DRACO, que entrava no vácuo, ganhava velocidade e seguia os rastros que os depoimentos produziam como detritos numa demolição. Tampouco faltaram ameaças a nós dois. Para mim, nenhuma novidade. É parte do ofício e sai na urina. Para Marcelo, foi um Deus nos acuda e lhe impôs severas restrições. De vez em quando, a gente brincava: "Somos nós que estamos presos, afinal."

Há um mês, o relatório foi lido e aprovado. A CPI não deu em pizza. Centenas de milicianos figuram na lista dos indiciados. O próximo passo cabe ao sistema de Justiça criminal. Para nós foi uma vitória, porque de uma vez por todas caíram as máscaras. Comprovamos que milícia é máfia, é crime, é a manifestação mais grave do que se pode chamar de crime organizado e constitui o principal desafio para a segurança pública e o Estado de direito. Mostramos que a maioria dos milicianos é policial e que a infiltração na política é uma realidade. Demonstramos que não há como reprimir essa máfia sem mudar profundamente as polícias. O problema do Rio, em síntese, são as polícias. Faço sempre questão de acrescentar que, também para nós, bons policiais, o problema são as polícias. E, é claro, os governos, que faturam as prisões espetaculares e legam aos sucessores as corporações que herdaram, com alguns expurgos cuja eficácia só engana os que preferem o conforto da mentira à verdade, que às vezes é angustiante. O tráfico é um problema grave, mas declinante e nem de longe comparável às milícias.

Eis aí, portanto, o relato de um ano de realizações e conquistas. Meu tom tem sido mais que indulgente, quase celebratório. Por isso, vai soar chocante quando eu disser que o desfecho da narrativa nos cobre de cinzas. A estrada é sinuosa. Nem todas as curvas podem ser feitas em velocidade. A liberdade humana e a incerteza são prodigiosas. O destino, às vezes, é avaro e ingrato. Eu escrevi ingrato? Ato falho, pois essa é a questão. Leal, desleal? Como saber o lugar certo em que se deve estar? Esse é o nervo. Mas vamos com calma.

Um mês depois de apresentar o relatório final da CPI, Marcelo não era o mesmo. De fato, as mudanças começaram quando atravessávamos uma fase especialmente complicada, mais ou menos na metade do percurso. Ele não se atrasava, nem perdia o fio da meada nas audiências e interrogatórios, não gaguejava nas entrevistas, nem deixava de me tratar com a cordialidade que era sua marca. Nunca vi um sujeito tão diplomático. Não admira que tenha se adaptado bem ao papel de mediador em negociações com presos rebelados. Tem sangue-frio. Seria um bom policial, não fosse sua devoção quase evangélica aos benditos direitos humanos, em nome dos quais não hesita em perdoar todo facínora, a não ser que seja policial. Curioso: dois pesos e duas medidas. Já o cobrei pela incoerência. Ele só balança a cabeça, sorri e muda de assunto. Não tem mesmo a mínima esperança de me converter. Melhor assim.

Marcelo, portanto, não mudou no trabalho, com o qual ele continuou a manter um compromisso religioso. Mudou em um nível pessoal mais profundo. Percebi porque ele aos poucos deixou de comemorar nossos êxitos. Sorria por obrigação, mas parecia não se importar. O olhar vagava sem rumo no intervalo das falas. Alguma coisa o levava para longe de onde estava, e o motivo, qualquer que fosse, não parecia ser nada agradável. A expressão tornou-se gradualmente vincada e triste. Quanto mais nós avançávamos, mais ele parecia angustiado e desestimulado. Temi que fosse o medo. Nada de errado. Qualquer pessoa sente medo quando ameaçada de morte. Por que não? Errado seria zombar do risco. Conversei com ele sobre isso. Marcelo negou que estivesse preocupado. Foi convincente. Acho que, de fato, não era isso. Não me dizia respeito o que ele estivesse sentindo. Era problema seu, embora eu tenha me afeiçoado a ele. A impressão que eu tinha era de que um movimento geológico profundo qualquer, um atrito de placas subterrâneas, passaria despercebido por um tempo, mas em algum momento atingiria a superfície, provocando terremotos e maremotos. Pensando nele, em todo o esforço dele, meu, de alguns outros colegas da DRACO, do Fausto, de outros policiais e de alguns jornalistas para acuar as milícias, e pensando também em meu futuro profissional ou financeiro, fiquei alerta. Eu pressentia a aproximação de uma desordem explosiva cujas consequências não conseguia prever. Não se tratava propriamente de intuição, ainda que minhas antenas imateriais também sinalizassem. Era mais que isso. Alguma coisa se movia no espírito do meu parceiro. E o asfixiava.

Tive vontade de conversar sobre isso com amigos dele, mas Marcelo era solteiro e só interagia com os colegas do mandato. Com quem eu compartilharia meu sentimento, minha intuição? Ernesto Garcia? Não falo espanhol. E sou Botafogo, vale repetir.

Sondei o próprio Marcelo. Não sei qual de nós é mais inepto para uma abordagem pessoal. Ele não abriu nada. Nem eu. E seguimos assim, lado a lado, calados quanto ao essencial, tagarelas sobre tudo o mais.

Numa quinta-feira inesquecível, ele me telefonou às cinco da manhã:

— Já está acordado?

Não estava, mas menti:

— Escrevendo no meu Twitter.

— Preciso falar com você. Agora. É uma coisa muito grave que está me deixando maluco.

Mudo, não consegui balbuciar nem uma pergunta retórica óbvia, do tipo "o que aconteceu?". A revolução das camadas subterrâneas finalmente rasgou a superfície. O apocalipse, pensei. Por que é que duvido de mim, de minha sensibilidade?

— O que foi, Marcelo? Chantagem? Mais ameaças? Você encheu o saco das brigas dentro do partido? Para tudo tem jeito, Marcelo. Onde está a sua proverbial capacidade de levitar feito um monge zen acima das erupções e das guerras?

— Não quero falar pelo telefone. Mas fica tranquilo quanto à minha segurança. Não tem nada a ver com isso.

Na velocidade que minha condição permite, levantei. Com a ajuda de Maria Clara, acordada pelo telefone, me vesti. O serviço de táxi não me atenderia em menos de vinte minutos. Maria fez questão de me levar. Estava tão preocupada quanto eu. Disse que aproveitaria para chegar mais cedo à universidade. Pilhas de teses de seus alunos e relatórios de pesquisa a esperavam. Ela não conseguiria mesmo voltar para a cama. Quando cheguei à casa do deputado, me dei conta de que era a primeira vez. Parece brincadeira, mas nunca o havia visitado.

Ele me contou a história do começo ao fim. Estava arrasado.

O relato a seguir vai esclarecer. Antes de narrar os acontecimentos dos últimos meses que provocaram a situação sem saída em que Marcelo se encontra, vou dar ao leitor a mesma oportunidade que Marcelo me deu para conhecê-lo melhor e contextualizar os últimos atos do drama. Ele me pediu que ouvisse o relato de sua história. Ou da parte de sua história que se relacionava diretamente com o dilema que ele enfrentava. A história que ele contou aconteceu muito tempo antes de ele sequer cogitar a hipótese de candidatar-se. Passo, então, a transcrevê-lo com o máximo de fidelidade às suas palavras, seu jeito de falar e de pensar — o que é muito difícil, porque é a minha memória que corta, edita e reconstrói. Depois do relato, completo as informações para que a ninguém escape nada que seja relevante para compreender a situação.

XIX
História de uma amizade, narrada por Marcelo Freitas e editada por minha memória

Eu estava em Porto Alegre, na casa de Fabiana, para onde escapava sempre que o dinheiro e o trabalho permitiam. Escrevia alguma coisa na mesinha do escritório, aproveitando a luminosidade fosca do fim de tarde, quando ela se aproximou, passando a mão levemente em minha cabeça. Preciso dizer que me sentia no paraíso? Todo amor recente é um alvoroço dos sentidos, uma corrida desatinada dos pedaços da gente para um centro de gravidade que se desloca para fora. Fora do nosso corpo. Tudo que era meu, o que tinha sido e o que viria a ser, a escova de dentes, o guarda-chuva, meus livros, planos, recordações e os recortes de jornais, tudo despencava em queda livre para o centro, que era ela. Claro que o sexo é o momento em que essa expectativa de unidade triunfa, mas há outros.

Sei em que você está pensando e imagino seu alerta: "A unidade é sonho. A paixão é irreal. Não procure sentido em tudo. Não se arrisque tanto." Está bem. Mas que ilusão maravilhosa.

Fabiana passou as mãos lentamente em meus cabelos e eu fechei os olhos. Me puxou pela mão até a cama, deitou-se ao meu lado, acariciou meu rosto e disse que era preciso que nos separássemos. Precisava viver a vida dela. "Eu te amo muito", disse ela, "você entende?".

Não, eu não entendi nada.

O tempo congelou. Confesso que não lembro se fiquei ali atordoado um minuto ou uma hora. Nem se ela disse mais alguma coisa. Acho que sim, e com a voz muito doce e terna. Ouvi vagamente variações em torno do mesmo tema: ela precisava viver a vida dela. E, ao contrário do que eu pensava, nós não a viveríamos juntos. A vida dela era só dela. Olhei no espelho e não encontrei uma vida que fosse só minha. Mas já era tarde. O cristal tinha quebrado. A noite aos poucos bloqueou a passagem que me conectava com a luz natural de onde eu puxava o ar. A sensação foi a de um longo e profundo mergulho em águas escuras. Os segundos que se arrastavam madrugada adentro eram preenchidos por um exercício meticuloso: como se jogasse xadrez comigo mesmo, eu reconstituía cada detalhe das situações em que estivemos juntos, eu e Fabiana, nos últimos dias, semanas e meses, tentando identificar os pontos de mutação possíveis. Aqueles gestos e palavras que, se fossem alterados, teriam determinado outro curso para nosso destino. Gasto inútil de energia, você vê. Passaram-se muitas horas. Sei disso porque subitamente era manhã e me cabia fechar as malas e ir para o aeroporto em busca do primeiro voo disponível para o Rio.

Pois é, cheguei ao aeroporto parecendo mais um vira-lata atrapalhado que um lobo ferido. Sabe o cachorro que cai do caminhão de mudança? Era eu. Na verdade, não sei exatamente o que fiz. O alarido do aeroporto era uma vaga irrealidade distante que eu cruzava, metido em minha armadura blindada.

Meu corpo e minhas roupas vestiam os restos de uma explosão. Era assim que me sentia: pedaços reunidos em assembleia depois que a bomba e a morte fizeram seu trabalho sujo.

Lembro que na primeira vez que consegui chorar, olhava Porto Alegre pela janela do avião com meus óculos escuros. Ganhei de um casal de amigos, no aniversário, uns óculos escuros enormes — você precisava ver. Muito feios, mas a máscara perfeita.

Aterrissando no Antônio Carlos Jobim, só pensava em me meter numa caverna e hibernar. Mas o Rio de Janeiro não é exatamente o cenário ideal para quem deseja submergir, desaparecer, desligar todos os fios. Principalmente quando se trata de alguém como eu. Você sabe, militante de direitos humanos é feito médico e bombeiro: não tem hora para dormir, acordar, encerrar o trabalho, apagar a luz. Nem pode se dar ao luxo de beber ou sumir. Quando estava em Porto Alegre, mantinha o celular ligado e sabia que providências tomar, mesmo a distância. Chamados aparecem a qualquer hora do dia ou da noite. Sobretudo para quem se especializou em negociação com presos rebelados. Eu era o cirurgião cardíaco dos direitos humanos, entende? O coração não tem hora para entrar em pane.

Não vou lhe falar sobre Fabiana, porque não quero parecer melodramático. Se começo a falar dela, até hoje é um deus nos acuda dentro da minha cabeça. Não quero perder o rumo do meu relato. E você me desculpe esse tom pessoal e esses detalhes íntimos, mas acho que essa história não se entende fora da atmosfera emocional em que ela foi vivida.

Enquanto aguardava a mala, liguei o celular. No fundo, esperava que Fabiana tivesse gravado um recado dizendo que tinha cometido um gigantesco engano, me pedindo para voltar no avião seguinte. Nenhum recado dela, mas havia uma mensagem de texto do Cileno: "Liga. Urgente." Você chegou a conhecê-lo? Acho que não. Adoro o Cileno, apesar da carranca de poucos amigos que ele ostenta como uma bandeira de sua causa. Muita gente não gosta porque ele é grosso, antipático, despeja uma coleção prodigiosa de palavrões, não respeita etiqueta e não se veste de acordo com as expectativas. Ainda assim, ele é o cara. Aliás, se os delicados ofendidos tivessem passado metade do que ele passou na vida, duvido que tivessem superado os traumas e o ressentimento com o garbo, a inteligência, a criatividade que ele exibe. Além do mais, é comovente e contagiante sua solidariedade com as vítimas de injustiças. No fundo, a cara feia é charme. O estilo durão esconde o coração mole. Ele resolveu adotar esse personagem casmurro e agressivo para conquistar um lugar ao sol e impor respeito. Se tentasse ser o que não era, a metamorfose seria incompleta e ele ficaria devendo. Por isso, faz o contrário: traz a favela consigo, arma o barraco, monta o cenário e passeia com intimidade onde quer que esteja, porque, graças a esse truque, o mundo é sua casa e a periferia é o centro. Os mauricinhos se escandalizam; as patricinhas caem na rede. Como diz um amigo meu machista, se a burguesia fosse feminina, a luta de classes seria pelo menos mais elegante, e talvez acabasse no altar.

Liguei, claro. Devia ser coisa séria, embora eu torcesse para ele não atender. Eu só queria a reclusão da minha caverna.

— Cileno, sou eu. Como "eu quem"? Eu. Marcelo Freitas. Fala.

Bem, meu caro, você pensou que a separação de Fabiana fosse o tema deste relato? Não é. O sujeito em frangalhos que chegou de Porto Alegre ainda seria atropelado por uma jamanta, que descia a ladeira na contramão.

Mas antes da jamanta, a desolação com a perda do amor da minha vida apertava as mãos em volta do meu pescoço até me sufocar. Até eu perder os sentidos e me perguntar o que é esse *eu* que fala, escreve, mexe o corpo, sente, chora, sufoca, ama, como se fosse o eixo em torno do qual o cosmos se organiza. Mentira. O *eu* que sou não é nada disso. Sou coisa nenhuma. No sufoco, aprendi que não passo de uma lasquinha da arca de Noé flutuando ao sabor de ventos e marés num oceano de trevas. Mesmo assim, fingia que estava de pé feito homem, tratando, com objetividade e eficiência, de tarefas práticas. Aos tropeços, foi o que tentei fazer. Doía pra cacete, mas tratei das coisas práticas que constituíam meu ofício. Esse é o pequeno heroísmo de que me orgulho, muito maior do que qualquer outro que porventura me atribuam.

Claro, admito que minhas ações não foram as mais brilhantes. Você me culparia por isso?

Mas a vida girava, arrastando alguns pelas mãos, outros pela corrente.

Cileno queria falar olho no olho. Não podia ser por telefone. Boa coisa não era. Ele percebeu logo que eu não estava bem e se dispôs a vir a meu encontro. Era domingo. Marcamos na Lagoa, às quatro horas, aqui perto. Eu já morava aqui.

Precisava de luz e ar, já que não podia me confinar numa gruta.

Cileno pediu uma Coca-Cola. Lembro perfeitamente da conversa:

— Vai ficar escondido atrás dessa janela fechada? Está fugindo de quem? — perguntou ele.

— Não enche o saco, cara. Fala, que não estou nada bem.

— Esse troço está na moda? Está todo mundo com esses óculos escuros enormes. Coisa escrota. Você parece uma vespa de outro planeta. Pior: sabe o que você está parecendo? Um ônibus interestadual.

— Não sacaneia, Cileno. Desembucha. Ou nós viemos passear na Lagoa e conversar sobre moda?

O sol misturava a mesa do quiosque, as bicicletas e o tumulto de vozes das crianças numa atmosfera líquida em que tudo se diluía.

— É o Russo — disse Cileno.

— Que Russo?

— O chefe do Comando Vermelho.

— Ah! Claro, o líder do CV.

— Ex-líder; ex-chefe.

— A opinião pública já se esqueceu dele, mas no mundo da cadeia ele ainda é personagem central. Ele não ia ser solto, Cileno?

— Foi.

— Uma sentença longa.

— Vinte anos.

— E você quer ajudá-lo a arrumar emprego?

— Já arrumei.

— Rápido. Beleza. Coisa rara.

— Ele está trabalhando com a gente, na ONG. As empresas não aceitam um sujeito com esse passado. Ou era com a gente ou ele ficava na mão. Ele está lá. Quer dizer, estava.

— Estava. Qual é a dele, Cileno?

— Vou explicar. Não fica nervoso. Toma aí tua água mineral com canudinho e relaxa, que a história nem começou e é porrada. Seguinte: o cara não quer mais saber dessa merda de tráfico e crime. Mandou tudo isso pra puta que pariu. Ele já passou dos quarenta. Não é mais criança. Sabe que não vai ter outra chance de recomeçar a vida. É agora ou nunca. Pegar ou largar. Resolveu se agarrar à oportunidade que a vida está oferecendo. Recuperar a liberdade é um troço sublime. Ele só tem uma coisa na cabeça: voltar pra casa, curtir a mulher que esperou por ele todo esse tempo, dar aos filhos a atenção de pai que ele não pôde dar, ainda que tenha garantido a educação deles — não me pergunte como. Bom, você sabe. Mas o fato é que o Russo saiu de cara limpa e acertou com os parceiros para ser deixado em paz. Os presos que mandam no CV respeitaram a decisão dele e não encheram o saco quando ele saiu.

— Ótima notícia. Legal ele não querer voltar para o crime e você ter dado o emprego.

— Espera. Bebe aí tua água. Calma. Não é nada disso.

— O cara voltou para o crime?

— Não, Marcelo. Quer dizer, vai ter de voltar. Ele está fodido.

— O CV não liberou? Não deu a carta de alforria? Não estou entendendo.

— Liberou, sim, já disse que sim. A merda, pra variar, é a polícia.

Cileno me contou a história: o traficante conhecido como Russo, que liderava o Comando Vermelho e mandava no tráfico em várias regiões da cidade na década de 1980, condenado a vinte anos, cumpriu na integralidade o tempo previsto na sentença, o que é raro acontecer, porque são comuns os benefícios, a progressão de regime por bom comportamento, essas coisas. Como algumas vezes ele foi acusado de dirigir o tráfico a distância, graças à autoridade que conquistara antes de ser preso e que continuaria exercendo dentro da penitenciária, ele acabara perdendo as chances que surgiram de alcançar o direito à redução da pena ou à comutação do regime fechado em semiaberto, depois em aberto e, finalmente, em condicional. Ele era um caso incomum de "dura" inflexível e contínua. Foi o preço que pagou pela grande exposição pública de seu nome. Quem tem fama na cadeia corre o risco de responder pelo que fez e pelo que não fez. Bastava vazar que o perigoso Russo obteria uma progressão de regime e pronto, armava-se imediatamente a artilharia nos jornais, nas rádios e nas TVs. O juiz da Vara de Execuções Penais hesitava e terminava recuando, ante o clamor dos meios de comunicação, que bradavam contra a impunidade. Moral da história: o Russo via fugir-lhe mais uma oportunidade.

Até que, finalmente, seu momento chegou. Na linguagem dos presos: o Russo pagara a dívida que havia contraído com a sociedade. Acertou com os companheiros de prisão seu afastamento do crime. Caso raro de divórcio amigável. Nada de sangue e ranger de dentes.

Pelo que disse ao Cileno, ele hoje admite que a vida criminosa é um inferno. Não compensa mesmo. Talvez compense para os que lavam dinheiro, roubam o erário público e posam de honestos, mas para o bandido pé de chinelo, não. Ter passado dos trinta anos de vida já era uma vitória para o Russo. Ter chegado aos cinquenta, um feito quase milagroso. Ganhar a liberdade e começar de novo, uma bênção.

Voltou para a favela onde mora sua mulher, onde está sua família, e avisou que tinha saído do crime. Tinha o plano de sair de lá assim que conseguisse um trabalho, porque temia que a turma do tráfico não o deixasse em paz, não propriamente o ameaçando e cobrando seu retorno, mas lhe pedindo ajuda, mediação, orientação. Isso poderia ser interpretado por todo mundo como envolvimento. E poderia converter-se em envolvimento real. Por isso, fazia questão de não dar conversa aos rapazes do movimento. Não bebia, não jogava conversa fora, vivia recluso, voltado para a mulher e os filhos — a menina, que morava com ele e a mãe, e o primogênito, que o visita com o neto. Russo virou um homem de família. Só faltava o trabalho. Ou, melhor ainda, um emprego. E foi o que Cileno lhe deu.

Segundo o testemunho de Cileno, Russo andava na maior felicidade. Confesso que, em outra circunstância da minha vida, talvez não desse tanta ênfase ao lado pessoal e subjetivo dessa história. Naqueles dias, não conseguia ouvi-la sem pensar na emoção do Russo reencontrando o amor da sua vida. Acho comovente imaginar essa mulher esperando o marido por tanto tempo. É estranho, mas existe beleza em meio à sujeira doentia de uma penitenciária, e ela resiste ao veneno. E o passado horroroso pode ser o combustível para uma pessoa se lançar de cabeça no futuro.

A convivência da sordidez com o sortilégio, do pútrido com valores nobres, isso é o dia a dia de uma prisão, e você sabe disso tão bem quanto eu. Acho que o fato de eu ter sido criado num bairro popular e crescido vizinho de uma penitenciária, de jogar futebol todo fim de semana no campo dos presos, com eles, acho que tudo isso derrubou alguns muros para mim.

Se Fabiana não fosse uma personagem do meu enredo, garanto que eu não estaria tão dispersivo, este relato seria mais objetivo e você já saberia o mais importante: desde que o Russo saiu da prisão, toda semana dois policiais batiam em sua porta pedindo dinheiro. O verbo "pedir", na verdade, não se aplica. "Pedir" é uma forma elegante e, portanto, inteiramente inadequada de denominar esse tipo de extorsão. Russo tentou manter a calma. Faria tudo para não se meter em confusão. Explicava outra e outra vez que estava fora do tráfico, sem grana. Não tinha mais nada a ver com o Comando Vermelho. Aliás, mesmo rico, não daria um centavo, porque, como comprovavam os documentos, não devia mais nada à Justiça.

Semana após semana, o mesmo duelo verbal, a mesma cena repugnante.

No sábado, véspera de meu encontro com Cileno, a equipe da ONG estava comemorando alguma data especial com uma feijoada. Um casal dispôs-se a dar carona ao Russo. No caminho, ele pediu para passarem no dentista da filha. Precisava deixar o aparelho da menina para ser ajustado. Era meio-dia quando desceu do carro no alto de uma ladeira, na Penha. Caminhou em direção ao prédio de dois andares, onde ficava o consultório odontológico. Não teve tempo de entrar. Foi abordado por dois policiais civis que saltaram de uma viatura.

Aquela cena-padrão:

— Mãos na parede.

E seguiu-se o grosseiro teatro do poder que você conhece bem. Sem ironia. Por favor, não vá se ofender.

O casal correu em apoio ao Russo. Imagina o coro nervoso confirmando informações positivas sobre os vínculos daquele homem com um emprego estável e com colegas que o esperavam para uma feijoada.

Os policiais leram na identidade o nome completo de Russo, entreolharam-se — fingindo surpresa — e deduziram da arguta investigação: "Você é o Russo."

— Isso mesmo — respondeu ele. — Sou o Russo e vocês me seguiram porque sabiam disso. Mas deviam também saber que estou livre e tenho os papéis que provam a veracidade do que digo. Não existe nada contra mim.

Foi isso mais ou menos o que ele disse em sua defesa, secundado pelo casal. Mas os policiais avisaram que iam levá-lo para a delegacia: "Averiguações." Tentou resistir, mas foi ameaçado de prisão em flagrante por desacato. Jogaram-no na viatura e partiram. O casal voltou ao carro e pôs-se na cola da viatura. A corrida não demorou. Quando chegaram à avenida Brasil, a viatura voou e desapareceu, costurando o trânsito, burlando todas as normas. Não foi possível saber aonde o levavam.

Na delegacia, Russo foi recepcionado em grande estilo pelo próprio delegado titular. Resumindo, meu amigo, e pulando o escárnio e as humilhações, deu-se o seguinte: cobraram-lhe vinte mil reais para que omitissem a pistola que teriam descoberto em sua posse. Crime inafiançável. Flagrante. Cadeia imediata.

Você pode deduzir a aflição com que ele negou o absurdo da arma plantada e a veemência com que insistiu na falta de dinheiro. Entretanto, melhor do que ninguém, Russo conhecia as regras do jogo que estava sendo jogado e nem por um instante ignorou o fato de que não fazia sentido negar a pistola plantada, porque a farsa não tinha compromisso com a verdade, mas com o interesse.

O dinheiro não chegou. Não havia dinheiro. Ponto final.

Os policiais encaminharam o ex-prisioneiro de volta a Bangu 1, onde ele estivera até ganhar a liberdade. Sim, diretamente a Bangu, porque aquele era um homem de alta periculosidade, cujo passado exigia tratamento rigoroso e, portanto, requeria um estabelecimento de segurança máxima, por mais que esse procedimento violasse as leis, uma vez que presos provisórios, isto é, que ainda não foram julgados, devem ficar em uma instituição especialmente destinada a esse fim — no Rio de Janeiro, esse lugar chama-se Casa de Custódia. Não estou ensinando o pai-nosso ao vigário. Entenda. Só quero sublinhar o absurdo da situação.

Vou lhe contar o que Cileno me disse, ao concluir o relato:

— Marcelo, o problema principal e mais urgente do Russo não é sair da prisão, mas sair de Bangu 1.

Então, fiz algum comentário do tipo:

— Posso imaginar. Aquela penitenciária é um triturador de gente.

— Não tem nada a ver com isso. Ele aguentaria ficar até no inferno se não fosse... Marcelo, presta atenção. E isso tem de ficar entre nós, entendeu? Você vai logo entender. O Russo está fodido porque vai ter de liderar uma rebelião.

— Como é que é? Vai ter? Como vai ter?

— Vai ter ou ele vira um traidor. Ele era uma puta liderança até sair. Fora, pediu para se afastar. Tudo bem. Mas dentro, ou ele volta a assumir a antiga posição ou... Ele está fodido de qualquer jeito. Se liderar a rebelião ou participar vai ser condenado de novo a não sei quantos anos. Se disser que não vai participar, muito menos comandar, vira traíra e vai ser justiçado lá dentro pelos amigos.

— Que amigos do caralho, hein?

— Guarda o moralismo pras tuas rezas e pro teu encontro com o pai eterno. Dentro da cadeia é assim, porra.

Foi o jeito de o Cileno me sacudir e acordar, e me forçar a encarar a realidade como ela é, sem adjetivos. Foi seu modo todo particular de me incitar a agir.

— Por isso — concluiu Cileno —, o que o Russo quer agora é sair de Bangu antes que a rebelião aconteça. Se for possível movimentar teus contatos e conseguir uma transferência dele pra qualquer outro lugar, pode ser pra puta que o pariu, ele vai se salvar. Depois a gente dá um jeito de pagar um puta advogado pra ver se desmascara o flagrante plantado. Mas isso depois.

— Antes, é preciso evitar o pior — disse eu. — Desarmar a bomba.

Cileno ainda desabafou:

— Esses filhos da puta existem pra prender bandido, mas quando o cara resolve abandonar o crime, mudar de vida, eles não deixam. Encurralam o sujeito, espremem até a última gota. Sugam a grana e o sangue, e cospem o caroço.

Esse capitalismo de merda enche as cadeias de pobres e joga os explorados uns contra os outros, os trabalhadores das polícias contra os trabalhadores das favelas. Exatamente como faziam na escravidão com os capatazes caçando os negros fugidos. Pensei mas não falei, porque Cileno é uma puta liderança popular mas não tem muita consciência de que, no fundo, sua luta é política e antiburguesa. Ele não gosta quando digo essas coisas.

Não sobrou nada, meu amigo, nada, e eu disse isso ao Cileno com o coração apertado, pensando um pouco em mim mesmo: não restava nada além da carcaça sem luz e esperança. São os piores bandidos, esses policiais corruptos. Roubam o futuro; enxovalham a vida da pessoa.

Não quero abandonar o fio da história, mas, pensa bem, um homem não se faz assim. Um homem que seja só passado, que se reduza ao crime que um dia cometeu, que se limite a ser para sempre a sentença que teve de cumprir, mesmo que já a tenha cumprido, um homem assim seria ainda um homem, no sentido pleno da palavra? A pessoa não deixa de ser *o criminoso* depois de pagar a dívida à Justiça? Ou carrega para a eternidade essa qualificação, tatuada na testa? O ser humano impedido de mudar vira um poço de rancor.

Com você seria diferente? Duvido. Comigo não seria. Eu sobreviveria para me vingar. Nesse caso, tudo se passaria como se a vida se alimentasse numa fonte de energia envenenada que movimenta as engrenagens da morte. Sei que ressentimento é destrutivo e vingança só alimenta violência. Nunca defenderia a vingança como princípio de justiça ou política de Estado, mas, cá entre nós, quem é isento desse sentimento? Quem não o compreende?

Na Lagoa, o sol declinava. Eu não pensava em Tom Jobim, não ouvia as músicas da cidade encantada. Cileno continuava a falar. Ele precisava desabafar. Eu preferia o véu negro de meus óculos. E o silêncio. Para mim, você pode imaginar, toda música evocava Fabiana.

Andando para casa, eu carregava a convicção e o enigma. Engraçado dizer isso dessa forma... porque, curiosamente, era o enigma que pesava. A convicção era leve, distinguia o bem do mal com absoluta clareza: os filhos da puta da polícia plantaram uma pistola para extorquir o Russo e era necessário lutar para impedir que o destino o cuspisse para o ralo, definitivamente. Nenhuma dúvida. A tarefa seria espinhosa, talvez impossível. Mas cercada de certeza cristalina sobre o que era certo e errado. De outro lado, as palavras de Fabiana eram um mistério. Por mais que seguisse os rastros, não via sentido e despencava mais fundo na noite.

A madrugada eu venci a marteladas. Não vou contar detalhes. Você não merece. Parece que as horas mortas empurram a gente para um nicho misterioso da infância. Cada forma insulta a gente e a cadeira vazia é um vulto feroz. Quase podia sentir a presença de Fabiana. Tomei minha reserva técnica de comprimidos tarja preta quando amanhecia e só levantei ao meio-dia, a cabeça estalando, as pernas fracas, depois que o telefone derrotou todas as tentativas inconscientes de dar-lhe uma função nas tramas do sonho. Começava a batalha.

Desenhei uma estratégia. Visitei advogados e consultei parlamentares que me conheciam e que se apresentavam ao povo do Rio como paladinos dos direitos humanos. Percebi que o assunto queimava. Todo mundo ciscava, pisando em ovos. Tive ganas de morder a jugular de uns, acertar um direto no queixo de outros e, em um caso, cheguei ao extremo de desejar puxar a arma — se eu tivesse uma ou soubesse usá-la. Feio falar assim, hein? Que ninguém nos ouça, meu amigo. Mas militante de direitos humanos também enche o saco, fica puto, caga, trepa, odeia, treme e vibra com a mesma intensidade de qualquer pessoa.

Rapaz, como me faria bem gritar um palavrão para os deputados que consideraram "imprudente" ir em caravana ouvir as demandas dos presos para evitar uma possível rebelião. E como teria sido um alívio catártico desligar o telefone na cara do líder do partido de esquerda que exibiu toda a sua nobre astúcia política avaliando que a governadora talvez se sentisse hostilizada por uma iniciativa daquele tipo. O bom homem não queria "politizar o problema" — foi o que declarou, em seu jargão característico. Mas garantiu: "Vamos estar enviando o caso para a comissão..." Ele falava num idioma que lembrava o português. O cretinismo parlamentar sempre me irritou, mas nunca as máscaras tinham caído na minha frente daquele jeito. E ainda tem gente que acredita que democracia é parlamento, é deputado e senador disputando eleição com suas máquinas de fazer dinheiro.

O mais refinado dos parlamentares cariocas pariu a análise mais sofisticada de todas, aquela que de tão inteligente morde o próprio rabo: visitar

Bangu 1 poderia despertar nos presos a ideia explosiva de que suas condições e atitudes têm grande relevância política, o que os levaria a concluir que uma rebelião, na presente conjuntura, seria eficiente para atingir os objetivos. Afinal, se eram assim tão importantes a ponto de mobilizar tanta gente poderosa, por que não armar confusão e usar essa inusitada importância em benefício de seus pleitos? Por isso, deduzia Sua Excelência, para prevenir uma rebelião, melhor não fazer nada.

Ouvindo aquela arenga com um nó no estômago, me inclinei a me abrir para a hipótese de, um dia, disputar uma eleição, um dia tornar-me, eu mesmo, deputado. Que merda, eu pensava, quando é que a gente vai eleger uma pessoa decente com um mínimo de coragem para a Assembleia? Mesmo que a política eleitoral seja uma farsa, será que não daria para infiltrar nesse meio alguém com vergonha na cara, que topasse pelo menos denunciar a lógica que está por trás desses joguinhos da politicagem burguesa?

Claro que minha situação não era nada confortável. Eu não poderia dizer tudo o que sabia para não comprometer o Russo. Se eu fosse muito longe, o governo esmagaria com suas patas Bangu 1, e ele, recém-chegado e adversário dos planos de seus companheiros, poderia se tornar o primeiro suspeito de traição. Minhas metas eram obter a transferência do Russo para outro estabelecimento prisional; desestimular a rebelião que se armava e que poderia provocar muita violência, dentro e fora da penitenciária, mas sem comprometer o Russo; e encaminhar seu caso para uma solução que revertesse a infundada acusação de porte de arma que o conduzira de volta à cadeia.

Na quarta-feira ele me ligou, usando o celular de Cileno, que fora visitá-lo. Fez um resumo da saga, me agradeceu a ajuda e pediu que me apressasse. Não explicitou o motivo da urgência. Nem precisava. Prometi fazer tudo o que estivesse a meu alcance e lhe disse que esperava que ele, por sua vez, fizesse o possível e o impossível para segurar a onda. Não disse qual onda. Nem precisava. Ele sabia muito bem do que eu estava falando. Fui claro com ele. Entendia os limites dele. Assim como compreendia o que ele devia estar sentindo. No lugar dele, eu iria querer arrebentar tudo, explodir aquela merda e arrancar a máscara hipócrita do governo, da polícia e da Justiça. Mas o que fazer? O caminho não era esse. Não poderia ser esse. Violência só gera violência e nos afasta cada vez mais da justiça e da verdade. Fui ficando exaltado — você me conhece. E me ocorreu que poderiam estar nos ouvindo. Tanto eu quanto Cileno éramos vistos como inimigos por parte do sistema de Justiça criminal e segurança pública, porque a turma pensava que militante de direitos humanos só defendia bandido. Essas coisas. Nada mais natural, portanto, do que grampearem nossos telefones. Mas, afinal, não tinha dito nada que não pudesse dizer ao vivo e em cores, em horário nobre, no *Jornal Nacional*, para todo o país. Com exceção de duas ou três expressões proibidas para menores. Ainda que o golpe contra Russo e as condições carcerárias desumanas fossem muito mais obscenas do que um dicionário inteiro de palavrões.

Três ou quatro dias depois, agora não me lembro exatamente, estava dando aula no cursinho pré-vestibular, em Niterói, quando o telefone vibrou em cima da mesa. Nunca interrompo uma aula para atender celular. Costumo, inclusive, desligá-lo. Dificilmente aconteceria alguma coisa tão grave e urgente que não pudesse esperar cinquenta minutos. Mas naqueles dias você pode imaginar o que me faria manter o telefone ligado. Pois é. Eu telefonei umas dez vezes para a Fabiana desde domingo, mas faltou coragem de falar ou deixar recado. Já não tinha muita esperança de que ela retornasse. Por via das dúvidas, mantinha um olho nos alunos e outro no celular — seria mais verdadeiro dizer que minha antena permanecia sintonizada no meu drama privado e que eu continuava envolto em uma bruma analgésica, uma espécie de nebulosa de narcóticos que me fazia reagir a tudo que passava por mim com certa dose de indiferença. Mesmo a guerra pela transferência do Russo, que me mobilizava e emocionava: eu a vivenciava sem vaidade, sem bandeiras, sem entusiasmo. Isso é grave, porque sem entusiasmo a alma guerreira se eclipsa e as incursões perdem o ímpeto.

O celular vibrou. Não, não era ela. Era Lima Neto, capitão do BOPE. Só podia ser emergência. Interrompi a aula e atendi. Pois é, meu amigo, aconteceu mais cedo do que eu imaginava aquilo que eu mais temia: Bangu 1 caiu nas mãos dos presos, que passaram a controlar toda a unidade e oito reféns. Havia quatro mortos. Não se sabia quem eram as vítimas. Despedi-me dos alunos, com uma desculpa superficial e sumária, verifiquei na mochila se tinha trazido meu kit — claro que sim, depois de poucas e boas, nunca esqueço —, peguei um táxi e cheguei em 15 minutos ao heliporto do GAM, que fica atrás da rodoviária de Niterói. Só faltava dizer que vesti meu uniforme de

Super-Homem e decolei para mais uma missão impossível. Acontece que, em matéria de super-heróis, Lima Neto seria um personagem muito melhor do que eu. Não tenho nada de super, muito menos de herói. Nem preciso lhe dizer isso.

Kit-rebelião era o seguinte: protetor solar; óleo repelente de insetos; escova e pasta de dentes; fio dental; desodorante; aspirinas; lanterna; papel higiênico; carregador de celular; seis barras de cereal; duas garrafinhas de água mineral. Quando a gente não sabe o que vai acontecer e quanto tempo vai durar uma rebelião, o melhor é se precaver com o indispensável. Já tive de ficar horas ao sol. Quase fui comido vivo por insetos à noite. A primeira providência da direção de uma penitenciária rebelada é desligar luz e água, o que em geral afeta o abastecimento do setor externo.

O pessoal do BOPE me conhece há tempos. Lima Neto virou uma espécie de companheiro de jornada. Ele era o negociador do BOPE e meu parceiro. Eu era o negociador independente. Como quase sempre os presos pediam que eu estivesse presente e incluíam esse item em suas primeiras reivindicações, eu e o capitão nos aproximamos. Os presos gostavam que eu participasse porque ganhei fama de respeitar acordo e zelar junto à polícia e à administração penitenciária por seu cumprimento. Sabiam que era — e sou — um cara de palavra, e que os meios de comunicação me ouviam — o que é particularmente relevante para evitar traições governamentais ou policiais. Por outro lado, era e sempre será conveniente para a polícia contar com alguém que é ouvido e tem crédito entre os presos.

Eu e Lima Neto já havíamos compartilhado momentos difíceis juntos. Além de competente, ele era um sujeito de rara integridade. Respeitava acordos e era leal. Duro como se tem de ser nas negociações, mas leal. Palavra dada era palavra cumprida. Esse histórico, que é dele e é também meu, se converteu em um capital valiosíssimo, porque lastreava a credibilidade, sem a qual não se dá um passo em circunstâncias críticas. Quando o conheci, sentia aversão por sua história e antipatizava com ele. Você lembra do episódio do garoto que sequestrou um ônibus, matou uma jovem e acabou sendo morto por policiais, na caçamba de uma viatura, quando era transportado para a delegacia? Acho que você sabe: Lima Neto foi acusado de ter matado o rapaz. Ele se defendia alegando que tinha sido um acidente. Ele teria tentado imobilizar o garoto, que se debatia, aplicou-lhe um golpe no pescoço, uma espécie de mata-leão, e o sujeito apagou. Parecia desmaio, mas, de fato, o sequestrador estava morto. Quando soube das alegações dele, eu ainda não o conhecia e achei a explicação uma verdadeira história da carochinha. Como você deve se lembrar, ele foi a júri popular e acabou inocentado. A fábula era conveniente, eu pensava. A sociedade queria linchar o sequestrador que assassinou a moça. Lima Neto só aplicou a sentença. O júri deve ter avaliado que seria uma covardia atribuir a uma pessoa a culpa da sociedade. Ou vai ver que também concordava com a pena de morte sentenciada pela massa. Ou, quem sabe?, acreditou no argumento da defesa e na palavra do capitão. Esse caso me revoltava. Eu via Lima Neto como o que existia de pior: o representante da polícia como braço armado do ódio popular que clamava por vingança e fazia justiça com as próprias mãos. Entretanto, ao longo do tempo, me afeiçoei a ele e, aos poucos, refiz a imagem inicial. Mais tarde lhe conto o que descobri. Hoje, tenho uma visão inteiramente diferente dele.

Como de costume, a equipe do transporte aéreo já me aguardava no heliponto. Com a experiência, aprendi que o helicóptero leva seis minutos para cruzar a baía, cortar a região portuária do Rio de Janeiro, seguir em diagonal para o oeste e aterrissar em Bangu, no campo de futebol do 14º Batalhão da PM. Uma viatura fica preparada à minha espera. Lima Neto quase sempre chega antes ao local da rebelião. Dessa vez não foi diferente. Passei batido pela guarita e a cancela que separam o bairro da área imensa em que ficam as unidades prisionais de Bangu — onde as famílias e os repórteres já começavam a se apinhar.

No voo, ouvi o relato resumido do que tinha acontecido. Os reféns eram oito, cinco agentes penitenciários e três trabalhadores que faziam uma reforma. As vítimas fatais eram presos ligados à facção criminosa chamada Amigos dos Amigos. A informação confirmava as expectativas: se os mortos eram do ADA e se havia só um punhado de presos do Terceiro Comando em Bangu 1, provavelmente a rebelião tinha sido desencadeada pelos presos do Comando Vermelho.

Ou seja, com toda a certeza o Russo não estava entre os assassinados, o que me aliviava — claro, era horrível saber que havia vítimas fatais, mas seria ainda mais trágico se entre elas estivesse o Russo, dadas as circunstâncias que cercaram seu retorno à prisão. Por outro lado, a notícia era angustiante, porque, se não constava entre os assassinados, seu nome constaria entre os assassinos, independentemente do que de fato fizera e a despeito de sua posição contrária àquela violência — posição da qual ninguém jamais ouviria falar, dadas as condições que o impediriam de defender-se sem se transformar em delator.

Ele provavelmente preferiria mofar na prisão a delatar. Lealdade é um valor inegociável mesmo no submundo do crime. Pelo menos naquele grupo que ele havia liderado. O que não fazia o grupo melhor. As virtudes provavelmente se esgotam na lealdade. Talvez também se pudesse dizer daqueles homens que eram corajosos. Mas não acho que coragem seja em si uma virtude. Depende para que serve, em que é aplicada. Coragem para assassinar e fazer reféns? Aliás, o mesmo raciocínio se aplica à lealdade. Ou não? O que você acha? Bem, não tive tempo para refletir sobre ética.

No portão de Bangu 1, cumprimentei o diretor, um agente penitenciário velho conhecido e Lima Neto, com quem troquei poucas palavras antes de entrar no presídio rebelado. A fumaça escura que se elevava acima do prédio e borrava o céu azul espargia as cinzas do corpo torrado de Zé Mário, líder do ADA. O que desejavam os presos? A finalidade prioritária era fugir — e isso valia para nove entre dez rebeliões. Não conseguindo, eles tentariam obter o compromisso de que melhorariam as condições de higiene, saúde, alimentação e tratamento conferido aos familiares visitantes, expostos ao sol e à chuva e a revistas humilhantes. Em outras partes mais decentes do mundo, os revistados são os presos, e os visitantes submetem-se apenas ao controle eletrônico.

Em último caso, os rebelados tentariam pelo menos evitar retaliações e retrocessos. Quase sempre a coisa terminava assim. Como nas greves derrotadas. O último trapo da bandeira de um movimento operário vencido é a suspensão do desconto pelos dias parados. Sai-se com uma mão na frente e outra atrás, mas a cabeça erguida. Um autoengano, certamente, mas eficiente, porque dá gás aos líderes e os autoriza a recuar. Como ensina todo manual de guerra e política: não humilhe o inimigo ou ele terá de buscar forças onde já não havia energia e resistirá até a morte. Quer vencer? Abra um espaço confortável para o recuo do inimigo. Satisfaça-o com as migalhas que mitigam a derrota.

A não ser que você possa impor uma derrota total, aniquiladora e irreversível. Nesse caso, ela lhe será conveniente porque lhe dará vantagem na correlação de forças que presidirá a distribuição do butim. É o que explica as bombas atômicas lançadas pelos Estados Unidos no Japão, em Hiroshima e Nagasaki, às vésperas do fim da Segunda Guerra Mundial, quando a disputa já estava definida. As centenas de milhares de vítimas foram o preço pago para que a futura Guerra Fria entre os Estados Unidos e a União Soviética se realizasse em uma Europa dividida em termos favoráveis à potência cuja superioridade bélica se afirmava com aquele espetáculo pirotécnico monstruoso.

No caso de uma rebelião, não existe nada comparável a uma vitória total, e o mais próximo do que poderia ser considerado, guardadas as proporções, equivalente ao massacre de Hiroshima foi Carandiru, tragédia que provocou a morte de 111 presos em São Paulo no início dos anos 1990. Você lembra, claro. Todo mundo conhece o caso. No Carandiru, o tiro, digo, a bomba saiu pela culatra, porque o extermínio covarde de presos seminus e desarmados vincou a biografia dos responsáveis com um lastro de sangue. Os políticos e comandantes que autorizaram a invasão desastrada e desastrosa acabaram estigmatizados, ainda que alguns tenham se elegido com o voto dos sádicos.

Há quem diga que massacres dão voto, porque saciam a fome popular de vingança. Vingança sobretudo dos mais pobres contra as injustiças, as desigualdades, a impunidade, a corrupção. Na verdade, tudo isso é uma puta ironia: quem paga com a vida é o pobre ou o filho de pobre enjaulado, porque os criminosos de colarinho-branco não se rebelam em presídios. Eles simplesmente nunca vão parar nesses lugares. Pelo contrário, passeiam sua soberba luxuosa nos salões da corte. Outras vidas sacrificadas nesses massacres são os reféns, em geral agentes penitenciários e operários que estão lá por acaso, trabalhando em algum reparo interno. Nenhum deles, aposto, é filhinho de papai, nenhum deles cresceu à base de iogurte e Danoninho, como dizia Brizola. Eu ria um bocado com o velho Briza.

Na rebelião de Bangu 1, a primeira movimentação dos presos armados e com as chaves — que compraram de um agente a preço de ouro — indicou outra intenção, sem excluir as demais: liquidar o líder rival. Zé Mário não se cansava de provocar os inimigos pela fresta no cimento que separava as galerias, e seus seguidores estavam mostrando as garras, conquistando novos territórios, ocupando morros, tomando favelas.

Os rebelados executaram mais três presos do ADA. Os três faziam a segurança do chefe. Um deles morreu de um jeito pavoroso. Arreganharam-lhe a boca e fizeram descer por sua garganta um litro de álcool. Mantiveram a garganta arregaçada e atearam fogo. O pobre-diabo incendiou de dentro para fora como uma bomba humana. Zé Mário foi o primeiro a morrer. Assim que invadiram sua galeria, acertaram-lhe um tiro fatal. Quando foi incinerado — ele também foi queimado, mas com métodos tradicionais —, já estava morto.

Os gatos pingados do Terceiro Comando, desorganizados como sempre — e inofensivos, naquele ambiente —, não foram molestados. Os demais membros do ADA fugiram pelas grades dos fundos para o pátio interno, cercado por muros intransponíveis. E assim salvaram suas vidas. Não me pergunte de que jeito lograram essa proeza. Não sei. Mas aconteceu. Mais tarde eu os vi, ouvi suas explicações e testemunhei a grade rompida.

Havia, em Bangu 1, 48 presos em quatro galerias — cada uma destinada a uma facção criminosa distinta e a quarta dedicada aos sem identificação ou aos que excedessem a capacidade de uma das galerias. No momento da rebelião, a grande maioria dos apenados era ligada ao Comando Vermelho. Cada galeria era acessível por apenas uma porta de aço impenetrável. Tudo muito diferente da pasmaceira quase monacal do Ferreira Neto, a penitenciária liberal e tolerante do saudoso e semipastoril bairro Chique, de Niterói. O tal estabelecimento de que lhe falei, vizinho à minha casa, em que eu dei aula no fim da adolescência. Dei aulas de alfabetização, de história para os mais adiantados, e foi assim que acabei me envolvendo com as organizações de direitos humanos.

Chegou a hora de entrar. Seguimos, lado a lado, os três mosqueteiros: eu, Lima Neto e Huber, o diretor. Do lado de lá, um dos líderes da rebelião — você ganha um doce se adivinhar de quem se tratava — dava as ordens. Pois é, o Russo mandou que nós três parássemos, levantássemos a camisa e déssemos uma volta de 360 graus bem no meio do pátio que separa a portaria do prédio escuro, o horroroso bloco de cimento aberto na frente por um portão gradeado, de onde ele nos guiava. Queria se certificar de que não estávamos armados. Seu posto avançado de comando estava guarnecido por três botijões de gás acorrentados nas grades, aos quais três reféns tinham sido amarrados. Lima Neto foi o primeiro; Huber, o segundo. Quando chegou minha vez, gritou de lá que não precisava: "O senhor não, professor." Valeu para mostrar ao Huber que os presos confiavam em mim e que eu poderia ser útil. Antes, na portaria, nos desentendemos. Foi preciso Lima Neto forçar a barra para ele autorizar minha participação. Senti que, naquela hora, as fichas caíram dentro da cabeça dura do diretor.

Frente a frente com Russo, o constrangimento nos calou a ambos. Depois de um instante de silêncio que parecia se arrastar pela eternidade, Lima Neto quebrou o gelo: perguntou sobre os reféns, pediu sua libertação e ofereceu garantias de tratamento justo aos rebelados, nos marcos legais. Era o profissional tarimbado em ação. Russo sabia que não adiantava esticar a corda. Não seria bom para ninguém. Muito menos para ele. Ficou nítido que ele queria encerrar aquilo o quanto antes. Mas nem todos pensavam assim. E ele era só uma das lideranças. Havia quem sonhasse com um helicóptero e uma fuga espetacular. Fui duro, consciente de que estava sendo justo mas também útil ao Russo: avisa ao pessoal, disse eu, que helicóptero está fora de questão. Se eles acham que o governo, a Secretaria de Segurança e a PM vão permitir que os criminosos mais perigosos do estado fujam nas barbas de todos, estão malucos. Essa hipótese simplesmente não existe. Huber enfatizou a mesma posição amparado na autoridade que o cargo lhe conferia. Percebi que, mais uma vez, meu papel seria o de fiador do pacto que as partes viessem a negociar.

Os presos queriam ganhar tempo. Descobri mais tarde o propósito: o plano deles era quebrar tudo para inviabilizar sua permanência naquela unidade. Eles consideravam Bangu 1 a máquina claustrofóbica de fabricar loucos. Engraçado: me lembro do Moreira Franco, no final dos anos 1980, todo orgulhoso inaugurando o primeiro estabelecimento penitenciário de segurança máxima do estado. Era uma novidade à época. E o governador ostentava aquele incontido ar de satisfação. Era a vaidade em pessoa nas fotos dos jornais e na TV. Estava prontinho para sair da vida política, se fosse o caso, e entrar na História: já não faltava a obra para legar à posteridade.

Na verdade, isso não tem a menor graça. O arquiteto de Bangu 1 deve ser uma pessoa doente com uma imaginação perversa. Todo o projeto se resume a enterrar o cara vivo, mantendo-o pelo menos respirando. Já a cabeça... bem, a cabeça vai para o espaço. Bangu é um escafandro coletivo que ferve a 50 graus.

Pois os presos precisavam ganhar tempo para arrebentar o que pudesse ser arrebentado. E tinham de fazer direito, porque se quebrassem só um pouco arcariam com os prejuízos, isto é, continuariam ali em um ambiente ainda mais degradado.

Provavelmente para ganhar tempo, Russo, em nome dos insurgentes, pediu a presença dos repórteres e cinegrafistas. Os presos não entregariam as armas e os reféns sem a mídia.

— Bobagem, rapaz. Isso já complicou a situação de alguns de vocês antes e vai complicar de novo — disse eu. — As barbaridades que vocês fizeram quando forem registradas em fotos coloridas ou em vídeo vão se tornar ainda mais brutais e incentivar os juízes a determinar sentenças mais duras. Imagens são o pior testemunho contra vocês.

Russo saiu para ponderar com os comparsas. Eu, Lima Neto e Huber não entramos para as galerias. Russo nos deixou com dois presos armados e os reféns. Ele vinha e voltava, nervoso, para uma consulta, uma hipótese, uma tentativa. Eu já sabia que o processo seria demorado. Tinha certeza de que eles não jogariam a toalha antes de se convencerem, definitivamente, de que não havia flexibilidade do nosso lado para considerar nenhuma hipótese que não fosse a entrega das armas e dos reféns e a rendição incondicional. Os rebelados não desistiriam até esgotar todas as alternativas e reconhecerem que o único espaço de negociação envolvia as garantias de que eles seriam respeitados e tratados, depois da rendição, como a lei manda.

Quando a gente entra em uma situação explosiva, o coração bate aos pinotes. Cada barulho, cada gesto parece prenunciar o apocalipse. A adrenalina circula em alta velocidade e as têmporas latejam. Um dia perguntei ao Lima Neto se isso acontecia só com leigos, como eu. Ele disse que todo mundo sente esse tipo de coisa. A diferença é que, no BOPE, ele era treinado para tomar decisões nesse ambiente e agir sem titubear e com precisão cirúrgica, mesmo sob estresse.

Observei um certo alheamento do Huber, mas logo me dei conta de que não era bem isso. Ele talvez estivesse perturbado com os homens ao nosso lado amarrados aos botijões. Na verdade, acho que era eu quem vivia esse alheamento. Ao contrário das outras vezes, a adrenalina não fez efeito. Não circulou. Nem o medo, nem a angústia das indefinições. Nem mesmo a empatia com Russo, que antes era tão forte. Era como se eu não sentisse nada, como se estivesse sob efeito de um anestésico. No fundo, sabia que meu pequeno mundo particular se metia bem no meio, entre mim e a rebelião. Não sei se você me entende. Fabiana me assombrava. O amor que existia e não existia, aquela coisa tão estranha cravava unhas e dentes em meu pescoço, torcia o estômago e as tripas. Era isso que me acorrentava ao meu próprio botijão de gás íntimo e invisível.

Algumas horas passamos nesse ir e vir do Russo entre nós e seu grupo, entre o pequeno saguão onde dialogávamos e as galerias. Ir e vir em que, uma a uma, as demandas eram descartadas. Esse movimento era também dos reféns, levados e trazidos do interior das galerias, em rodízio, para poupá-los um pouco do estresse extremo que experimentavam quando ficavam amarrados aos botijões.

Do ponto em que estávamos, víamos o ritmo ansioso das manobras na portaria. Forças policiais para cá e para lá. Soldados do BOPE ensaiando suas coreografias esquisitas. A ordem dos guerreiros exercitando músculos e espírito. Sabor do sangue na boca, salivando e saltitando no canto do ringue, e encarando os inimigos a distância com o olhar animal dos predadores. Rádios, celulares, vozes em desarmonia quase frenética. Esse cenário externo contrastava com o vácuo de acontecimentos que desacelerava nosso desassossego, no posto avançado em que eu, Huber e o capitão esperávamos mais um retorno do Russo para mais uma rodada de testes à nossa paciência chinesa e à nossa inabalável firmeza.

A orientação geral era muito clara: nada se faria sem o assentimento do Lima Neto e do Huber. Eu era carta fora do baralho, porque não tinha autoridade nem delegação institucional. Quem ou o que eu representava? O bom senso humanista? A confiança recíproca como valor? A vantagem da palavra sobre a violência? A primazia da conversa sobre a morte? A sociedade civil? As ONGs? Os direitos humanos e seus militantes? De fato, eu não estava ali designado por nada ou ninguém. Havia uma certa rotina nessas crises, e ela era quase imperceptivelmente seguida pelos dois lados aos quais eu prestava um serviço. Por isso, mal recebia a convocação para intervir em uma rebelião prisional, Lima Neto me ligava. Da mesma forma, os líderes das insurreições de encarcerados exigiam minha presença. Curioso, não é? Até o inesperado, o explosivo, o que precisa da surpresa para existir acaba obedecendo a um fio incontornável de rotina, uma espécie de padrão oculto que os raios X exibiriam.

Na última vez que tinha ido à portaria, Huber trouxera a perturbadora notícia de que o comércio estava fechando as portas mais cedo em vários bairros da cidade, com medo de um ataque do tráfico, que seria iminente, segundo boatos cuja força só fazia crescer ante a indefinição de nossas negociações. Seria a onda de boatos uma chantagem contra nós? Mais uma ameaça, além dos reféns? Claro, com toda a certeza. Mesmo assim, nós três não recuaríamos um milímetro, ou perderíamos o controle, e as consequências seriam desastrosas. Para todos os lados.

Anoitecia. A movimentação externa, que já fora intensa e se reduzira, voltava a se intensificar. Comecei a me preocupar seriamente, ainda que soubesse que não haveria invasão enquanto estivéssemos dentro da penitenciária. Huber já saíra e voltara duas vezes. Ou seja, ninguém, lá fora, tinha dúvidas de que pelo menos nós, os negociadores, estávamos bem. Mesmo assim, a confusão aumentara muito, assim como o número de policiais. Havia um alarido perturbador e crescente, quase um frenesi, diante de Bangu 1.

Foi quando me lembrei de que faltava pouco para as eleições. As fichas começaram a cair: claro que os políticos não atenderam a meus pedidos para visitar a penitenciária. A visita poderia ser usada eleitoralmente contra eles. Imagina se a visita vazasse e chegasse às notinhas maldosas dos jornais. Ao mesmo tempo que compreendi a omissão dos deputados, todos candidatos à reeleição, fiquei ainda com mais raiva de todos eles e de toda a máquina infernal do capitalismo e da política burguesa. Tudo se resume à eleição. Até a pusilanimidade é calibrada pelo relógio eleitoral. Que coisa nojenta. E as fichas não pararam de despencar em minha cabeça. Uma tempestade de descobertas óbvias e inquietantes. Superinquietantes.

Sabe o que, em um estalo, compreendi? A movimentação lá fora era o sintoma de outra agitação bem mais grave e perigosa, que deveria estar acontecendo dentro do gabinete da governadora, no palácio. E era isso mesmo o que naquele exato momento estava ocorrendo, meu amigo. Lima Neto depois me contou. Ele era muito ligado ao chefe da segurança da governadora, que circulava com facilidade no gabinete porque conquistara sua confiança e também porque era íntimo do chefe da Casa Militar. Pois Neto confirmou que meus temores não eram infundados. Não se tratava de paranoia. O governo aquecia os motores estudando seriamente a hipótese de invasão. E à medida que se aproximava a hora do *Jornal Nacional*, o cronômetro político corria na contramão da vida dos reféns e dos rebelados em Bangu.

O assunto já saltara das páginas policiais para as manchetes dos primeiros cadernos e para os destaques nas rádios e TVs. A abordagem de William Bonner e Fátima Bernardes, na TV Globo, às 20h15, em rede nacional, alcançando dezenas de milhões de espectadores, talvez decidisse a sorte do governo nas eleições. Era o teste final: como reagiria um governo de esquerda a uma rebelião penitenciária? Na realidade, era muito mais que isso. O que estava em jogo era saber se a governadora teria ou não pulso para enfrentar o crime que aterrorizava os fluminenses. A resposta exerceria impacto até mesmo nas eleições presidenciais, porque anteciparia o tipo de postura que se poderia esperar do maior partido de esquerda do país, cujo candidato presidencial tinha chances reais de vencer. Sobre a mesa da governadora estavam crime, medo, impunidade *versus* segurança, segurança e segurança. Como se sairia a esquerda ante o desafio dos criminosos? Optaria pela mão na cabeça ou pelo dedo no gatilho? Esse jogo se complicava mais ainda porque no governo estava uma mulher, e as mulheres são associadas, em nossa cultura, à mão na cabeça, à tolerância. Mulher é igual a mãe; e maternidade, igual a cuidado e perdão. A mentalidade machista brasileira prefere segurança a cuidado, e confunde justiça com punição. Bom, acho que você não concorda, mas, enfim, depois discutimos isso.

Essa é a cabeça da maioria dos brasileiros — talvez seja a sua também, mas não tome isso como desrespeito. E até de muitas brasileiras. E o jogo político que estava sendo jogado era coisa de profissional, briga de cachorro grande. Não tinha nenhum ingênuo ali no meio da muvuca. O que estava em disputa era o poder. No Rio e, indiretamente, nos demais estados. Um erro ou um acerto em nosso estado, celebrado ou lamentado no *Jornal Nacional*, poderia fazer a diferença em muitas eleições estaduais e até na disputa presidencial. Por isso, conforme Lima Neto me confidenciou algum tempo depois, um peso pesado nacional do partido participou por telefone da decisão que estava sendo gestada no QG do governo do estado do Rio.

Será que as pessoas no governo, o secretário de Segurança, a própria governadora seriam loucos a ponto de cometer uma barbaridade? Eles não têm esse perfil, pensei comigo. Não têm, mas a política manipuladora no sistema capitalista transforma as pessoas. As perspectivas do poder produzem mutações profundas. Por um lado, convenhamos, não faria o menor sentido sujar a biografia com sangue quando tudo o que se tem a fazer é esperar, porque a rendição dos rebelados é líquida e certa e vai cair nas mãos do governo e da polícia como fruta madura. Não seria por algumas horas que se trocaria a paz de espírito. A governadora passaria a vida inteira explicando a precipitação. Não só ela. O secretário também, e o comandante da PM. Eu me recusava a acreditar que não restasse um mínimo de racionalidade naquelas pessoas. Apesar de tudo, acredito na razão humana. Acho que ao fim e ao cabo faz-se a luz. O que é racional acaba prevalecendo.

Mas não é isso que a história ensina, meu caro amigo. Para falar a verdade, pensar na razão foi um jeito de me acalmar, de convencer a mim mesmo de que não haveria motivo para pânico. Não deu certo. Não me convenci coisa nenhuma. A descarga de adrenalina foi brutal e implodiu meu estilo zen.

Em resumo, eu passei a interpretar toda aquela excitação lá fora com um súbito tremor que me embargou a voz. De tal maneira que, quando Russo voltou para mais uma rodada de conversa, eu engrossei e resumi a ópera:

— Vamos parar com a farsa, Russo. Chega de idas e vindas e consultas. Vocês só tem uma saída: aceitar ou aceitar. Não tem jeito, Russo. Vamos encerrar nosso jogo aqui, porque lá fora o bicho está pegando.

Ele estranhou meu tom. Baixou os olhos. No fundo, devia estar sentindo mais ou menos o mesmo que eu. Huber e o capitão me olharam com um misto de espanto e identificação.

— É isso aí, cara — disse Lima Neto, encarando o Russo.

— Dá uma espiada — disse eu —, e vê se aquilo significa alguma coisa pra você.

Russo se esgueirou e percebeu que a presença policial tinha se multiplicado e que os ânimos pareciam exaltados. Alguma coisa está errada, ele deve ter pensado.

— Rapaz, vamos resolver isso de uma vez. Nenhum de nós tem muito tempo. Os caras podem querer fazer uma loucura — disse Huber.

Ainda bem que ele disse loucura, eu pensei. Graças a Deus. Isso queria dizer que ele também achava a hipótese da invasão uma maluquice completa. Ele tinha experiência suficiente para compreender que a invasão desencadearia inevitavelmente um massacre. Era esse tipo de argumento que ocupava minha consciência e me ajudava a me controlar e a domesticar o medo. Puxa, cara, como me custou chegar até esse ponto e empregar a palavra certa no lugar certo: era medo mesmo o que eu sentia. Dá certa vergonha dizer isso. Mas, que diabos, sou um sujeito como qualquer outro. Tenho medo, sim. E tive muito medo. Com você posso abrir o coração. Não sei o que estava passando pela cabeça do Neto, do Huber, do Russo, dos outros líderes da rebelião que o cercavam. Quanto a mim, não havia dúvida. Depois de vários dias meio inebriado com a dor e o mistério da separação de Fabiana, eu voltava à terra de corpo e alma. A letargia, os óculos escuros, a nebulosa entorpecente que me envolvia desde Porto Alegre desapareceram. Foi preciso sentir medo para acordar. O medo foi a âncora que me trouxe de volta à terra, integralmente, em pensamentos, palavras e obras, imaginação e sentimentos.

Finalmente, ali estava eu de novo inteiro e inteiramente devotado ao momento que vivia, à respiração, aos sobressaltos, a todos os poros do acontecimento em que estava mergulhado. O fantasma da separação tinha sido exorcizado. Engraçado como o medo pode servir de fio terra e ligar a gente à vida. Toda a minha energia agora se concentrava na missão a cumprir. Sabe o jogador na hora do pênalti, numa final de Copa do Mundo? O joelho que latejava até um minuto antes não existe mais. O que existe é o destino à sua frente, à espera do movimento do corpo no espaço. O tempo para, você corre na direção da bola e esquece que as articulações do joelho estão arruinadas. Mais tarde elas vão lembrá-lo que continuam lá. Vão alardear a ruína e não lhe darão sossego. Mas na hora de cobrar a penalidade máxima, não há dor que ouse se meter entre você e seu destino.

Russo intuiu minha angústia. Leu meu semblante. Ela devia estar estampada em letras garrafais. Os sinais de alerta piscavam nos olhos do Huber. Lima Neto permanecia impassível. Afinal de contas, pode-se dizer que não dar bandeira era seu ofício. Russo percebeu que não havia mesmo tempo a perder. Bancou o acordo. Disse que devolveriam armas e reféns ao amanhecer (no escuro nem pensar), mas não abriam mão da presença da mídia e, como sempre, exigiam nossa promessa de que não seriam ultrajados. Esculachados, foi o verbo que ele usou.

Você sabe muito bem a que se refere: porrada, tortura, humilhações, etc... Ou seja, penas extrajudiciais, muito frequentes no universo prisional. Aliás, o próprio cumprimento da pena em geral corresponde à execução de uma sentença adicional não pronunciada, do tipo: serás submetido aos efeitos da superlotação carcerária, a temperaturas extremas e odores repulsivos; contrairás tuberculose, outras moléstias contagiosas e alérgicas, especialmente as doenças sexualmente transmissíveis; não receberás atendimento médico nem jurídico; não terás acesso a alimentação e condições de higiene dignas; tua família sofrerá vexames nas visitas; perderás o direito à privacidade e serás privado dos mais primitivos vestígios de respeito, dignidade e autoestima.

Eu previa que teríamos problema nos dois itens: o "no escuro nem pensar" e o "nada feito sem a mídia". É fato que, a menos que se empregue a força, nenhuma rebelião é suspensa à noite. Por um motivo muito simples: se o maior temor dos presos é o esculacho, a luz é seu principal aliado e sua única defesa. Por outro lado, a imprensa, que quase sempre cobre eventos dessa natureza sem maiores problemas e sem grande resistência por parte da polícia e do governo, naquele caso poderia representar, sim, uma ameaça inaceitável para as instituições do Estado.

Explico: se houvesse mesmo um namoro com alguma solução final do estilo Carandiru, a ação se tornaria impraticável com o acompanhamento ao vivo e em cores pelas TVs. Uma incursão sangrenta assistida por milhões de famílias provocaria forte aversão popular, enquanto manchetes assépticas, sem fotos ou imagens, garantiriam amplo suporte na opinião pública. Imagina as pessoas lendo ou ouvindo frases do seguinte tipo: "Governo restabelece a ordem: presos morrem em confronto; reféns não sobrevivem à rebelião"; "Governo não se submete à chantagem dos criminosos e restaura a lei e a ordem"; "Estado de direito prevalece; vândalos causam morte de reféns e morrem". O efeito é completamente diferente daquele que seria produzido pela transmissão ao vivo do massacre, diretamente para a sala de jantar dos brasileiros. Diz o ditado: o que os olhos não veem...

Ainda que enfrentássemos resistências do lado governamental, nos cabia selar o acordo. Tudo bem. Aceitamos as condições dos presos, desde que eles cumprissem sua parte.

Em nome de seu grupo, Russo nos perguntou que garantias eles teriam de não serem esculachados quando se rendessem.

— Nossa palavra — disse eu.

— Ninguém vai esculachar — disse Lima Neto, como que carimbando o que eu tinha dito.

Voltei à carga:

— Mas então para de esculachar os reféns. O que vocês estão fazendo é covardia.

Russo me olhava sem nenhuma expressão, mas eu adivinhava o que sentia.

Huber parecia atônito, fitando os reféns amarrados aos botijões.

Outro preso com longa história de liderança cobrou um posicionamento do diretor, virando o rosto em sua direção e elevando as sobrancelhas. Huber balançou a cabeça, sinal de que concordava comigo e com o capitão. Subitamente, como que despertando, jogou de volta na roda a mesma pergunta:

— Como é que nós vamos saber que vocês vão mesmo se render e não fazer nenhum mal aos reféns?

— Palavra de sujeito homem é uma só. Papo reto — respondeu o preso.

Eu também me apressei em responder ao Huber:

— Aqui não tem garantia nenhuma, diretor, além da palavra. Tudo se faz na base da confiança. Se houver traição, nunca mais haverá negociação. As mesmas regras valem para todos.

O olhar de Huber endureceu. Ele pensou alguma coisa que preferiu engolir. Talvez fosse "que crédito pode merecer a palavra de assassinos?".

Pois bem, convocaríamos os repórteres e aguardaríamos o amanhecer. Às seis horas, nós três voltaríamos para uma visita ao estabelecimento, porque os rebelados faziam questão de que víssemos o estado da unidade, e sairíamos com os reféns. Assim que chegássemos à portaria, os presos jogariam suas armas no pátio, concluindo o ritual da rendição. Em seguida, já sob o comando dos agentes, sairiam um a um para o pátio, de modo a que a unidade fosse vistoriada pelos técnicos e as providências, tomadas para transferir os presos — todos ou alguns — ou passá-los de uma galeria para outra.

Antes de sairmos, Lima Neto conseguiu convencer Russo e seus dois companheiros a liberar dois reféns como prova de boa vontade. Eles sairiam conosco, imediatamente. E, como confirmação do acordo, mais dois reféns seriam liberados à meia-noite.

Finalmente, atravessamos o pátio e chegamos à portaria, mas isso não me tranquilizou. O desconforto perdurou. Aos poucos, agravou-se, à medida que percebia que Huber e Lima Neto iam ficando mais tensos nas conversas que travavam com o comandante-geral da Polícia Militar e o coronel que comandava o BOPE. Coube a ambos negociar nossa parte do acordo com seus superiores. A resistência à mídia me parecia um sintoma claro do que eu mais temia. Negociar com presos rebelados é fácil. Difícil é bloquear as pressões políticas e impedir que o Palácio do Governo entorne o caldo. Uma invasão não faria nenhum sentido. Precipitaria uma carnificina, em que os reféns seriam os primeiros a morrer, sem nenhum motivo. Se fazia algum sentido antes, tinha deixado de existir quando retornamos à portaria com o acordo selado. Por que preferir a carnificina à espera de algumas horas pela rendição já prometida? O motivo que restara não tinha a ver com Russo, presos amotinados, reféns ou Bangu, mas com as eleições e a mensagem que uma governadora fraca e titubeante emitiria para reverter o quadro político a seu favor.

Meu caro amigo, ao contrário do senso comum, eu acho mais legal, mais inteligente e talvez mais sábia a pessoa que hesita do que aquela que tem sempre uma resposta pronta na ponta da língua e dispara decisões com a certeza mecânica de um computador. Quem demora um pouco mais costuma pesar melhor as coisas, identificar-se com as diferentes e contraditórias posições em conflito, passar de um lado ao outro e imaginar causas e consequências de cada opção. Essa pessoa ouve mais os outros, é muito mais prudente, admite que tem menos certezas e, por isso mesmo, tende a fazer menos mal aos outros do que o sabe-tudo que julga rápido e decide sem titubear.

Mas tenho de admitir que, no governo, hesitação demais tende a ser antes um defeito que uma virtude, porque o tempo produz efeitos e a demora expõe o processo à ação de predadores. Por isso, a situação me assustava demais. Os sinais que vinham do palácio eram contraditórios. A boataria repercutia e ampliava ainda mais as contradições.

O relato do amigo de Lima Neto, ao qual só tive acesso depois, bem depois, confirmou minhas piores expectativas: a governadora não sabia o que fazer. Chorava, evocava as dificuldades de governar, os sacrifícios que o fardo de governar lhe impunha, e invocava a luz divina. Chegou a rezar com o secretário de Segurança e os auxiliares mais próximos, pedindo inspiração a Deus. É por aí que se abrem as brechas por onde penetra o diabo. E foi o diabo que soprou, por telefone, a decisão no ouvido da governadora. Do interior de São Paulo, veio a orientação firme de seu padrinho político, um experimentado militante da esquerda revolucionária, curtido na grande marcha da burocracia partidária, que nunca perdera o charme juvenil nem o ar hierático de comandante. O que é que se poderia esperar de um velho stalinista? Um stalinista não hesita nunca, para o bem ou para o mal. O recado era cristalino: "Morte aos párias, aos contrarrevolucionários, aos rebelados de Bangu."

Mentira. *Il padrino* não fala assim. Ele provavelmente foi mais coloquial. Deve ter dito algo como: "Fuzila os filhos da puta. Eles querem foder a gente. Ou você acha que uma rebelião perto das eleições acontece por acaso? Claro que estão recebendo grana ou promessas de vantagens dos nossos inimigos políticos. Ou você mata esses bandidos ou eles nos aniquilam."

Meu amigo, quem vive 24 horas por dia no mundo intoxicante do poder acha que tudo faz sentido no xadrez da política e que tudo se resume à política. Nada escapa à sua lógica. Essa é a raiz da inteligência do padrinho — digo, do diabo —, e essa também é a origem de sua famigerada paranoia. Não é diferente dos fanáticos religiosos, que explicam tudo o que existe pelas fórmulas da doutrina: do sabão às galáxias, do mau hálito à camada de ozônio, do assassinato à fecundação do óvulo. No pensamento político autoritário e na fé dogmática religiosa, tudo se relaciona com tudo, não há acaso ou combinações fortuitas, não há acidentes da natureza e assimetrias. Não. Tudo é um, em perfeito equilíbrio. Tudo faz sentido e está contido na teoria geral. E o futuro é certo; só o passado é duvidoso — e muda conforme a conveniência da hora. Para mim, isso é coisa de stalinista. Marx não pensava assim. Apesar do que fizeram em nome dele, suas concepções são muito mais sofisticadas e abertas. Mas quem sou eu para me meter a doutrinar você?

O amigo do Lima Neto, evidentemente, não tinha como ouvir o que de fato disse o maestro político que falava ao telefone com a governadora, do interior de São Paulo. Mas ouviu a resposta da boa senhora: "Será nosso

Carandiru! Como é que eu vou pendurar uma carnificina na minha biografia? Vai ser o Carandiru da esquerda." Isso ela realmente disse, alto e bom som. Entretanto, calou-se ante algum argumento avassalador que ouviu por cinco intermináveis minutos, findos os quais despediu-se, desligou o telefone e determinou a seu secretário que contatasse o comandante-geral da PM e, diretamente, o comandante do BOPE e lhes transmitisse a ordem, uma ordem expressa da governadora: invadam Bangu 1. A mulher pôs-se a orar, aos prantos. O secretário não gostou da decisão, mas não se furtou a obedecer.

Veja que tudo está no tom de voz. A veemência do insulto e também da certeza exaltada é mais fraca do que o desfiar sereno da frase límpida, cristalina. Justamente por isso, a violência anunciada num murmúrio é muito mais perversa. Imagina alguém ordenando aos gritos um massacre. Agora pensa nesse mesmo comando sendo transmitido num sussurro, ao pé do ouvido. Não é mais cruel? Não soa mais duro, exatamente porque mais frio? Acho que soa mais duro porque um conteúdo violento é contraditório com a voz baixa e o tom sereno, que são o suporte por excelência do diálogo, da tolerância, do respeito, da disponibilidade para ouvir o outro. Quando a gente fala baixo com alguém, em certa medida autoriza a pessoa a intervir, participar da conversa, dizer alguma coisa, tomar a palavra. A exasperação que em geral vem casada com o grito é um esforço gigantesco de ocupar todo o espaço e não deixar nenhum lugar para o outro.

Eu estava elétrico desde que a realidade despencou na minha cabeça com clareza, ou, para ser mais exato, com os mil faróis do medo. Lima Neto e Huber consultavam seus superiores e não me restava senão esperar e torcer. E rezar. Tentei ocupar o tempo com especulações sobre o tom de voz. Me ocorreu naquele momento uma coisa interessante: o tom da voz desaparece nas comunicações que fluem pelos canais hierárquicos. Tudo se resume ao "sim" ou "não" da máquina humana, que manda e obedece sem emoções. Portanto, ali, na frente de Bangu 1, coração aos pinotes, garganta apertada, cabeça estalando, ali o tom de voz não fazia sentido e nenhuma filosofia fazia sentido, nem minha pequenina dor pessoal fazia sentido, e Fabiana era um detalhe, e minha vida inteira, nada. Lembrei dos olhos dos reféns, imaginei o pavor, a impotência, e me entristeci com meu jeito de pensar neles sempre no plural, como um grupo, quase uma abstração, generalizando o que é individual e intransferível: o sofrimento e o medo da morte.

Heber e Neto não vinham com a notícia. O rio de especulações corria a meu lado, onde quer que eu estivesse. Muita gente uniformizada se aglomerava e mesmo assim eu me recordava que o tom de voz de meu pai era alto quando ficava furioso e me chamava pelo nome completo. Os gritos dele eram a pior parte, muito pior do que a dor da porrada.

Depois de começar a semana em Porto Alegre ouvindo a voz terna e serena de Fabiana, carregada de morte; depois de aterrissar no Rio de Janeiro e ouvir o relato sereno de Cileno, carregado de morte; depois de passar horas negociando a vida, em voz baixa, mantendo os sentimentos em baixo-relevo e fogo brando, eu temia ouvir, na insípida e disciplinada voz do comando militar, a ordem política da invasão. O diabo também fala baixo. E a morte se infiltra na voz plácida.

Engraçado eu pensar essas coisas naquele momento. A mente de quem está atormentado é a casa depois da inundação: a gente entra temendo o que vai encontrar e se agarra a tudo o que resistiu à devastação, mesmo que seja irrelevante.

Lima Neto, enfim, vinha em minha direção. Ao mesmo tempo, os policiais começaram a entrar em forma. O quadro se compunha para algum movimento organizado. O capitão se aproximou, me conduziu a uma área em que podíamos conversar em particular. Os agentes penitenciários correram, de repente, para a frente da portaria, deram-se os braços e montaram uma barreira humana. A coreografia era eloquente. O que ela dizia era óbvio: "Não passarão. Vamos resistir. Não seremos cúmplices do assassinato de nossos companheiros. Os reféns não serão sacrificados. Vocês só vão invadir passando por cima de nossos cadáveres." Deduzi que tudo tinha dado errado. Que nossa negociação não seria respeitada.

Lima Neto não precisou pronunciar uma palavra. A ordem da invasão, deduzi, saltara do palácio para a consciência dos comandantes da PM e do BOPE, conduzida pelos elos da cadeia hierárquica, e já começava a agitar as patas mecânicas do Estado, prontas a esmagar os inimigos.

— Não — disse o capitão —, não vão invadir.

— E essa agitação?

— Não vão.

— Por que os agentes estão barrando a passagem?

— A ordem veio, mas não será cumprida.

Fiquei pasmo. Não foi à toa que usei a palavra "consciência". Eles, cadeia hierárquica, mecanismos e suas patas: esse vocabulário é dissonante com a ideia de consciência, a qual supõe alguma dose de liberdade, de reflexão autônoma, de espírito crítico, de responsabilidade individual — e não apenas funcional. Senti um orgulho danado daqueles homens. De um instante para outro eles se transformaram em heróis épicos à altura de seu tempo, mais do que simplesmente profissionais. Tive vontade de abraçar Lima Neto. Acho que ele sentia o mesmo. Disse o capitão:

— A governadora mandou invadir, mas o comandante-geral da Polícia Militar e o comandante do BOPE assumiram juntos a responsabilidade de desobedecer. Quem dirige as tropas são eles. Quem manda aqui são eles. Não vai acontecer nada.

— E o acordo que negociamos?

— Vai ser respeitado.

Neto bateu de leve no meu ombro e voltou ao trabalho. Os repórteres chegariam em breve. Era preciso acalmar os ânimos e ensaiar um discurso harmônico, que ocultasse a desobediência. Essa harmonia não me incluía, claro. Os oficiais e as autoridades que se entendessem. De todo modo, para não atrapalhar os comandantes que se negaram a obedecer, para não criar uma situação delicada que pudesse enfraquecê-los e até provocar uma reviravolta, decidi não contar aos repórteres que o Brasil estava diante de um escândalo político e militar. Se os jornais vinham caçar histórias extraordinárias e manchetes chocantes, tinham um prato cheio: duas sublevações, a dos presos e a dos coronéis. Só que a sensatez e o respeito à vida que sobravam nos segundos faltavam aos primeiros. Por outro lado, rebelião de preso acontece a toda hora, enquanto a desautorização de uma governadora daquele jeito e naquelas proporções...

Situações desse tipo nos ajudam a ver que desobediência — à lei ou à hierarquia, ou à ordem superior — quer dizer muito pouco fora de contexto e sem o exame cuidadoso de seu conteúdo. Pode ter significados opostos. Para mim, o que vale mesmo é a lei que está por baixo das leis: o respeito à vida e à dignidade de cada ser humano. A essência dos direitos humanos. Sua alma, que o capitalismo esmaga.

Eu não diria nada à imprensa. Entretanto, meu amigo, nada me impediria de contar a verdade depois que o dia amanhecesse e os presos tivessem cumprido a promessa de libertar os reféns, depois que eles estivessem realocados em segurança, sem riscos de retaliações e sem esculacho, conforme combinado.

O fato de alcançarmos uma solução negociada e pacífica, com menos danos, não negava o fato de que estivemos à beira do abismo. Pior: não negava o fato de que fomos empurrados para o buraco pelo governo. A polícia, tantas vezes vilã da história, salvou-nos. Salvou até a biografia da governadora. Contra a vontade dela.

Naquela noite, esperando amanhecer, eu duvidava que ela tivesse coragem de exonerar o comandante-geral da PM. Não o faria durante a noite com a cidade em sobressalto e a situação de Bangu 1 ainda por um fio. E tampouco o faria após o final daquele filme de terror. Se ela exonerasse o coronel comandante da Polícia Militar, os jornalistas fuçariam os motivos e acabariam descobrindo o rastro que conduz ao bate-cabeças da véspera. Por outro lado, lavar as mãos, fingir que nada aconteceu, não exonerar o coronel, isso era um sinal de que o governo não existia mais. Tinha acabado junto com a rebelião. Sua autoridade tinha ido para o espaço. Minha intuição me soprava que o comandante não cairia.

Você não acha que há um lado cômico em tudo isso? Pensa bem. A cena tinha um quê de pastelão: a governadora toma a decisão errada, ouvindo um político de outro estado, que não tem a menor noção do que está acontecendo, que não conhece o Rio, nada sabe sobre a criminalidade, que não teria de arcar com as consequências da decisão e que, mesmo assim, sentindo-se acima do bem e do mal, não hesita em desconsiderar solenemente os valores de seu partido e recomendar uma ação que passara a vida criticando. A honorável senhora chora, reza, vacila e acaba escolhendo o pior caminho. Em seguida, não consegue fazer com que sua ordem seja cumprida. Erra e não tem força para implementar o erro. Duplamente incompetente. Bem... graças a Deus, meu amigo. Antes assim. Um brinde ao coronel!

De manhã cedo, não houve comédia alguma. Fiz um passeio no trem fantasma. Às seis da manhã, Lima Neto, Huber e eu atravessamos o pátio. Tinha chegado a hora da visita de inspeção que ficara acertada, após a qual os reféns seriam liberados e as armas, entregues. Depois que mais dois reféns foram liberados conforme o combinado, à meia-noite, nos encostamos e cochilamos em bancos da portaria, no tapete e no sofá da sala de recepção. O tempo se arrastava entre um café e outro, trazido por boas almas da polícia e da imprensa. Dormi duas horas, se tanto. Tensão esgota qualquer um e a gente acaba adormecendo independentemente das condições. Nem por isso eu sentia cansaço ou sono. A adrenalina do último capítulo da epopeia não permitia.

Os olhos do Russo estavam vermelhos quando nos recebeu. Ele seria o principal guia do tour macabro. Os reféns foram reunidos na galeria. Ele e um camarada alto que eu nunca tinha visto nos indicaram o caminho e nos acompanharam. Russo na frente; o sujeito atrás. Quando passamos por esse sujeito, ouvimos o som característico da escopeta sendo engatilhada. Huber apertou o gatilho verbal, veloz no raciocínio:

— Engatilhar escopeta é mole. Quero ver servir café.

— Abaixa essa porra. Vai buscar um café — Russo ordenou.

O sujeito alto trouxe o café frio e melado. Bebemos para postergar o encontro com o que não deve ser visto. O que é que eu podia fazer para não estar ali? Como desaparecer?

Seguimos adiante, galeria adentro, mergulhando mais fundo no cheiro insuportável de cadáveres em decomposição e carne carbonizada, que se mesclava ao azedume que impregna o olfato de quem visita qualquer cadeia no Brasil. Mergulhamos mais fundo no calor senegalês da Zona Oeste do Rio, incrementado pelo fogo alto daquele forno de cimento em constante erupção. Os presos rebelados estavam todos juntos na galeria do Comando Vermelho. Os poucos do Terceiro tinham sido deixados em paz e sua galeria estava fechada e silenciosa. Os membros do ADA que fugiram por trás para uma área externa cercada por muros altos permaneciam lá fora, do lado oposto à portaria, e não foram importunados. Na verdade, o CV não os matou porque não quis. Ao que parece, de seu ponto de vista bastava eliminar o líder, por motivos relacionados provavelmente à geopolítica do crime e a ódios pessoais. Por alguma razão que não alcanço, tendo fuzilado o líder, executaram também os homens que faziam sua segurança, ainda que, sem armas, não oferecessem perigo.

O que Russo fazia questão de mostrar não era a selvageria das execuções que seus parceiros do CV perpetraram, mas o estado lastimável a que os rebelados haviam reduzido as instalações. Se antes elas já eram inclassificáveis, agora o grau de devastação material inviabilizava sua utilização. A intenção era essa. O vandalismo tinha método e propósito. A transferência seria inevitável, ou os internos herdariam o caos.

Aliás, foi o que acabou acontecendo, pelo menos com os presos do Comando Vermelho. Os outros foram transferidos. Olha que paradoxo: os rebelados terceirizaram os benefícios e assumiram os ônus. Os inimigos é que acabaram se beneficiando da rebelião — quer dizer, os que sobreviveram.

Os que não sobreviveram estavam na última galeria. Quer dizer, o que restou de seus corpos. Você não gostaria de ver a cena. Nunca esqueci. Vou poupá-lo da descrição. Melhor não falar disso.

Imagino a cabeça do Russo, sabendo que seus companheiros, obrigando-o a ser um dos comandantes da rebelião, haviam jogado no lixo seus vinte anos de espera, minuto a minuto — recluso, você conta o tempo em conta-gotas. Ele se opusera à rebelião, tentara impedir as execuções. Mas quem vai ficar sabendo disso se ele nunca aceitaria admiti-lo?

Saímos rumo à portaria. Os reféns foram empurrados para fora, um a um. Em seguida, os presos jogaram as armas embrulhadas em um pano rasgado que, em outra encarnação, tinha sido um lençol.

Acompanhamos a vistoria a que agentes e policiais submeteram os presos, checando se todas as armas haviam sido entregues. Trabalho profissional, com respeito. Nenhum acidente de percurso. Missão cumprida. Hora de bater em retirada. Cumprimentei Huber. Lima Neto me levou até a viatura que me conduziria ao batalhão, onde o helicóptero me devolveria a Niterói. Agradeci mas optei por tomar um ônibus e ir direto para casa. Bastava a viatura me deixar em um ponto de ônibus. Não era dia de aula no cursinho em Niterói. Eu precisava descansar numa cama de verdade. Meio caminho estava andado: o pesadelo já havia acontecido; só faltava adormecer. Cheguei ao Jardim Botânico por volta das 15 horas. Tomei um banho, esquentei o prato, liguei o computador para ver se havia mensagens urgentes. Enquanto as mensagens entravam na caixa postal recostei no sofá.

Acordei às 5h30 da manhã seguinte. O dia amanhecendo, um torcicolo e uma fome monumental. A padaria devia estar abrindo. Fui até lá. Na volta, comprei os jornais. Trouxe o embrulho da padaria e os jornais enrolados. Passei o café e, finalmente, me sentei à mesa, diante da janela. Abri o primeiro jornal, e você não imagina o susto. Havia na capa uma referência à entrevista que eu dera na saída de Bangu 1, depois da rendição: "Negociador de Bangu denuncia governo." Ao lado, o editorial sob o título: "Governo sem autoridade e sem rumo", criticando a falta de pulso do governo que deixava a população à mercê dos criminosos, dentro e fora dos presídios. Abri apressado o segundo jornal. A notícia estava lá: "Governadora ordenou a invasão que não houve." E no terceiro também: "Coronel desobedece governo e evita Carandiru socialista"; "Insubordinação militar impede massacre".

Mais tarde voltei à banca para comprar dois jornais paulistas e o jornal popular que nunca leio: "Governo queria banho de sangue"; "PM salva a vida de assassinos mas não reprime vândalos que fecham comércio e aterrorizam a população"; "Queda de braço com PM abre crise no governo"; "Rebelião de presos, insubordinação militar, desordem urbana: governo fraco promove o caos".

Fui ao computador. Dezenas de mensagens. Liguei o celular: caixa de mensagens lotada. Repórteres de todo o país pediam retorno urgente. A TV Globo me queria ao vivo no *RJTV* 1 e 2, e no *Jornal Nacional*. Várias rádios solicitavam entrevista.

Na internet, líderes da oposição caíram como abutres sobre o governo e não dariam mais trégua. Os coronéis, comandante-geral da PM e comandante do BOPE, se negavam a comentar as notícias, e o palácio negava enfaticamente que as informações fossem verídicas. Amigos meus ligados ao partido do governo me pediam, nos recados, muito cuidado para que eu não fosse usado pelo oportunismo eleitoreiro da direita. Alertavam que, no partido da governadora, havia quem defendesse a tese de que eu estaria agindo sob orientação do principal partido de oposição e que minhas declarações tinham sido previamente combinadas com editorialistas dos jornais conservadores. Tudo se resumiria a um complô da mídia. Eu não passava de um idiota. Ou de um canalha. Ou ambos.

Mantive o celular desligado e não respondi aos e-mails. Fechei os olhos e evoquei Fabiana.

Não fiquei imune às críticas. Confesso que algumas me atingiram, porque eu próprio hesitei. Duvidei se tinha feito a coisa certa. Afinal, não se tratava apenas de falar ou não a verdade, mas de intervir nas eleições, alterando o resultado. E numa direção que provavelmente seria pior. Se a situação era ruim, com a oposição não ficaria melhor. Pelo contrário. Eu sabia disso. O que você faria em meu lugar? Aposto que teria ficado de boca fechada. Pelo menos até ter absoluta certeza sobre quais seriam as consequências. Eu deveria ter dado um tempo para amadurecer, assimilar o que aconteceu, avaliar melhor. Quando aceitei conversar com os repórteres — veja bem, era assim que eu via a coisa, uma conversa; claro que fui ingênuo, mas foi, de fato, o modo como vivenciei aquele momento —, estava sob estresse pesado, depois de uma noite em claro, saindo do trem fantasma, suado, sujo, faminto, a raiva à flor da pele — raiva dos assassinos que mataram de forma tão cruel seus companheiros de cárcere; raiva dos presos que empurraram Russo de volta para um destino funesto; raiva da governadora oportunista e pusilânime, de um partido que se diz de esquerda mas que adere ao mais atrasado e desumano da política burguesa; raiva dos policiais que extorquiram o Russo e o condenaram à morte em vida; raiva de Fabiana, e sabe-se lá do que mais.

Aos poucos voltei aos óculos escuros e à atmosfera narcótica dos dias que antecederam a overdose de adrenalina que Bangu me aplicou na veia.

Dois dias depois, a insistência do telefone me derrotou. Um repórter malandro mas boa gente, velho conhecido, queria saber se a convocação policial já havia chegado e quando seria o depoimento. Que depoimento? Que convocação? Quando joguei de volta essas perguntas, ele se mostrou mais perplexo do que eu.

— Não sa-be?

— Não sei do que você está falando.

— Marcelo, em que mundo você está? Você é o personagem do momento, a bola da vez, a história na boca do povo. A polícia está atrás de você.

Acho que ele percebeu, pelo silêncio, que eu de fato não estava brincando. Nem aquilo era tema para brincadeiras. Eu não fazia a menor ideia do que estava acontecendo.

— Hoje você vai estar no *Jornal Nacional*. É bom você falar, porque eles vão botar no ar a matéria com ou sem declarações suas. O mesmo está acontecendo nas rádios, nas TVs, nos blogs.

— Não sei do que você está falando.

— Sabe o que eu acho? Posso dar minha opinião? Posso? Acho que você devia falar. Falar com todo mundo. Começando por mim, claro. Fugir, se esconder, não adianta nada. As coisas só vão se complicando cada vez mais para o seu lado. Nessas horas, o melhor é falar e confrontar a versão oficial, por mais sólida que ela seja. Botar a cara a tapa. Pôr o bloco na rua. Mobilizar os amigos, os aliados... se bem que nessa hora eles somem, não é? Você é um cara querido, respeitado. Não pode entregar o jogo de mão beijada. Não pode se render sem luta. Se cair, pelo menos cai atirando, de cabeça erguida, entendeu? Tenho certeza de que suas intenções, no fundo, são as melhores possíveis. Ninguém está livre de um erro. Importante é mostrar que, se você incitou a rebelião, foi porque estava com a cabeça quente, sei lá, por alguma razão qualquer, e não porque tem vínculos com o crime, está associado ao tráfico ou representa interesses escusos, políticos ou não.

O silêncio se prolongava.

— Alô, Marcelo, você está aí? Alô.

— Espera. Espera. Isso é sério?

— Porra, cara. Seríssimo.

— Então me explica devagar. Começa do começo.

— Chegou à imprensa a gravação de uma conversa telefônica tua. Se você quer saber, foi a Secretaria de Segurança que vazou.

— Do meu telefone? Me grampearam? Autorizado pela Justiça?

— Não sei, Marcelo. Não sei se foi legal, nem se o telefone grampeado era o seu, mas a voz é sua, o jeito de falar é seu. Parece você. É você.

— E o que é que eu falei de errado?

— Pô, cara, você manda um traficante botar pra foder.

— Como assim? Foder o quê?

— Foder todo mundo. Sei lá, a cidade, o governo, o sistema penitenciário, a Justiça, a polícia, Bangu 1.

— Como assim, foder todo mundo?

— Arrebentando, explodindo. Botando pra foder mesmo.

— E quem diz isso é um traficante?

— Não, Marcelo, é você. Você diz isso pa-ra um tra-fi-can-te.

Depois de um momento, juntei as peças:

— Russo?

— Isso.

— Eu digo ao Russo...

— Manda ele botar pra foder.

— Eu dou ordens ao chefe do Comando Vermelho? Quer dizer, ao ex-chefe?

— Dá.

— Você está falando sério mesmo? Jura? Eu mando no Russo?

— Bom, Marcelo, não sei se você manda nele, mas no telefonema gravado é o que parece. No telefonema você manda.

— E você tem certeza de que sou eu mandando o Russo pôr fogo no circo?

— Isso mesmo. Agora você captou: fogo no circo.

— Fogo no circo? Eu digo isso?

— Não, Marcelo. Modo de falar.

— Sei. E o que mais eu mando ele fazer?

— Mais nada. Pelo menos na gravação é só isso. Pode ser que eles tenham mais. O boato que corre é que você estaria ligado a uma rede de jogadores de futebol e pastores evangélicos... Quer dizer, são duas linhas de boatos diferentes.

— Duas linhas de boatos? Boatos têm linhas? E já são duas?

— E-xa-ta-men-te.

— Uma linha é a da rede com pastores e jogadores, e a outra?

— A outra liga você a um complô político. Mas as duas acabam na droga.

— Entendi.

— O que você me diz?

— Rapaz, se minhas falas foram grampeadas e se eu sou tão perigoso a ponto de dar ordem a traficante, você não acha que a polícia já grampeou meus telefones?

— Com cer-te-za.

— Então o que você quer não é uma entrevista, é um depoimento.

Combinamos uma conversa em um boteco perto de casa. Eu precisava de um tempo para me refazer do susto e para me situar. Entrei na internet, dei um par de telefonemas e, no meio do fogo cruzado, recebi o chamado de Porto Alegre. Você sabe qual. Aproveitei para passar recados aos policiais que porventura estivessem na escuta. Eu era inocente. Aquilo era uma armação. Uma armação inominável. Se foi a Secretaria de Segurança que vazou, a armação veio de lá e com a chancela política do governo. Não precisei pensar nem um minuto para deduzir que a intenção era me desmoralizar e me empurrar para a defensiva. Só assim seria possível desacreditar a denúncia que eu fizera.

A voz de Fabiana me deixou ainda mais desestabilizado. Eu falei com ela pensando nos policiais me ouvindo, de forma que não falei com ela, entende? Foi me dando um desespero, porque não sabia como explicar a ela por que eu falava daquele jeito sem que os caras percebessem que eu lhes mandava um recado, ainda que isso fosse óbvio, ainda que eles certamente soubessem disso muito bem. Mas Fabiana não sabia e não tinha obrigação de saber, ainda que ela fosse bastante esperta. Talvez ela também tenha dito o que disse pensando o mesmo que eu, tramando uma armadilha para meus algozes, os arapongas.

Não consigo lembrar direito o que ela disse. Já tentei. Não consigo. Falou alguma coisa sobre o golpe que montaram contra mim e completou mais ou menos assim: "Logo você, a pessoa mais dedicada à luta pelo Estado democrático de direito que já conheci na vida. Logo você, o defensor dos direitos. O cara que é tão certinho que nem se gostasse usaria drogas para não financiar o crime e a violência. Logo você, o pacifista." Coisas assim. Legal ela ter ligado, ter falado tudo isso. Mas ela falou formalmente, sabe? Com cuidado, de caso pensado, como se estivesse prestando um depoimento em uma delegacia ou respondendo a perguntas em uma entrevista ao vivo.

As primeiras entrevistas que concedi — naquele momento eu até as provocava, porque senti que tinha de falar, tinha de contestar as acusações — acabaram jogando mais lenha na fogueira e aumentando a repercussão do caso. Os meios de comunicação se nutrem de polêmicas, e elas são muito mais atraentes do que acusações, ainda que estas também despertem muito interesse, sobretudo quando os personagens são como eu e Russo. Em síntese, eu deduzi que se tratava de uma escuta ilegal do celular de Cileno e que o alvo original era o Russo. Imaginei que a polícia estivesse trabalhando com a hipótese de que ele continuaria sendo uma peça importante nos esquemas do tráfico, o que significava que seus novos colegas da ONG provavelmente também estariam envolvidos. Eu entrei de gaiato. Ouvindo o celular de Cileno, garimparam ouro: a voz do próprio Russo. E a minha. Naquela conversa que mantivemos quando Cileno o visitou. O recorte que fizeram foi sensacional. Uma edição esperta. Vou ler para você a transcrição de um site muito popular na internet:

Poucos dias antes da rebelião de Bangu 1, em que foram barbaramente assassina-
dos quatro apenados, Marcelo Freitas, professor e conhecido militante de direitos
humanos, diz o seguinte ao traficante Russo, preso por porte ilegal de arma, depois
de ter cumprido vinte anos de reclusão: "...Tem de arrebentar com tudo mesmo.
Tem de explodir toda essa merda..."; "...Tem de botar fogo na cidade, tem de ex-
plodir loja, tem de matar qualquer um aleatoriamente, tem de criar um clima de
terror..."; "... Eu lhe dou minha palavra de que vou fazer tudo o que puder para
que isso aconteça, ouviu? OK? Segura a onda, meu irmão. Não fraqueje. Estamos
juntos. Boa sorte."

Quanto mais eu falava, pior ficava minha situação e mais visibilidade ganhava
o caso. O governo acionou sua máquina de notícias e pressões políticas. A
polícia avançou feroz. Um delegado disse que recebeu pelo correio, de remetente anônimo, a mesma gravação que estava circulando nas redações dos jornais, e antecipou que eu seria chamado a prestar esclarecimentos. Foi além:
era possível que eu viesse a ser indiciado.

Claro que eu sabia que o problema estava na falta de contexto, na retirada
dos trechos da sequência em que foram falados. No entanto, quanto mais eu
denunciava a manipulação e a falta de contexto, mais o delegado confundia
a opinião pública com provocações, críticas desqualificadoras e imprecações
indignadas contra "esse militante de direitos humanos que defende bandido,
faz apologia ao crime, incita rebeliões, subverte a ordem e promove o terror".
Reagia com irritação quando repórteres diziam que eu cobrava a falta de contexto: "Que contexto? Interessa o texto. Quero saber é se o texto, se o que ele
disse foi ele mesmo que disse ou não. Foi. A perícia mostrou que sim. Não resta a menor dúvida de que aquilo foi dito. Pois aquilo tem valor em si. Quem
conclama os outros a praticar atos criminosos, atos de terrorismo, é um criminoso sem escrúpulos. É cúmplice da barbárie. Quero saber o seguinte: o sr.
Marcelo Freitas disse ou não disse aquelas coisas absurdas? Disse. Isso basta.
Vai ser indiciado e vou pedir a prisão provisória. Está provado: ele participou
da rebelião que depois fingiu ajudar a controlar. Quem fez isso apronta outras. Esse homem livre é um risco para a segurança pública."

Chegou o dia de prestar o depoimento formal. Uma multidão de repórteres
se acotovelava diante da delegacia. Eu detestava a ideia de recorrer a um ad-

vogado, mas amigos me convenceram. Fabiana não telefonou outra vez. A conversa provavelmente não tinha soado estranha só para mim. Ela enviou um e-mail conciso: "Não perca a fé. A verdade vai prevalecer. Beijo, F." Um pouco formal demais para o meu gosto, para a minha ansiedade, considerando-se o contexto anterior, a intimidade que compartilhávamos. De novo, o contexto. Na delegacia, só falei de contexto e manipulação. O delegado queria me indiciar, mas meu advogado, velho de guerra, foi muito hábil e empurrou qualquer decisão para mais adiante. Exigiu perícia na fita e sustentou que, de todo modo, a gravação era ilegal. Portanto, não poderia constar no inquérito. Garantiu minha liberdade. Provisoriamente. Se bem que o estrago estava feito e o objetivo do governo tinha sido atingido. Não queriam me prender. Não havia bases legais pra isso. A intenção, como eu disse, era me desmoralizar.

Os parceiros da entidade em que eu trabalhava, os colegas do cursinho de Niterói, muita gente ligou prestando solidariedade, reafirmando a confiança em mim e a certeza de que, no final, eu esclareceria os fatos. Ou seja, por mais fiéis que fossem, eu sentia que havia naquelas manifestações uma certa ambivalência. Até no espírito dos amigos persistia a dúvida. E caberia a mim, não à polícia, esclarecer.

Meu advogado fazia comigo exercícios de memória para que eu tentasse reconstituir o conteúdo completo da conversa com Russo. Cileno dispôs-se a me apoiar por todos os meios. Ele é o tipo de amigo que foge com você ou ataca a seu lado. A lealdade em pessoa. De cara feia e tudo. Grande Cileno. Prometeu reconstituir a conversa na outra ponta, ouvindo Russo. O advogado convenceu-o de que não seria uma boa ideia.

Minha vida estava de pernas para o ar. Passei umas 72 horas que superaram em desgaste a noite da rebelião. Mesmo assim não rivalizaram com a noite de Porto Alegre, porque esta se instalava ainda mais fundo, em um registro quase arqueológico de minhas emoções primitivas.

Paradoxalmente, a crise com Fabiana me ajudou a enfrentar com mais desapego e destemor a tentativa de assassinato moral que sofri. Explico: desde que cheguei do Sul, uma camada de mim mesmo, aquela que a gente chama vaidade, orgulho, sei lá, tinha sido raspada. Não me pergunte por quê. Não sei. O fato é que se desfez. Talvez tenha apenas perdido o sentido e a função. Por isso, a dor provocada pelo ataque da polícia, dos jornais, do governo acabou sendo menor. É como se o ataque tivesse atingido a verdade, o senso de verdade, e agredido o nervo que me conecta à justiça, à ideia de justiça, ao sentimento de justiça. O ataque me feriu por inteiro, claro. Causou tremenda indignação. Mas não afetou a camada em que se concentram a vaidade, o apego, a idolatria do ego. Eu era um homem sem vaidade, convivendo com a perda mais essencial, o limite extremo, isso que a gente chama de morte e que não é nada senão esquecimento. Nada podia ser tão importante, tão decisivo. Quem puxava as cordas era Fabiana, a relação com ela e o que eu tinha sido naquela relação. O jogo do meu destino eu passara a jogar de modo inteiramente diferente. Não me peça para explicar. Talvez nem seja preciso. Talvez você entenda muito melhor do que eu. Talvez para você já não haja esse mistério.

Quatro e meia da manhã. Insone, eu não adormecera antes das três. O interfone berrou até me trazer de volta à vigília. Corri até a cozinha.

— Abre essa merda, porra.

Cileno não estava de bom humor. Àquela hora da madrugada, uma visita era implausível. Imaginei que ele viria me resgatar antes que a polícia chegasse. Ele tinha fontes nas polícias e devia saber que o delegado tinha encontrado um jeito de justificar, judicialmente, minha prisão. Uma operação espetacular talvez estivesse sendo armada. Cileno também tinha fontes excelentes na televisão. Operação policial sem mídia não interessa. O governo mataria dois coelhos: recuperaria a iniciativa, no front do combate ao crime, e desacreditaria a denúncia sobre a desastrada ordem de invasão. Senti um frio na barriga quando abri a porta para Cileno. Ele foi logo perguntando:

— Onde é que tá o computador?

Levei-o ao quarto. Abri uma picada na bagunça de lençóis e travesseiros e jornais velhos e livros abertos e cheguei ao computador.

— Como é que liga esse troço?

Apertei o botão.

Aguardei com frieza o tempo da máquina. Cileno estava mais impaciente do que eu.

— Não quer saber — perguntou ele — por que vim aqui a essa hora?

— Por que você veio aqui a essa hora?

Tirou um pen drive do bolso do blusão e o enfiou na lateral do notebook. Abriu o documento. Clicou. Ouvi minha voz:

A pessoa depois de sofrer uma injustiça dessas como a que você sofreu, depois de sofrer tantas humilhações, depois de testemunhar tamanho cinismo e tantos crimes cometidos pela polícia, pelos profissionais que ganham para defender a lei, a pessoa se sente impotente, revoltada, e acha, Russo, acha que... que tem de arrebentar com tudo mesmo. Tem de explodir essa merda. Não estou dizendo que você pense assim. Eu sei que não. Você tem maturidade para entender que violência só gera violência e não leva a lugar nenhum. Mas a gente tem de admitir que, mesmo não se justificando, dá para entender que uma pessoa queira pôr fogo em tudo. Que uma pessoa chegue à conclusão de que tem de botar fogo na cidade, tem de explodir loja, tem de matar qualquer um aleatoriamente, tem de criar um clima de terror. Mas é um erro, Russo. Inocentes não têm nada a ver com isso e não podem ser sacrificados. Fazer uma coisa dessas só vai piorar tudo, só vai contribuir para que as pessoas confirmem seus preconceitos e defendam pena de morte, penas mais duras e tolerem as piores condições carcerárias do mundo. Assim não se vai a lugar nenhum. O círculo vicioso só nos leva para o fundo do poço. Dissemine essa visão, Russo. Faça isso com toda a força de sua inteligência e com os bons sentimentos que você conseguiu preservar, a despeito de tudo o que fizeram com você nessas últimas semanas. Tenho fé que a gente vai conseguir virar esse jogo. A gente vai desmascarar os corruptos das polícias, que são os piores bandidos. Você vai voltar para casa, em paz, para curtir sua família. Eu lhe dou minha palavra de que vou fazer tudo o que puder para que isso aconteça, ouviu? OK? Segura a onda, meu irmão. Não fraqueje. Estamos juntos. Boa sorte. Um abraço. Passa o celular para o Cileno, por favor.

— Caralho. Como é que você conseguiu isso, Cileno?

Meu coração saltava para fora do corpo.

Ele permanecia sentado, operando a máquina. Abrindo outro documento. Se eu disser que chorei não estaria mentindo, mas juro que ele não percebeu. Fiquei calado até conseguir falar sem dar bandeira.

— Isso muda tudo, Cileno. Tudo. É uma revolução.

— Os filhos da puta que se preparem porque o bonde do bem está na pista. Vamos nessa.

— Vamos aonde, cara? O que é isso? Conta como é que foi? Quem foi? Quem achou isso? Como é que...

— Liguei pros meus contatos na Globo e tu vai aparecer ao vivo no *Bom Dia Brasil*. Eles vão botar no ar a gravação completa. Agora é contigo. Se não quiser ir, tudo bem.

— Deixa de ser marrento, Cileno. Claro que eu vou. Mas me conta... Fala, caralho, desembucha.

— Eu estava saindo do show do nosso grupo de rap. Um cara me abordou. Sabia quem eu era. Me chamou pelo nome. Fiquei muito cabreiro. Entregou um envelope e disse que era um presente do capitão Lima Neto pra você. Eu ainda perturbei um pouco o cara, perguntei se eu levava jeito pra pombo--correio, se eu tinha pinta de carteiro ou de motoboy. Ele cortou o papo: "Fica esperto aí, mané, que isso é importante pra caralho. Tu tem um tesouro nas mãos." Voltei pro clube. Peguei um laptop de um menino da produção... Chega de falar. Vamos logo antes que esse teu computador velho apague o arquivo do pen drive. A produção do programa tem de ouvir a gravação, testar o áudio e escrever as legendas. Quem é Lima Neto? Tu tem espião infiltrado na PM, cara?

— Ele é um velho companheiro de trabalho.

— Companheiro de trabalho? Tu sabe o risco que ele está correndo? Isso pode encerrar a carreira dele.

— É um amigo.

— Em certo sentido, Marcelo, não é exagero dizer que tu deve a vida a esse camarada.

— Eu sei. É isso mesmo. Espero que Deus me dê a oportunidade de, um dia, provar a ele minha gratidão.

— Melhor tu não esperar por Deus, não, porque o cara lá de cima costuma ser muito ocupado. Sabe qual a retribuição que o capitão gostaria de receber e que tu pode dar, mesmo sem a ajuda divina?

— Qual?

— Ficar caladinho. Não pronunciar o nome dele. Se te perguntarem como é que tu teve acesso à gravação, diz que achou o CD em algum lugar. Diz que chegou pelo correio sem remetente. Sei lá. Inventa qualquer coisa. Pode ficar tranquilo que da minha boca não sai nada. Nem à base de porrada.

Cileno tinha razão. Tinha toda a razão. O melhor a fazer para manifestar gratidão e lealdade era evitar envolver Lima Neto na minha história. Depois de tantos dias convivendo com a mentira e o cinismo, o universo me mandava uma mensagem providencial: o ser humano é capaz de grandes gestos. E os gestos mais bonitos são gratuitos. Não esperam recompensa, grana, glória, poder. Só amizade e o reconhecimento silencioso. A lealdade.

O mundo retomou alguma ordem, ainda que a esquerda tenha sido derrotada nas eleições — será que esse pessoal oportunista e sem nenhum caráter merece a qualificação que já adjetivou gente respeitável? Bem, quanto ao meu mundo, acho que se organizou: transformou-se em um monte de atividades e compromissos girando em torno de um vazio colossal. Não preciso explicar, certo? Você sabe de que falta, de que vazio estou falando, não é? Nunca mais falei com Fabiana.

Depois da divulgação da fita completa, tanto insisti que acabei encontrando Lima Neto. Quis agradecer pessoalmente. Você faria o mesmo. Qualquer pessoa decente sentiria a necessidade de apertar a mão de quem lhe salvou a vida. Sem exagero, foi o que ele fez: salvou minha vida.

Nós nos encontramos na Feira de São Cristóvão, um lugar muito simpático e excelente para quem quer se misturar à multidão, mas difícil para conversar. Procuramos o restaurante menos barulhento e pedimos carne de sol, feijão-de-corda, manteiga de garrafa e pimenta.

O papo começou cheio de dedos e terminou franco e emocionado. A tal ponto que ele se abriu comigo. Contou o que aconteceu dentro do camburão, quando o sequestrador do ônibus foi asfixiado. Não foi ele. Tentou evitar, mas tendo ocorrido, achou que devia assumir. Olha, meu amigo, e não é fácil admitir isso, mas talvez eu nunca tenha ficado tão confuso em relação a mim mesmo e meus valores quanto naquele momento, escutando a história do capitão, porque me identifiquei com ele e passei a admirá-lo mais ainda. Achei de uma integridade, de uma generosidade... Enfim, um ato de grandeza. Como conciliar a empatia e a admiração que sinto por ele, pelo gesto dele, com as minhas crenças? Crenças que não são opiniões eventuais ou valores frouxos que a gente vai trocando conforme a estação. Minhas crenças, nem preciso dizer. Você me conhece bastante. Eu dedico meu trabalho — em certo sentido, minha vida — a elas.

Pensa bem: o subordinado dele matou o camarada, o que constitui um crime, e Lima Neto sabe que é um crime. Sabe que está errado. No entanto, ele considera mais errado ainda não ser leal ao parceiro, sabendo que o colega, mais jovem e de patente subalterna, seria massacrado. Sem merecer. Pelo menos não merecia mais do que a massa que clamava por linchamento. Lima Neto ponderou sobre a vítima, o rapaz que já estava morto: nada o ressuscitaria. Resolveu assumir. Agora, eu lhe pergunto e me questiono: fazendo isso, ele não avalizou a execução? Protegendo o subordinado, não foi desleal com a justiça e, portanto, com a sociedade?

Fiquei tão confuso e perturbado que achei melhor simplesmente me resignar a conviver com a dubiedade: não queria e não podia negar minha imensa empatia e admiração por Lima Neto, e não conseguia negar a visão que tenho sobre a cidadania, a legalidade, a justiça e os direitos humanos. Espero que você me entenda. Não abriria meu coração nem revelaria essa fragilidade a mais ninguém. Pode saber que também admiro muito você e tenho uma dívida enorme por sua dedicação, seu trabalho. O Rio deve muito a você. Em certo sentido, você deu parte de sua vida a uma missão que considero civilizadora. Tenho certeza de que só você, entre os meus companheiros, pode entender essa minha história.

Minha vida, que já havia sido quebrada ao meio em Porto Alegre, se partiu em mais dois pedaços, que não se encaixam: creio no que não acredito e me identifico com o que refuto. Uma puta ambiguidade. Mas acho que seria pior se, em nome da lógica, sacrificasse o sentimento, ou, em nome da amizade, negasse os valores. Melhor ser sincero e verdadeiro, apesar da ambivalência e da inconsistência moral, do que jogar fora um dos lados que se chocam só para restaurar a unidade orgulhosa da minha consciência. Ainda que essa unidade me ajudasse a dormir em paz. Se eu fizesse isso, estaria aqui, falando com você, uma pessoa coerente e tranquila, cheia de certezas, mas falsa. Prefiro assumir esse alvoroço de contradições que sou eu.

XX
O sucesso do filme e a redenção de Lima Neto

Eu disse que o extenso relato de Marcelo Freitas esclareceria muitas coisas e começaria a criar condições para que sua situação angustiante fosse entendida. Entretanto, sozinha ela não basta. Falta relatar os acontecimentos dos últimos meses, que deslocaram o capitão Lima Neto para o centro do palco e terminaram por provocar a situação sem saída em que Marcelo se encontra. Eu prometi que daria ao leitor a mesma oportunidade que Marcelo me dera de conhecê-lo melhor e contextualizar os últimos atos de sua história. Ele pediu que eu o ouvisse contar sobre o que lhe havia acontecido muito antes de lhe passar pela cabeça a ideia de candidatar-se a deputado estadual. Com sua autorização, a transcrevi. O leitor pôde lê-la também. Agora, tenho certeza de que vai ser mais fácil compartilhar o que descobri. Vamos deixar Marcelo um pouco de lado, enquanto focalizamos o outro personagem da trama, Lima Neto. Se queremos compreender a angústia do deputado, devemos dirigir nossa atenção ao policial do BOPE que salvara a vida de Marcelo.

Mais ou menos na metade do percurso da CPI, um filme tornou-se a conversa da cidade. Mais: o assunto do país. Chamava-se *Tropa de Elite* e era protagonizado e narrado por um policial do BOPE, o capitão Nascimento, representado pelo ator Wagner Moura, num desempenho extraordinário, que encantou plateias de cinéfilos e arrebatou audiências que nunca foram ao cinema. Quem não conhece a história que vou contar deve estar imaginando que errei no tempo do verbo: em vez de "nunca foram ao cinema", deveria ter escrito "nunca tinham ido", uma vez que o filme que as seduzira as teria levado, enfim, a descobrir o prazer de entrar numa sala de cinema. Não, eu não errei. O tempo do verbo está correto. Muita gente, muita gente mesmo

— segundo pesquisas, cerca de 15 milhões de pessoas viram o filme, mas só 2,5 milhões em salas de cinema —, assistiu a DVDs pirata, antes mesmo da estreia. Quem não estava no Brasil na época, particularmente no Rio, não tem noção do que foi o sucesso do filme. Mais do que êxito de público, *Tropa de Elite* virou um fenômeno, desses que não se preveem e dificilmente se explicam. O que teria provocado uma reação assim, ecumênica, sensibilizando as plateias mais diferentes, ricos e pobres, jovens e idosos, homens e mulheres? O roteiro de Bráulio Montalvani, em parceria com Rodrigo Pimentel? A direção de José Padilha, premiado, antes, em festivais do mundo inteiro como documentarista? A câmera de Lula Carvalho? A performance de Wagner e dos outros ótimos atores? A edição do filme, assinada por Daniel Rezende? Impossível isolar numa obra a contribuição de cada uma de suas partes. De todo modo, acho que continua sendo um mistério o impacto causado pelo *Tropa*. Provocou muitas polêmicas, porque vários críticos enxergaram apologia da violência policial, encarnada pelo herói, Nascimento. Alguns justificavam a interpretação negativa que faziam relatando casos em que a plateia, no cinema, aplaudia cenas em que o capitão agia com brutalidade, torturava e executava traficantes. Outros defendiam o filme, com o argumento de que exibir um personagem, inclusive seu mundo interior, e mostrar a realidade tal como ele via, não era o mesmo que aderir a essa visão ou aos valores do personagem. Até porque o capitão Nascimento era construído como um homem angustiado, infeliz, descrente do que fazia e incapaz de resolver o problema da segurança pública, que se multiplicava enquanto ele lutava a sua guerra inútil e sórdida.

Para a grande massa, esse debate não interessava. O que realmente interessava, fascinava, emocionava e envolvia era o filme. Por isso, não era incomum que as pessoas assistissem várias vezes, divertindo-se sempre. Os personagens, as piadas, o vocabulário, tudo foi absorvido pela população. Passou a ser natural ouvir, nos ônibus, trens e metrôs, nas feiras e supermercados, e até no Maracanã, falas do filme e refrões que os personagens repetem em certas situações da trama. E não era preciso explicar. Todos sabiam do que se estava falando. Qual era a fonte. Quais os significados. O filme foi canibalizado pela cultura popular. Não pertence mais aos roteiristas, ao diretor e aos atores. É do povo, como a praça Castro Alves — tanto quanto o céu é do avião.

Na época em que os DVDs pirata se espalhavam como epidemia por todo o Rio de Janeiro, aconteciam coisas incríveis. Uma vez eu andava entre as gôndolas de um supermercado, na Zona Sul, e ouvi três funcionários conversando animadamente sobre o filme, enquanto ajeitavam os legumes e descarregavam caixas de frutas. Combinaram um encontro, à noite, para reverem o filme juntos. Mais adiante, na pizzaria que funciona dentro do supermercado, quatro senhoras bem-vestidas e um senhor que parecia ter chegado de uma partida de golfe conversavam com entusiasmo sobre o filme e planejavam um encontro de amigos no sábado, para assistir de novo ao filme, em uma cópia adquirida por um deles, que parecia estar em melhor estado.

Portanto, quando digo que *Tropa* atravessou fronteiras sociais e se converteu em algum tipo de fenômeno que os pesquisadores vão gostar de estudar, não estou exagerando nem um pouco.

O que o filme *Tropa de Elite* tem a ver com Lima Neto? Tudo. Foi o capitão Lima Neto quem serviu de fonte inspiradora aos roteiristas, como eles próprios reconhecem — e o fazem publicamente, com toda a honestidade. Lima jamais se sentiu traído, nem considerou que sua contribuição tivesse sido insuficientemente apreciada. O que os autores do filme nunca puderam fazer, por motivos óbvios, em respeito ao próprio colaborador, foi dizer que vários fatos narrados no filme são verdadeiros e foram vividos por Lima. Seria um deus nos acuda se alguém ousasse sequer sugerir que Lima Neto protagonizou na vida real algumas cenas dramatizadas no filme.

O capitão Lima Neto conheceu o diretor de *Tropa de Elite* na época em que Padilha preparava um documentário, cujo tema era o desempenho policial em situações de crise. Lima aceitou dar uma entrevista, que acabou crescendo bastante e se transformando no depoimento mais importante da obra. Ficaram amigos. Foi natural a passagem do documentário sobre ação policial para o longa-metragem de ficção. Assim como o convite ao principal entrevistado do documentário para assessorar a equipe no passo seguinte. Lima gostava do ambiente, do estímulo à memória e à imaginação, e sobretudo da possibilidade de exercer sua ferina e afiada acuidade crítica. Dispôs-se a ir além. Tomou a iniciativa de propor que os roteiristas e o diretor gravassem suas memórias. Ele as relataria ao longo de algumas semanas. Caberia aos responsáveis pelo filme conduzir as viagens do capitão no labirinto do passado, evitando redundâncias e digressões e incentivando caminhos mais promissores.

Depois de ouvir, em casa, o relato de Marcelo Freitas sobre sua amizade com Lima Neto, ele me mostrou um DVD com as gravações do próprio. Algumas histórias que ele contou foram incluídas no roteiro do filme, claro que reformuladas e adaptadas à linguagem cinematográfica. Depois de ver e ouvir três horas de depoimentos (que foram gravados em áudio e imagem), ao lado de Marcelo — depois eu veria em minha casa com mais calma, várias vezes, todas as dezenas de horas gravadas —, selecionei alguns episódios que não estão no filme e me pareceram especialmente interessantes para o propósito de conhecermos a pessoa e o profissional que Lima Neto havia sido na juventude — se é que os relatos memorialísticos foram razoavelmente fiéis. Infelizmente, sabemos que a memória é a mais poderosa máquina de fabulação. Entretanto, que fonte seria mais fecunda?

Por honestidade e respeito ao leitor, devo dizer que as palavras são minhas. Tentei me apropriar do vocabulário, do ritmo, do estilo de Lima Neto. Mas não creio que tenha conseguido. O resultado, provavelmente, é um híbrido, uma composição meio sincrética. Até porque fui obrigado a sintetizar bastante narrativas às vezes excessivamente longas, repletas de detalhes e pontilhadas por afluentes e desvios.

Nem todas as histórias se passaram com Lima, apesar de ele sempre se colocar na posição do personagem-narrador. Escolhi as mais reveladoras e ligadas aos temas que constituirão o epicentro do dilema final.

XXI
Memórias do capitão Lima Neto

1
Na casa de meu pai

Era um ser humano. E daí? Acho engraçado esse negócio de ser humano. Eu deveria lamentar a morte de um crápula, um assassino inescrupuloso, só porque era um mamífero com o polegar opositor? Alma? Qual? Deus estaria alarmado se visse a que fim se destinou a centelha que soprou no oco do bicho que nós somos. Mal-amado, o cara que mata rindo? O que é que suas vítimas têm com isso? Descobri não faz muito que o mínimo denominador comum dos homens é esse dedo, na posição que ocupa e com os movimentos que faz, porque as funções que ele nos permite exercer nos distinguem dos outros animais. Confesso que esperava mais da ciência. Ou dos homens. Afinal, a ciência não tem culpa se a distância que nos separa do resto da criação é um dedo. De todo modo, não dá para negar que o polegar é útil. Sem ele as armas seriam impotentes. Pelo menos as armas que a gente carrega no ombro ou no coldre. Sem minha 9mm, o que seria de mim? Entendi: Deus nos deu o polegar opositor para ajudá-Lo a concluir sua obra, ajustando alguns detalhes. De vez em quando, um espírito avariado é chamado de volta antes de esgotar o prazo de validade. Meu papel é zelar pelo cumprimento do recall divino.

Falando assim, você vai pensar que não passo de um machão violento. Macho, sim. Violento, não. Só uso a força na medida certa para conter a violência dos vagabundos. Ou você quer misturar tudo no mesmo saco? Violenta é a covardia dos bandidos, a ação dos criminosos de fuzil na mão. Não interessa se o malandro está vendendo crack para crianças na porta da escola, estuprando a moça na praça, extorquindo trabalhador e motorista de van ou executando os rivais de forma cruel. Traficante e miliciano, para mim, é tudo igual. Milícia é máfia.

Exatamente como a italiana, a máfia do Rio de Janeiro é formada por político e policial corruptos. Policial sujo é o que mais me revolta. Porque eu sei o que é ser um verdadeiro policial. Sei o quanto de sacrifício e coragem é preciso para fazer um profissional digno de vestir o uniforme. Tenho orgulho de ser ex-capitão do BOPE.

A história do capitão Lima Neto, minha história, começou antes mesmo de eu entrar para a polícia. Na verdade, começou em casa. Papai é militar. Hoje é general da reserva do Exército brasileiro. Meus irmãos são militares: um no Exército, outro na Marinha. Sou o caçula que não deu certo. Quer dizer, isso é o que eles diziam. Minha vida foi uma bela resposta aos detratores. Um tapa com luva de pelica. Ou um cruzado de esquerda demolidor. Fui o único que não estudou no Colégio Militar. Cheguei a entrar, mas eu e a escola não nos entendemos muito bem. Incompatibilidade de gênios. O divórcio não foi nada amigável. Sobretudo em casa. Quando o velho Lima, o general Lima Filho, soube que a vetusta instituição tinha me expulsado por mau comportamento, baixou um santo forte. Meu pai incorporou o senhor dos raios, o cavaleiro do apocalipse, e me mostrou com quantos paus se fazem uma canoa e uma biografia. O severo e austero Oscar — esse é o primeiro nome do pai, que é também o meu, mas quase ninguém sabe disso — me ensinou o que significa honrar um nome e um uniforme. Doeu, mas sou grato a ele. Hoje, compreendo a cólera bíblica que ele encarnou. Compreendo, respeito e agradeço.

O velho não era fácil. Agora é diferente. Os tempos são outros. Durante minha infância, ele andava estressado. Seu ofício era defender a soberania nacional. Não era pouca coisa. Ele passava 24 horas por dia em guerra, salvando o Brasil dos comunistas. Quando eu era adolescente, o risco tinha cessado, diziam. Ele não acreditava. Para ser sincero, não acredita até hoje. Meu pai é um homem que não se rendeu. Ele se nega a relaxar e envelhecer. O general recusa o pijama. Dorme com a faca nos dentes. O teatro de operações se estende até onde ele está, não importa que lugar seja esse. Um ataque é sempre iminente. Muito antes do 11 de Setembro ele já vislumbrava a guerra inundando o cotidiano por todas as frestas. Acho que papai, em terra firme, vive continuamente a expectativa da última noite no *Titanic*.

Uma consciência em permanente estado de alerta cobra um pedágio alto à saúde. Papai pagou caro por isso. Foram dois enfartes. Mas você pensa que ele se abateu? O senso de hierarquia e disciplina parece que o faz sentir-se imune aos males do corpo, como se a matéria fosse inferior ao espírito. Tudo bem. Pode até ser. Mas quem é que vai enquadrar aquele coração safenado e informar-lhe que seu papel é submeter-se ao comando das decisões superiores do velho Lima? Vai você discutir isso com ele? Ninguém consegue. Talvez meus irmãos, principalmente o mais velho. Ele escuta o primogênito, o herdeiro da carreira. O irmão do meio se desviou um pouco. Dom Oscar nunca digeriu sua opção pela Marinha. No início, minha mãe tentava consolá-lo: "É tão bonito, Oscar; o uniforme branco é tão bonito." Foi pior. Já a polícia, a Polícia Militar, minha opção, bom, melhor pular essa parte.

Minha história na PM não me envergonha, nem deveria envergonhar meu pai. Quando decidi fazer o curso para super-homem e tentar a admissão no BOPE, tinha consciência de que duelava com a indiferença do general. Cada prova vencida eu vivia como a demonstração de que era um soldado, homem de verdade, guerreiro, e merecia ser recebido em qualquer exército do mundo, inclusive na casa de meu pai. Cruzar o fogo, a noite gelada, ferir os pés e as mãos, ralar o corpo em pontas de pedra, espinho e pau, andar nos trilhos a seis metros de altura, nadar e sobreviver quando já não há forças, todo o calvário e cada passo eu enfrentava acreditando que, se eu me superasse, o general Oscar abriria as portas do templo em que reinava, cardeal do heroísmo e do sacrifício, soberano da honra.

Nos primeiros meses de minha participação no BOPE, chegava em casa orgulhoso, à espera da benção redentora que não vinha. Relatava ao pai as escaramuças, os confrontos, o risco e os atos de bravura da tropa. Nada o impressionava. Talvez, eu pensava, porque fosse pouco. Se me esforçasse mais, me arriscasse com mais arrojo, se empurrasse um pouco mais os limites e avançasse, se os inimigos se tornassem mais ferozes, se os feitos se multiplicassem e as conquistas se expandissem, quem sabe?

Aumentei, semana após semana, a violência das incursões. Pisei mais fundo. Cobrei mais resultados de meus subordinados. Mandei elevarem o volume. Mais força, mais força. Comandei a tropa para rasgarmos mais fundo e mais longe o território inimigo. Mais cabeças, precisava levar mais cabeças para casa. Exibia os troféus de guerra, contando capítulo a capítulo a evolução de nossa grande marcha contra o tráfico de drogas no Rio de Janeiro. Ainda assim era inútil. Dom Oscar desdenhava com ironia: "Polícia não é exército." "De que serve matar pé de chinelo descamisado em favela? Não me importo. Não importa", dizia ele. "Quero saber se existe ou não existe segurança para as famílias nas ruas." Olhava para mim e perguntava, conhecendo antecipadamente a resposta que nunca cheguei a dar: "Existe? Não? Então polícia é besteira. Brincadeira de escoteiro. Esporte de colegial." Ou então nem me olhava e, quando eu ostentava cicatrizes e medalhas e narrava as dezenas de baixas do inimigo, ele rosnava: "Briga nojenta, porca, inútil."

Quando passei a trabalhar como negociador do BOPE em sequestros e rebeliões penitenciárias, acumulei experiências em que tive de levar a extremos o sangue-frio e a habilidade técnica, a inteligência e a audácia. E nunca o poupei dos relatos dessas aventuras. Ele não se convenceu de que houvesse em tudo aquilo vocação louvável e ação digna de, nem digo consagração, mas reconhecimento.

Não foram poucos os casos em que coloquei minha vida em risco. Nem aqueles em que agi como um verdadeiro comandante de unidade deveria agir em qualquer lugar do mundo, mesmo nas guerras de meu pai. Tomei decisões difíceis, fiquei do lado dos meus companheiros, fui leal mesmo quando poucos seriam. Inclusive na armada superior de meu pai, poucos seriam. Assumi responsabilidades e paguei o preço. Fui a júri popular e não me arrependo. Mantive a cabeça erguida. O general, como pai, pode dizer o mesmo. Supunha que isso era só o que ele esperava de mim: a lealdade aos subordinados e companheiros, e a assunção de responsabilidades em nome da honra. E também a coragem, sobretudo para decidir nos momentos mais difíceis, aqueles em que a linha entre o bem e o mal se misturam, as faixas do certo e do errado se sobrepõem.

Contei a ele as histórias. Tenho histórias para contar.

2
A morte de Tomate

O morro da Aroeira, na Tijuca, Zona Norte do Rio de Janeiro, faz fronteira com São Tomé, outra favela importante na economia do tráfico e do fluxo de armas. O BOPE fez dezenas de operações na área ao longo daquele ano. Em praticamente todas eu estava presente. Muitas vezes comandando a tropa. Vivi ali duas situações extremas, de sentidos muito diferentes e consequências opostas. Uma fez de mim um capitão vitorioso; a outra, um vilão. Para falar a verdade, talvez tenha acontecido o contrário. Pelo menos de um certo ponto de vista — a paisagem vista da laje? —, a primeira história poderia ser lembrada com orgulho, mas um orgulho cheio de sangue. Na segunda, em que fiz o papel de vilão — de acordo com a perspectiva dos senhores do bem e do mal, deuses dos carimbos, donos da verdade —, na realidade eu era o herói. Houve também uma terceira aventura, que não sei se devo contar. Vou pensar a respeito. Quando terminar de descrever as duas primeiras, eu decido. Foi um caso delicado. Não gostaria de criar problema depois de tanto tempo, desfazendo o que me custou tanto fazer. De fato, se na primeira situação senti o gosto amargo do triunfo e, na segunda, o doce sabor da derrota, na terceira não sei até hoje de que lado estava o certo, de que lado estava o errado.

Subi devagarinho o plano inclinado na lateral de um largo platô para atingir a plataforma, de onde eu teria um amplo controle visual da favela. A posição me daria uma visão de 360 graus. Sargento Tenório veio comigo, carregando o fuzil G3-SG1, com a excelente luneta Leopoldi, que aproximava em seis vezes a imagem natural. O G3-SG1 acertava um alvo a sessenta metros com precisão e se fixava em um bipé suficientemente firme. Tenório não era o *sniper* do grupo, mas era fiel, corajoso e disciplinado. Pau para toda obra.

Pisei nas pedras e nos galhos caídos com muito cuidado para não fazer barulho. Não tinha a menor ideia de onde estariam os traficantes. Éramos 16 homens. Os oito da segunda equipe, mandei entrarem pelo morro de São Tomé. Eu e os sete da primeira equipe viemos diretamente para a Aroeira, margeando a via principal. Escolhi a frente de um beco e algumas lajes como pontos estratégicos. Distribuí meu grupo pelos pontos. Os movimentos foram conduzidos com muita atenção e cautela. Os traficantes da Tijuca já conheciam bastante bem as técnicas do BOPE. Tinham aprendido que não vale a pena nos enfrentar. A única saída para eles era reconhecer sua inferioridade, evitar o confronto e reagir só na covardia, armando alguma cilada contra nós. Por isso eu sabia que não era inteligente confiar no silêncio e na calma aparente. Pelo contrário. A mansidão era sinal preocupante de que nossos inimigos estavam nos observando, à espera de algum tropeço. Qualquer erro podia ser fatal. Não há nada pior para um soldado em guerra do que a autoconfiança. Quer dizer, autoconfiança excessiva. Aquela que beira a soberba. Como garante a sabedoria popular: só morre afogado quem sabe nadar.

Cheguei ao platô e me ajoelhei. Explorei o lugar, lentamente, caminhando abaixado, enquanto Tenório montava os pés do fuzil. O capim-limão crescido subia pela encosta e produzia uma espécie de barricada verde na margem dianteira da plataforma. Não era preciso ficar de joelhos, mas tampouco seria prudente adotar a postura normal. A vegetação não era tão alta assim. De todo modo, a noite estava escura. Seu manto negro nos protegia. Tenório, além de religioso, era metido a poeta. Dizia coisas desse tipo. Eu não me incomodava, desde que ele mantivesse os pés na terra e os olhos bem abertos.

Não precisei nem de um minuto para matar a charada. Fantástico. Isso, sim, era um presente dos céus. Bem debaixo do meu nariz, a uns cinquenta metros, sob uma amendoeira frondosa, quatro traficantes conversavam. Olhei pelo binóculo, mas não tive certeza se o Tomate estava entre eles. Tomate era o dono do morro. O chefe do tráfico. Meu alvo naquela incursão e em tantas anteriores, frustradas. Sem pensar duas vezes, deixei meu corpo deslizar de costas pelo declive que me separava dos vagabundos e sobre o qual se erguia o platô.

Estanquei 1,5 metro abaixo de Tenório, encarando o céu, deitado, o binóculo no peito. Em silêncio, elevei o binóculo à altura dos olhos e, levantando uns trinta centímetros a cabeça, estudei a cena. Lá estava Tomate. Não havia mais nenhuma dúvida. Conhecia aquela cara das fotos que o BOPE recebia da P2 e da Polícia Civil. Não tinha erro. Abaixei a cabeça, voltei a apoiar o binóculo no peito e sussurrei, no meio da relva alta, para Tenório:

— O cara de short vermelho é o Tomate.

Dei um tempo ao sargento e inalei o cheiro do mato à minha volta. O capim cobria parcialmente meu corpo. Levantei de novo a cabeça apenas o suficiente para observar os movimentos do grupo. Deitei a cabeça e tentei relaxar — como se fosse possível relaxar a cinquenta metros do inimigo, protegido só pela noite e pelo leve cobertor vegetal. Não sei exatamente quantos minutos se passaram. O que eu sei é que nunca vou esquecer o que senti quando me dei conta de que o dia amanhecia. Amanhecia numa velocidade irreal. Era quase como se a natureza tivesse acendido a luz, subitamente, apertando o interruptor cósmico. Meu corpo soube antes de minha consciência. Talvez um segundo. Mas garanto que soube antes. Sei disso porque recebi uma carga extra de adrenalina, bombeada direto no estômago, e o conceito claridade, luz, dia, sei lá, o conceito que dava sentido ao fenômeno veio em seguida. Não seria exagero dizer que o conceito foi transportado até a consciência pelos jatos sucessivos de adrenalina que o metabolismo bombeava em ritmo frenético. Não estou fazendo diagnóstico médico. Descrevo impressões e sentimentos.

Com a luz vieram o perigo e a lucidez. O medo também — por que mentir?

— E aí, Tenório? Porra.

— O cara de short vermelho foi para o outro lado da amendoeira. Estou esperando ele voltar para o lado de cá.

Eu disse baixinho mais algum palavrão, mas duvido que meu subordinado tenha ouvido. Fui obrigado a redobrar os cuidados. Parei de me mexer e de alçar a cabeça. A claridade trouxe os bandidos para perto. Uma coisa são cinquenta metros no meio da madrugada escura. Outra, ao amanhecer.

Suspendi um pouco o pescoço e vi que o grupo olhava em nossa direção. Olhava fixamente. Em alerta. Teriam visto o fuzil, mesmo camuflado? Temi que meu corpo pudesse ser percebido na forma de mancha na relva.

Um instante depois os vagabundos começaram a atirar. O coração socava mais forte. Logo deduzi que não éramos nós os alvos. Ou eles nos teriam acertado. Atiravam para a área à nossa esquerda, de onde viemos. Felizmente, meus homens eram disciplinados e cumpriam ordens. E eram preparados tecnicamente. Sabiam que quem atira a esmo é traficante e polícia convencional. Só os despreparados atiram aleatoriamente. As consequências a gente conhece: vítimas inocentes, balas perdidas e baixa eficiência. Se minha tropa respondesse aos tiros, revelaria sua posição, que permanecia ignorada pelos criminosos. Era esse nosso trunfo. Se o grupo do Tomate não tinha identificado nossa presença, por que atirava? Muito simples: àquela hora, cinco da manhã, o movimento da favela em um dia normal já teria começado. A partir das cinco os trabalhadores descem para o trabalho. Acontece que, naquele dia, ninguém descia. Por quê? Por que a imobilidade? Claro que era artificial. Evidente que estava sendo provocada por algum fator externo à vida da comunidade. A conclusão era óbvia. Alguma coisa estranha estava ocorrendo no morro. Nós éramos essa coisa estranha.

A explicação para o ataque sem alvo dos traficantes me acalmou por alguns segundos, mas não era motivo para tranquilizar quem estava deitado de costas na terra na iminência de virar foco da mira de armas inimigas. Eles continuavam estranhando o silêncio, a imobilidade. Percebi com um leve alçar do pescoço que davam alguns passos cautelosos em nossa direção, os fuzis já nas mãos.

Eu não queria transmitir insegurança ao Tenório. Ele não era experiente. Não era um *sniper*. Tinha tudo para tremer.

Usei a voz mais calma disponível no meu repertório:

— Consegue ver?

Tenório apertava o olho direito na luneta.

— Achou?

Ele finalmente respondeu:

— Está no retículo.

Retículo é aquela cruzinha que focaliza o alvo e calcula para o *sniper* a trajetória do tiro. Se eu mandasse ele atirar e ele errasse, eu estaria liquidado. Não foi bem essa a palavra que me veio à mente. Na hora falei "fodido". Ou melhor, pensei. O jeito era dividir com Tenório a decisão. Eu só daria a ordem se ele estivesse se sentindo seguro.

Perguntei se ele achava que poderia fazer o tiro.

— Positivo, capitão.

— De short vermelho?

— De short vermelho.

— Dá pra fazer?

— Positivo. Está bem no retículo.

— Então faz.

O bando dispersou no instante em que Tomate foi atingido. Cada um correu em uma direção. A surpresa e o choque, o eco do estampido no relevo sinuoso do morro, tudo isso misturado confundiu a bússola dos traficantes: fugindo, buscando abrigo, atiravam sem norte. A quantidade de sangue ao redor de Tomate formava um círculo cujo diâmetro não cessava de crescer. Não sei o que fiz para ficar de pé tão rápido. Quando dei por mim estava acelerado, descendo, a pistola apontada para o dono do morro, que ameaçava atirar mas não conseguia manter o equilíbrio nem fixar a mira. Desorientado, prestes a tombar, ferido de morte, sangrando feito um porco, Tomate movia o braço direito com o fuzil em todas as direções, os joelhos dobrados. Parecia uma dança bizarra. Antes que ele me acertasse ou atingisse alguém, disparei minha pistola e ele tombou. Entretanto, não morreu logo. A agonia se prolongou. Vivi anos em guerra e não me lembro de ter visto sangue jorrando feito petróleo daquele jeito. Ele era gordo, e os jatos faziam barulho. Um chiado sinistro. Um balão desinflando. Não digo isso para fazer graça. Não é engraçado. Na verdade, é triste, repugnante, ruim relembrar. E foi horrível a cena quando eu estava lá, debaixo da amendoeira, ordenando a meus homens que avançassem.

Tomate era meu troféu. A missão era matá-lo. Dezenas de vezes muitos de nós tentamos em vão. O homem era o diabo. Mesmo assim, vitorioso, acompanhando sua passagem borbulhante e penosa para o inferno, eu não me sentia feliz nem gratificado. Os soldados comemoraram, meu superior me fez um elogio público, o BOPE foi celebrado em prosa e verso por mais aquela conquista, mas eu me sentia oco. Vazio como a carcaça ressecada do dono do morro.

Um fato envenenou minha vaidade e o sentimento de realização. Quando parei diante de Tomate agonizante — enquanto contemplava a vida em fuga, o sangue revirando o corpo pelo avesso —, uma criança de cima de uma laje próxima gritou. Não gosto de recordar o grito e a voz da criança, mas a memória tem autonomia e goza do direito de ir e vir. O que fazer? Ela gritava "meu pai" e me chamava de assassino.

3
A noite em que roubei 70 mil reais

No morro de São Pedro, de novo na Tijuca, fiz uma prisão espetacular. Interessante: agora me ocorre dizer que ela foi muito bonita. Mas reconheço que é estranho atribuir um valor estético à captura de um traficante, por mais violento e nefasto que ele seja. Aliás, esses adjetivos não colaboram para embelezar substantivo nenhum, verbo nenhum. Portanto, admito que é impróprio considerar bela aquela ação policial sob meu comando, independentemente da periculosidade do meliante que foi detido ou do *modus operandi*. Aliás, engraçado: a expressão latina que nós, policiais, empregamos, e os advogados, também serve para descrever a dinâmica do crime, o método de um bandido.

Estou me dispersando.

O que importa é expor meu sentimento.

Para mim, aquela prisão foi linda. Uma jogada de futebol não tem sua beleza? Estratégias de enxadristas não são chamadas belas? Uma demonstração algébrica, um cálculo matemático não podem ser considerados bonitos? Então? Por que uma prisão tem de ser apenas eficiente, justa ou legal? Para mim, pode ser bela também.

Insisto nesse ponto porque, naquele caso, usei o melhor que tinha na mente e nos músculos. O mais eficaz, no plano físico da força, e o mais astucioso, na esfera da psicologia, da performance teatral e da argumentação.

Como de hábito, dividi minhas equipes em duas colunas de oito homens cada. "Minhas" é modo de dizer, porque só me identificava com uma delas, ainda que, naquela oportunidade, me coubesse comandar as duas. Com a outra não tinha intimidade. Aliás, nem afinidade. Das razões nem me lembro, mas tinham a ver com a imagem do grupo entre os oficiais.

No BOPE, nós, oficiais — tenentes, capitães e majores; nem incluo os coronéis e tenente-coronéis, que constituem um caso à parte —, classificamos as coisas e os seres de acordo com os lugares a que pertencem, segundo nossa avaliação: altares, gavetas, cofres e latrinas. Não preciso explicar. Talvez duas categorias sejam obscuras para o leigo. Então, vá lá: gavetas guardam o que não tem destino certo e definitivo. As coisas e os seres que aguardam nosso pronunciamento final. Aquele soldado que a gente ainda não sabe se é covarde ou atrapalhado; o superior que não dá para saber se é rigoroso ou oportunista e politiqueiro. O pacote turístico que talvez seja uma furada, mas que talvez seja uma pechincha imperdível. Cofre é tudo aquilo que não convém vir a público. Nem mesmo entre familiares e amigos. Muito menos deve chegar ao conhecimento dos coronéis.

A segunda equipe era um misto de latrina e gaveta. E esse parecer era cofre. Se não fosse cofre — se não fosse mantido em sigilo —, seria inviável abrir a gaveta — examinar os casos — e separar o joio do trigo. O que, aliás, nós, os tenentes e capitães e majores, pretendíamos fazer o mais rápido possível, porque não estávamos dispostos a conviver com latrina no BOPE. Já não bastavam os convencionais, mergulhados até o pescoço no esgoto? Ressalvo as exceções de praxe para evitar injustiças e não aumentar meu círculo de inimigos. Que não é pequeno.

Mandei a segunda equipe invadir o morro por baixo, subindo pelas vias usuais, com o ponta puxando o grupo esquina a esquina, beco a beco. Subi pela mata até o alto do morro de São Pedro com meu grupo. Quem lê a frase anterior imagina que não é nada de mais subir o São Pedro pela mata. Engano. Subir pela mata é uma aventura quase sobre-humana. Por conta da inclinação, é quase uma escalada. Os obstáculos naturais são inúmeros. E tudo se complica em função da impossibilidade de recorrer a meios que facilitariam nossa evolução mas chamariam a atenção. Por isso, começamos a incursão na véspera. Dormimos acampados. Atingimos o topo, ainda em plena mata, no fim da tarde. Descansamos, preparando-nos para executar a missão no começo da madrugada, no mesmo momento em que a segunda equipe subiria a favela pela frente.

A inteligência nos informara que Osmar, o dono do morro, costumava se refugiar no alto da mata, onde chegava por uma trilha a que poucos tinham acesso. O plano era pressioná-lo de baixo para cima e forçá-lo a sair pela trilha, que já estaria sob nosso controle. Ali o apanharíamos, vivo ou morto. Uma tática tão velha quanto a guerra, mas ainda eficaz. Contávamos com sua experiência. Ou seja, supúnhamos que ele não fosse um celerado, um aventureiro inconsequente disposto a encarar a tropa do BOPE. Imaginávamos que ele recuaria, mesmo que isso lhe custasse alguns homens, armas e drogas. A posição que ele ocupava em sua facção criminosa não autorizava irresponsabilidades. Osmar era importante demais para cair nas mãos da polícia. Muitos negócios de interesse de líderes criminosos presos dependiam dele. Em resumo, se não fosse por egoísmo, seria pelo compromisso com a facção. O fato é que não lhe restava alternativa racional ao recuo. À fuga. Fuga para os nossos braços.

No entanto, nem sempre a razão impera. Nem sempre os cálculos e as suposições acertam. Por mais lógicos que sejam. Existem outros fatores que algumas vezes interferem e mudam inteiramente o quadro. Por exemplo, o orgulho de um sujeito. Sua vaidade diante dos subordinados. Ou até mesmo o senso de lealdade com seus soldados. Pois foi o que aconteceu. Enquanto o esperávamos no alto do morro, na trilha para a mata, acima da favela, Osmar resolveu resistir e abriu fogo contra a equipe que subia. Não arredou pé. Enfrentou a tropa do BOPE enquanto teve homens, armas e munição. Os homens dele acabaram fugindo, em direções diversas. Nenhum subiu para a trilha. Deixaram o chefe entregue à própria sorte. Armas havia, mas a munição não foi suficiente para sustentar fogo tão pesado por muito tempo.

Osmar foi preso, vivo, com um único companheiro. A segunda equipe os prendeu. Não fomos nós. Fui chamado logo que os tiros cessaram. Desci a favela pelo meio da rua principal com a minha equipe, a n° 1, dando cobertura para evitar uma cilada. Até porque os vagabundos que desapareceram estavam escondidos em locais que ignorávamos e podiam abrir fogo, inesperadamente, contra qualquer um de nós.

Sargento Tenório, sempre ele, me antecedeu. Foi o ponta de nossa unidade de combate na descida. O grupo o acompanhou até um ponto, onde aguardaríamos o resultado de sua vistoria. Tenório foi ao encontro do segundo grupo, ouviu o relato breve sobre o confronto e avistou-se com Osmar e seu cúmplice. Retornou com boa e má notícia. A boa: o terreno até a posição em que se situava a segunda equipe estava dominado. Podíamos continuar a descida. A má: Osmar dizia que tinha sido roubado.

Segui Tenório até a base que o segundo grupo improvisara. Recebido com as saudações militares de praxe, me dirigi diretamente aos presos. Separei-os e me afastei da equipe para interrogar o dono do morro em particular. Ele estava algemado e tinha os pés amarrados. Por isso se movimentava com dificuldade.

— Meu sargento me contou que você está dizendo que foi roubado.

— Poxa, capitão, não quero mais problema pro meu lado.

— Tu foi ou não foi roubado, porra?

— Na moral, capitão? Na moral? Fui.

— Dinheiro?

— Maior sacanagem, capitão. Me pelaram. Levaram cordão, relógio, anel, dinheiro... Os homens me pelaram todinho.

O sangue ferveu. Determinei que o cabo Santos, do meu grupo, montasse guarda em torno do preso. Não seria bom mantê-lo por mais tempo na favela. Eu tinha de agir rápido. Reuni a segunda equipe no campo de futebol vizinho à base e não esperei que se pusessem em forma. Adotei o tom que combinava discrição com indignação:

— O vagabundo está dizendo que foi roubado. Olhei para os oito perfilados e continuei: — Diz que foi pelado. Que tiraram anel, relógio, grana, cordão...

Fiz uma pausa prolongada, propositalmente. Queria dar tempo ao filho da puta. Apostava que ele, fosse quem fosse, daria alguma bandeira. Não suportaria a pressão.

— Quero que vocês prestem muita atenção. Se isso é verdade, se o vagabundo foi roubado por um de vocês, podem acreditar que eu vou até o fim do mundo, até o inferno, vou até a puta que o pariu para descobrir quem é o filho da puta. No BOPE não tem lugar pra ladrão. Se tem bandido entre nós, é melhor se apresentar, agora, porque vai ser identificado de qualquer jeito e vai ser muito pior. Vou revistar cada um. Vai ser a maior humilhação, mas vai acontecer. Não por minha culpa. Por culpa do ladrão infiltrado entre nós. Entenderam?

O filho da puta deu um passo à frente.

— Capitão — disse ele —, não foi roubo, não. Só estava guardando os pertences do preso para apresentar na delegacia. Está tudo aqui.

Olhei por um instante o sujeito nos olhos. O sangue voltou a ferver. Senti ganas de encher o cara de porrada. Mas um comandante não age assim. A disciplina tem seu próprio método. A justiça seria feita por vias institucionais. Tudo bem. Engoli o ímpeto corretivo. Recolhi os objetos do roubo e segui na direção de Osmar, do outro lado do campo de futebol.

Afastei os policiais que o guardavam e me aproximei.

— São esses os seus pertences?

Osmar balançou a cabeça, confirmando.

— Está faltando alguma coisa?

Ele examinou com os olhos:

— Não, meu chefe. É isso mesmo.

— No BOPE não tem ladrão, ouviu? — O dono do morro manteve a cabeça baixa. Não disse nada. Eu prossegui: — Vou entregar suas coisas para o delegado, na delegacia. Ele vai registrar e dar o destino certo. Se alguma coisa desaparecer depois que eu entregar você ao delegado, não é problema meu. Dali em diante a responsabilidade não é mais do BOPE. Entendeu?

— Meu chefe, por favor, não faz isso, não. Essas coisas têm muito valor pra mim. Coisas de mãe, de avô, presente de mulher... O senhor compreende, não é, capitão? Se o senhor levar pra delegacia, já era.

— Vai tudo pra delegacia, Osmar.

— Meu chefe, escuta aqui. Com todo o respeito: será que não dava pra negociar? — Encarei o sujeito. Ele continuou: — Pra tudo tem um jeito, capitão. Menos pra morte. Vamos chegar a um acordo. Fica melhor pra todo mundo.

— Quanto é que você me dá? — perguntei.

— Pode pedir, meu chefe, o senhor manda. O que eu tiver é seu.

— Está falando sério? É pra valer?

— À vera, meu chefe. Papo reto.

— Então me dá as peças. As peças e as drogas, da preta, da branca. Tudo. Tudo que você tiver.

— É pra já, meu chefe. Só preciso de um telefone.

Claro que não dei meu celular. Chamei um dos meus homens e pedi o celular que tinha sido apreendido com o vagabundo. Passei ao Osmar e ele mandou desenterrarem as armas e trazerem o estoque de drogas que tinham acumulado para vender na boca.

Menos de meia hora depois, vieram algumas mulheres com seis fuzis embrulhados e alguns quilos de maconha e cocaína.

Ordenei ao soldado motorista, que já me aguardava com a viatura naquele posto intermediário da favela, que se aproximasse de ré e abrisse a caçamba.

Determinei às moças que depositassem os pacotes na viatura.

Ouvi a voz de Osmar:

— Pronto, capitão. Está tudo aí.

Estendeu os braços para eu abrir as algemas. Segurei seus pulsos unidos pelo aço e puxei em direção à viatura.

— Meu chefe, que é isso? Acordo é acordo. Eu cumpri minha parte. — disse ele.

As mulheres começaram a gritar. Eu disse bem alto:

— Você está maluco? Está louco? Você acha mesmo que vai negociar com um capitão do BOPE?

O volume dos gritos aumentou, e explodiu a revolta das amigas e parentes de Osmar.

— O senhor disse que era papo reto.

— Não uso vocabulário de traficante, rapaz. Cabo — chamei —, leva o preso pra viatura. Vamos embora.

As moças me insultavam. Inverteram-se as posições. O desonesto era eu. O trapaceiro, eu.

Encarei a mulherada feroz:

— Acho que vou ter de levar mais gente pra delegacia.

A ameaça fez efeito. Osmar gritou para as mulheres, interrompendo o coro indignado. Mandou que elas calassem a boca. Tinha consciência de que comigo não tinha mais papo. Sabia com quem estava falando.

As duas equipes saíram juntas da favela. Dispensei a maioria dos homens que estavam sob meu comando e levei só um pequeno grupo comigo para a delegacia. No caminho, decidi mudar o rumo. Temi a Polícia Civil, os delegados, a conversa mole, os padrões de comportamento moles, os valores flexíveis demais para o meu gosto.

Claro que tem delegado sério. Óbvio. Alguns seriam até bem-vindos no BOPE. Gente de primeira. Mas tem cada um... Como não sou chegado a loteria, preferi não arriscar. Com a lábia, o renome e o poder de mobilização do Osmar — mobilização de apoios implicava capacidade de levantar grana —, qualquer vacilo seria fatal. Vacilo ético, quero dizer. Uma queda para a desonestidade por parte do delegado, uma leve queda abriria as comportas para a passagem de muito dinheiro e, consequentemente, para um acordo nojento, que livraria Osmar da cana.

Resolvi levar o preso para a Polícia Federal. Não é que lá só tenha anjo. Longe disso. Quem não se lembra do roubo de cocaína que aconteceu dentro da Superintendência, no Rio? Mesmo assim é diferente. No Rio, entre agentes e delegados, são bem menos de mil. Na Polícia Civil, são mais de dez mil. Nos grupos menores, a informação vaza mais fácil e rápido. O escândalo é maior. O controle é mais eficiente. O compromisso corporativo, menor, porque as redes de lealdade são mais fragmentárias. O que se tem a perder na PF é mais valioso, porque seus padrões salariais são incomparáveis. A distância entre a direção-geral, em Brasília, e as superintendências estaduais é maior do que aquela que separa o chefe da Polícia Civil de seus subordinados. Este sabe que vai voltar em breve para o convívio dos pares. De Brasília, o diretor-geral tem muito mais opções em seu retorno à planície: entre elas, pular de sua instituição para uma Secretaria Estadual de segurança e, daí, para a Câmara Federal, tripulando os votos produzidos pela visibilidade midiática, as operações espetaculares, o apoio das milícias e pelo dinheiro arrecadado junto ao bicho e às maquininhas de azar, por exemplo.

Liguei para meu superior, comunicando o destino do preso, que se justificava na medida em que porte ilegal de armas e tráfico de drogas ilícitas podem ser classificados como crimes federais.

Ninguém sabia de minha decisão, além do motorista, ao meu lado, e do coronel, comandante do BOPE. Mesmo assim, surpreendentemente, o advogado de Osmar já nos esperava quando chegamos à superintendência da PF, na praça Mauá. Nunca esclareci o mistério.

No final dos procedimentos formais, antes de sair, perguntei ao advogado, diante do delegado da PF, se faltava alguma coisa entre os pertences do preso. Ele disse que não. Fiz questão de perguntar se o seu cliente tinha alguma queixa contra os policiais do BOPE. Não, nenhuma queixa. Quis saber se Osmar tinha sido bem-tratado, nos termos da lei. Sim, foi bem-tratado, atestou o advogado, nos marcos da legalidade. Nenhum problema, portanto. Missão cumprida.

Um revés rolou a ladeira até meu barraco meses depois da bela prisão de Osmar. Uma captura bonita porque custou muito trabalho preparatório, de inteligência, planejamento. Exigiu execução precisa, sacrifício físico, escalada, acampamento, uma noite na mata, o cerco em pinça vertical, e muita astúcia para extrair do vagabundo a entrega do que lhe restava no paiol.

O coronel que comandava o BOPE na ocasião me chamou ao seu gabinete para informar que estava sendo aberto um procedimento investigativo contra mim com a finalidade de apurar uma denúncia. Chama-se IPM, Inquérito Policial Militar.

— Denúncia?

— Denúncia.

— Como assim, coronel?

— Roubo de setenta mil reais.

— Roubo? Setenta mil?

Nessas horas, o que vem à cabeça? Algum criminoso armou uma calúnia qualquer pelo Disque-Denúncia para me afastar da linha de frente, porque sabe que sou osso duro de roer. Ou fez isso por vingança. Tudo bem. Sai na urina. Se o canalha pensa que vai me abalar; se acha que pode atingir minha biografia na Polícia Militar, no BOPE, estava completamente enganado. Seria a palavra de um marginal — provavelmente anônimo — contra 15 anos de serviços prestados com honra e bravura. Minha ficha era limpa e meu nome, modéstia à parte... bem, meu nome... não vou dizer que era uma lenda porque não era... mas, entre os que me conheciam, era, sim, uma lenda. Alguém apostaria no marginal?

Pois ganhou quem pôs as fichas na zebra. Enganado estava eu.

De início não parecia nada grave. Nem levei a sério. Aos poucos, vieram à tona dados preocupantes. A fonte da denúncia não era anônima nem ligada à bandidagem, ainda que, óbvio, tampouco pertencesse à categoria dos homens de bem. Um dos membros da segunda equipe se vingava da humilhação a que eu submetera o grupo durante a prisão de Osmar. Provavelmente, o filho da puta que roubara os pertences pessoais do preso. Com certeza fazia isso para se defender, antecipadamente, da acusação que eu faria contra ele. Acusação que ele temia que eu fizesse. Mas que eu decidira não fazer. Não me pergunte por quê. Não sei a resposta. Sei é que já era tarde para pensar nisso. Pareceria desculpa esfarrapada e desleal. Antes daquele comunicado do coronel sobre a acusação contra mim, hesitei um bom tempo, imaginando que talvez fosse melhor dar uma outra oportunidade ao rapaz. Ponderando que, se ele reincidisse, seu comportamento acabaria sendo notado e o conjunto probatório, ganhando mais substância, o condenaria, definitiva e irremediavelmente.

Erro meu. Não se fere um animal selvagem. Mate-o ou não lhe faça mal. Se você o ferir e ele sobreviver, não durma ao seu lado. Aprendi essa lição do jeito mais sangrento. Despertando do sono idiota nas garras e nos dentes da fera.

O inquérito avançou e passou a me preocupar. Entretanto, jamais cogitei a hipótese de ser condenado. Por um motivo primário: não havia prova. Nem mesmo materialidade. Esse dinheiro, para entrar na minha conta ou no meu bolso, teria de sair de algum lugar e ser guardado, ou gasto de alguma forma. De onde teria vindo? De Osmar? Mas eu o levei preso. Eu teria lhe pedido dinheiro, além de armas e drogas, e teria ficado com a grana? Por que ele não denunciou? O que foi feito dos setenta mil, se eu continuava morando no mesmo apartamento modesto de sempre? Se meu carro era o mesmo velho Chevete? Se a pequena movimentação bancária nunca sofreu qualquer mudança? Se eu tinha todos os depoimentos de minha equipe e de meus superiores a meu favor?

Mesmo assim — apesar de tudo e contra toda evidência, contrariando o bom senso e as avaliações minimamente racionais, na contramão dos princípios mais elementares do estado democrático de direito, rasgando a Constituição Federal —, o IPM concluiu pela conveniência de minha punição para que uma denúncia contra um policial não passasse em branco, para que a lição servisse aos que ousassem transgredir, no futuro, os valores militares de probidade etc. Fiquei sessenta dias preso no quartel da PM que abriga os profissionais em cumprimento de sentença militar privativa de liberdade. Na folha de antecedentes, está lá a marca, a mancha, a gota de sangue que mais me doeu em toda a vida. Nascia ali minha vontade de mandar a polícia à merda. Compreendi que policial não é cidadão. Nem isso ele é. Ele — ou ela, tanto faz — não passa de um joguete que os políticos manipulam para divertir a sociedade. Divertir?

Por outro lado, não posso negar que o diabo está conosco. Em certo sentido, o diabo somos nós também. Não basta posar de vítima e apontar o dedo para os oportunistas da política, fingindo que o filho da puta que me delatou não está em nossas fileiras. Está. E bem próximo. É um de nós. Está dentro do Batalhão de Operações Policiais Especiais. É hora de aposentar ilusões e me acostumar a essa ideia: a fonte do mal está em nós, ainda que haja tanto demônio solto por aí, originário das mais diversas fontes, a começar pela Igreja Romana, que não é exatamente um viveiro de anjos.

4
Lealdade a quê? A quem?

Decidi. Vou contar a terceira história. Pensei em vários títulos, mas esse aí é melhor que os outros porque toca no essencial: a lealdade. Não existe grupo sem lealdade. Não se faz polícia sem lealdade. Assim como não existiria ordem nem sociedade se as pessoas não tivessem um mínimo de lealdade com o coletivo, isto é, com as normas do convívio social. O problema é que nem sempre uma linha de lealdade se harmoniza com as outras. Às vezes, se emaranham numa teia complicada, cada uma puxando para um lado até arrebentar o nó. Esse tipo de nó não desata. O fio não resiste à pressão das forças opostas e rompe. Quando isso acontece e o destino dá um nó, a gente tem de escolher um lado. Quer dizer, tem de optar por uma entre as lealdades em conflito.

A favela do Boqueirão é mais do que um núcleo residencial que os pesquisadores, com aquele palavreado pernóstico e horroroso, chamam de subnormal. Uma vez ouvi um morador da favela comentar a entrevista com o professor que falava nessa linguagem subcomunicativa e subrespeitosa. Posso resumir dizendo que o morador foi superexpressivo e superpassional, e até mesmo super-hostil. Portanto, quando eu visitava favela, escolhia bem as palavras. Preferia a palavra "comunidade" para designar o grupo de residentes naquele bairro popular. Bastava a raiva que a população tinha da polícia. Não era preciso incrementar o ressentimento abusando do vocabulário. Mencionei visitas porque um policial do BOPE também visita morador de favela, tem amigos que moram em favelas. Claro que isso foi ficando cada vez mais complicado e perigoso para todos os lados envolvidos, inclusive e sobretudo para o anfitrião, à medida que o tráfico foi ocupando as regiões populares e impondo seu domínio violento sobre os territórios e seus habitantes. As coisas só pioraram quando os traficantes foram mortos ou recrutados pela nova força criminosa, mais preparada, mais ambiciosa, mais bem-equipada e politicamente muito mais articulada: as máfias que os jornalistas gostam de denominar "milícias".

Mas é evidente que, enquanto as visitas amenas e amistosas rareavam, a barra pesava e as incursões bélicas aumentavam. Aos poucos, passei a fazer menos visitas e as substituí por operações de guerra. Uma favela que a gente visita é um espaço social como outro qualquer, ainda que dotado de características próprias. Afinal, rico ou pobre, todo lugar tem suas regras, seu código, seu estilo e até seu ritmo. Esse tipo de coisa a gente aprende por osmose. Sem perceber. De tanto frequentar, passa a esperar, antecipar e reproduzir o tom, o som, o cheiro e a musicalidade do local. É assim que acontece nos prédios luxuosos do Leblon e no morro do Boqueirão.

Para nós, do BOPE, isso era um problema. Como as invasões ao Boqueirão se tornaram comuns, nossas ações, por mais que variassem, acabaram entrando na programação semanal da comunidade. Falo sério. Assim como nós já sabíamos, com elevada dose de probabilidade, o que nos esperava — da geografia às reações populares, dos latidos dos cães aos coros nas igrejas evangélicas —, os traficantes também conheciam a evolução de nossas alas — dos carros alegóricos à bateria — e se posicionavam nos postos mais adequados, retirando-se com rapidez aos primeiros sinais de nossa presença. Seria mais exato dizer: ante o prenúncio de nossa aproximação. Por mais velada e sorrateira que fosse.

Os traficantes desistiram de nos enfrentar, como ocorria — e eu já disse, mas vale a pena repetir — na imensa maioria dos casos em todas as favelas e regiões em que atuávamos. Desde que pudessem recuar e escapar. Claro que essa tendência não se aplicava quando não havia espaço ou oportunidade para recuo e fuga, isto é, quando a alternativa ao combate era a mera rendição. Nesse caso, a maioria resistia à base de bala. Se a opção era a capitulação ou o confronto, os vagabundos vinham para o confronto porque temiam ser executados na eventualidade de uma rendição. Poucos acreditavam que os pouparíamos e os prenderíamos. E estavam certos. Preferíamos não fazer prisioneiros. Não vou gastar meu latim explicando, mas era essa a orientação dos superiores e a nossa opinião também. A menos que houvesse a necessidade de extrair informações. Tudo dependia, portanto, de quem fosse o alvo e em que circunstância estivesse sendo implementada a operação. Se o alvo prioritário fosse uma figurinha carimbada de algum comando, o ideal era mantê-lo vivo e trabalhá-lo, quer dizer, fazê-lo falar. Os métodos eram aqueles científicos, bem conhecidos. Contudo, não fazíamos nada sem autorização do comando. A comunicação com o coronel encarregado era, portanto, constante e indispensável.

Interessante o fato de que minhas histórias, as histórias do BOPE, não incluem milicianos como alvos. Isso reflete o período em que ocorreram as situações que narro — segunda metade dos anos 1990 —, mas também essa curiosa realidade: até hoje o BOPE não reconhece os milicianos como os maiores inimigos, salvo excepcionalmente.

Volto ao Boqueirão. Mais do que seus comparsas de outras favelas, os traficantes daquele morro nos conheciam e, justamente por esse motivo, nos temiam mais do que os outros. Esse contexto dificultava demais nosso trabalho. Além de tudo, o Boqueirão é uma área enorme. Parece um arquipélago de áreas habitáveis cercadas de matas, encostas e pedras por todos os lados. Tinha se tornado quase impossível surpreender os traficantes e aproximar-se deles. O único jeito que nos restava era arriscado, ainda que factível, considerando-se a qualidade de nosso *sniper*: um ataque a distância, a longa distância.

Era mais ou menos uma da manhã quando invadimos a favela, na tal operação sinistra que hesitei em contar. Com os oito homens sob meu comando, corri no primeiro trecho, caminhei na plataforma central da comunidade e subi mais um pouco até uma espécie de alça de pedra, de onde se tinha excelente visão do morro. A uns 150 metros, vimos um grupo armado, imóvel. Não sei se jogavam cartas, conversavam, ou separavam e embrulhavam droga. Não dava para ter certeza. Sem dúvida eram traficantes. Era possível divisar as armas sem chance de erro. Um cabo e um soldado tinham me ajudado a fixar o tripé do fuzil. O cabo Meireles era nosso *sniper*. Os outros soldados nos davam cobertura. Meireles se preparou para os tiros. Disse a ele que estava autorizado a atirar assim que tivesse alguém no retículo. Meticuloso e paciente como ele era, demorava na espera do momento perfeito.

Nesse instante, o sargento Prata quebrou nossa concentração. Ele estava um pouco abaixo de nós. De onde ele estava, a visão do conjunto era inferior à nossa, mas era muito melhor para observar o platô situado abaixo da pedra em que fixamos o fuzil do *sniper*.

— Capitão, um vagabundo circulando sozinho. É um teco só. Posso?

— Tem certeza?

— Absoluta.

— O cara está armado?

— Armadíssimo.

— Tem risco de acertar algum morador se você errar?

— Nenhum, capitão. O camarada está vagando sozinho. Uma alma penada pedindo pra gente apressar seu encontro com o criador. Mamão com açúcar, capitão.

— Não faz o tiro, não, Prata. Sinto cheiro de merda no ar. O Meireles vai aí dar uma olhada com a luneta. Vamos trabalhar direito.

— Capitão, o cara está dando a maior bobeira. Ele parece perdido. Deve estar drogado pra cacete. Tiro e queda, capitão.

Meireles, que mirava o outro lado do morro, sussurrou que estava selecionando o alvo. Tentando descobrir quem, aparentemente, era o chefe do grupo. Às vezes era fácil identificar. Às vezes, só adivinhando. Se ele tivesse calma, acabaria escolhendo o alvo ideal. Claro que haveria tempo para matar pelo menos uns dois ou três traficantes, mas se começasse com o chefe seria um gol de placa.

Prata voltou à carga:

— Um teco só, capitão.

— Esquece, Prata. Você vai acabar alertando os outros e dispersando o grupo que está na nossa mão.

O estampido de início me confundiu. É evidente que percebi que o disparo não tinha saído do fuzil do Meireles. Mas não podia imaginar que fosse o tiro do Prata. Eu tinha vetado o tiro. Cheguei a supor que estivéssemos sob ataque de um inimigo situado próximo de nós. Não seria possível. Onde ele poderia estar? Era do Prata.

— Puta que pariu, sargento. Que merda é essa?

Claro que o cretino tinha tocado a sirene, anunciado o bombardeio e mandado os traficantes para o abrigo aéreo.

Meireles disse uns palavrões. Seus alvos dispersaram.

Dei meia-volta até a borda da pedra e gritei com a voz baixa — se é que você sabe do que estou falando e admite que é possível gritar em voz baixa:

— Caralho, Prata. Que merda é essa?

— Desculpe, capitão. Desculpe, mas acertei o alvo. Está lá o vagabundo no chão. Não podia perder a oportunidade. Antes um pássaro na mão.

— Porra, sargento. Vale ou não vale meu comando, cacete?

— Desculpe, capitão. A última coisa que eu queria era desrespeitar o senhor.

De fato, o sargento Prata merecia crédito como um de nossos melhores profissionais. A situação que ele provocou era inusitada. Meu impulso foi mandar que voltasse imediatamente ao batalhão, preso. Outra corrente dentro de mim soprava justificativas, recomendando prudência. O Prata era uma dessas pessoas vocacionadas. Sua dedicação à polícia, o grau de concentração que alcançava, o rigor com que se aplicava no cumprimento das missões, todo esse histórico e as circunstâncias amenizaram minha indignação. O oficial militar, quando é bem-formado, assimila cedo a necessidade de distinguir sentimento e razão, o que talvez seja a tarefa mais difícil de realizar nos momentos dramáticos e tensos da ação real. O que pesa mais: a disciplina ou o cumprimento da missão? O que valia mais: obedecer ou vencer a guerra? Não sou formalista. Tenho plena consciência de que disciplina é meio; a finalidade é a liquidação do inimigo. Os militares não obedecem porque é bonito, moralmente. Obedecem porque são peças da máquina cujo funcionamento depende do pronto emprego da força, o qual, entretanto, só é possível se as engrenagens humanas atenderem à voz de comando como a energia responde ao interruptor.

— Onde é que está o vagabundo? — perguntei.

Prata apontou. Atrás dele apertei os olhos, mas não tive certeza de que a sombra recortada no solo era o corpo alvejado.

— Onde? — insisti.

— Ali, capitão. Depois da caixa d'água. Está vendo a caixa d'água?

— Vamos lá.

Convoquei os outros. Tínhamos de agir depressa, antes que os traficantes se reagrupassem. Não era provável, mas não seria prudente descartar a hipótese de que esboçassem alguma reação. Além disso, se demorássemos, começariam a chegar os parentes do morto. Más notícias correm em alta velocidade na favela. A pior coisa do mundo é puxar um cadáver ladeira abaixo arrastando um rosário de carpideiras e um coro de insultos infames.

Quando chegamos ao pátio, seguindo o faro do sargento Prata, vislumbrei num flash o desastre. Os curiosos se afastaram. Tomei a frente do grupo. O morto era um jovem. Vestia o uniforme de uma pizzaria. Ao seu lado, no chão, a bolsa de isopor repleta de pizzas.

Uma auréola de sangue adornava a cabeça imóvel.

Hesitei como um príncipe dinamarquês. O coração ferveu. Houve um momento em que teria esfolado vivo o sargento. E o teria jogado aos leões. Assassino covarde era o que ele era. Contive o ódio, temperei o veneno com alguma reflexão. A imagem do Prata, agora, era a do incompetente, idiota, despreparado, indisciplinado. Merecia a sarjeta. Olhei para cima. A noite estava clara. Recordei algumas estações da via crucis do BOPE: tantas e tantas mortes inúteis. Mesmo as mortes dos bandidos eram inúteis. A fonte de onde brotavam continuava ativa. Para que a guerra? Percebi que aquele pesadelo era só o espelho de minha exaustão. Estava esgotado; meus homens, exauridos; o Brasil estava cansado. Ninguém aguentava mais a guerra, que não nos levava a lugar nenhum. Prata estava esgotado. Nada mais fazia diferença. A única realidade era a exaustão, esse esgotamento cósmico mais forte do que a nossa vontade. O esgotamento que profana as nascentes e cancela, em nós, tudo que é vivo.

Sem dizer nada, cheguei a decidir, no meu íntimo, que nada mais tinha importância. Meu papel era resolver. Pois bem, trataria de resolver. O moleque estava morto. Impossível reverter a morte. O que me restava era cuidar dos vivos. Em primeiro lugar, dos vivos sob meu comando.

Vi, dentro da minha cabeça, a cena montada: eu já não era o personagem indeciso. Era capitão do BOPE. Determinava a imediata remoção do corpo. Mandava cobri-lo. No caminho, já na viatura, haveria tempo para nos livrarmos do uniforme da pizzaria. Vi, no filme que passava em minha mente, que eu apertava a mão do entregador de pizza depois de depositar uma pistola entre a palma e seus dedos. Era a vela. A prova de que o rapaz morrera em combate, vítima de confronto. Mais um número para a estatística dos autos de resistência, em que somos campeões mundiais. Como em tantos casos, não daria em nada. Promotores acatariam nosso relato, e juízes abençoariam nosso trabalho. Em nome do que chamam segurança pública. Se o garoto entregava pizza, tudo bem. Quando o alvejamos, para todos os efeitos legais, fazia hora extra no tráfico do Boqueirão. É o que iria constar nos registros oficiais da história brasileira. É o que valeria dentro e fora do BOPE.

Contemplando o corpo do rapaz, em silêncio, eu continuava pensando.

Por que resolver desse modo o impasse? Simples: de que adiantaria estragar a vida de um ótimo rapaz, o Prata, se a outra já estava perdida? Nada do que eu fizesse mudaria essa realidade. Tudo bem, ele errou. E daí? O erro dele foi querer acertar. Para mim, justiça para soldados em tempos de guerra tem uma segunda alma. Segue um deus próprio. Guia-se por escrituras muito peculiares.

Os homens ao meu lado estavam impacientes, olhando para mim, esperando minhas ordens. Ao lado dos meus pés, a auréola de sangue se alargava ao redor da cabeça do jovem entregador de pizza.

— Prata, você está preso. Soldado, apreenda a arma do Prata para perícia. Estava decidido.

De noite, insone, ouvi uma voz interna me criticar, afirmando que eu deveria ter ficado ao lado do Prata e que deveria dizer à sociedade, ao cidadão, o seguinte: *"Você acha que eu entregaria para o sacrifício um soldado que arrisca a vida para proteger você e sua família, e que pisa na lama, enquanto você assiste à novela na TV, e que mete as mãos no lodo e nas vísceras do inimigo, enquanto você se diverte nos campos de golfe ou nos salões de chá, e que arruína a leveza da juventude com a memória do sangue, enquanto você nos acusa, e ri de nossa estupidez, sentado no sofá da sala? Não me interessa sua opinião sobre as leis e a justiça, nem o que você acha desse pedaço da humanidade a que pertenço. Se minha consciência doer — e ela dói com frequência —, pode ter certeza de que não será por causa de suas opiniões a meu respeito. Admiro o elevado padrão de seu juízo moral, mas ele não vale nada enquanto não for testado no barro, na cinza, no fogo, no tear lúgubre em que os deuses da guerra tecem a mortalha de cada um."*

Acabei dormindo. Acordei com um gosto amargo na boca, uma puta dor de cabeça e a certeza de ter feito a coisa certa.

5
Mistérios

Alguns fenômenos são misteriosos e permanecem enigmáticos ao longo dos anos. Quanto mais pensamos neles, menos os compreendemos. No mundo policial, em particular no campo de batalha e no universo do BOPE, não é diferente. É o caso de Lamartine Feitosa, cabo da PM, ex-companheiro, homem de valor, valente e leal, que se converteu e pediu afastamento do BOPE. Preferiu retornar a unidades convencionais, nas quais, também por opção, têm se empenhado em tarefas administrativas.

Outro dia visitei o Queiroz, subcomandante de um batalhão da Zona Norte, velho amigo. No meio da conversa apareceu o Feitosa. Bateu à porta, entrou cauteloso, sorriso sereno. Fiz uma festa quando o saudei. Ele parecia emocionado com o reencontro. Modesto, não se estendeu. Perguntou se podia providenciar um cafezinho, uma água, e passou ao subcomandante a papelada burocrática do dia.

— Com licença. Foi um prazer rever o senhor, capitão.

Prestou continência e saiu como o vento pela fresta da porta.

Queiroz confirmou que Feitosa agia sempre assim, desde que chegara ao batalhão. Furtivo, poucas palavras, educado, gentil, prestativo ao extremo, sem ambições aparentes, atencioso com todo mundo, mas evasivo. Fazia tudo para manter-se longe de ações externas, sobretudo da rotina de incursões e enfrentamentos.

— Na dele, sempre — disse Queiroz.

Mesmo assim, a tropa o respeitava como guerreiro. Afinal, tinha passado pelo BOPE e saiu porque quis. Seu conceito nunca havia sido questionado. O prestígio entre os caveiras estava intacto.

Queiroz completou:

— Não fala do passado no BOPE. Não gosta. Quando a gente pergunta sobre alguma ação de que participou, desconversa. Quando os colegas contam alguma história dos confrontos, se afasta. Disfarça e se afasta.

Eis o que aconteceu — e que não explica a mudança, mas a antecede.

Acostumado à rotina do BOPE — guerra à noite, descanso de dia, deslocamentos via transporte público —, Feitosa cochilava, no ônibus, voltando para casa, quando dois rapazes anunciaram um assalto. Armado e portando documento de identidade policial, sabia que era matar ou morrer. Instintivamente, sacou a pistola, ergueu-se no banco e atirou nos ladrões, que reagiram tarde demais e sem precisão. Os dois bandidos morreram, e, felizmente, ninguém mais se feriu. A técnica o salvou, ele disse muitas vezes nos dias e nas semanas seguintes. O treinamento do BOPE o salvou. Agiu como guerreiro eficiente, veloz e preciso, graças à experiência. Feitosa repetia o que nós todos gostávamos de sublinhar: nenhuma outra tropa urbana do mundo tinha o privilégio de praticar, como nós, diariamente, as táticas de combate antiguerrilha. Por isso, éramos os melhores. Por isso, até os israelenses vinham aprender conosco.

Até aí, nada de novo. Nada excepcional. O episódio apenas demonstrava a perícia de nosso companheiro. Mas não foi assim que ele vivenciou a situação. Por algum motivo, a cena mudou sua vida. Mudou sua maneira de ver a profissão, seu jeito de falar, sua atitude. Se isso tivesse acontecido com qualquer pessoa, eu entenderia. Matar pode transformar muita coisa na cabeça de um indivíduo. No entanto, para Feitosa, matar era parte de seu ofício. Era parte de seu cotidiano. Por que aquelas mortes foram tão especiais?

Saindo do gabinete do Queiroz, fui tomar um café com Feitosa. Senti que ele estava desconfortável, talvez porque eu arrastasse comigo um passado do qual ele participara, que era também seu e que ele preferia esquecer. Por isso, escolhi temas neutros. Falei de minha família, futebol, coisas assim. Ele foi se desarmando. Se eu bebesse, o convidaria para um chope. Ele teria me dito que tinha parado de beber. A religião proibia. Feitosa havia se convertido.

Era evangélico. Isso eu já sabia. Como estávamos sozinhos e a conversa nos aproximou, mostrei curiosidade por sua conversão. Quis saber como ele tinha descoberto a fé. Ele não se furtou a me falar de suas crenças. Por essa via, encontrei uma brecha para mencionar o episódio e lhe perguntei se o caso tinha sido decisivo ou tinha pelo menos contribuído para sua transformação espiritual.

A resposta de Feitosa não saciou minha curiosidade. Na verdade, me deixou angustiado. Fiquei com a sensação de que o campo vasto de minha ignorância ia se ampliando à medida que as palavras do velho camarada pareciam fazer sentido.

Ele disse mais ou menos o seguinte:

— Quando atirei nos homens dentro do ônibus, eu estava lá e eles estavam lá. Havia mais gente, gritos, medo. Mas nós três estávamos lá. Uns diantes dos outros. Fui eu que atirei no primeiro, capitão. Eu, Lamartine, o homem, a pessoa. Fui eu que atirei no segundo. Entendeu? O primeiro caiu pra trás. Morreu na hora. O segundo tombou de lado, emborcou, e sangrou muito antes de morrer. Duas vidas, capitão. Eram dois jovens. Olharam pra mim. Eu olhei pra eles. Nós nos olhamos.

— Você morreria se não atirasse, Feitosa. Tem dúvida de que eles teriam matado você?

— Teriam matado, sim. Mas não foi o que aconteceu, porque atirei primeiro. Quem matou fui eu.

— Ainda bem, Feitosa. Ou você está arrependido? Acha que errou? Não deveria ter atirado?

— Não errei, não.

— Pois é, legítima defesa.

— Eu sei.

— Então, por que isso perturba tanto você?

— Porque está errado fazer a coisa certa.

Acho que ele notou que fiquei pasmo. Tanto que retomou a palavra:

— Capitão, ouve. Presta atenção.

Feitosa repetiu o que tinha dito, com as mesmas palavras. Que os três estavam no ônibus etc.

Então me calei. Desisti de entender, mas intuí que havia alguma coisa no que ele dizia, alguma coisa que tocava a verdade. E logo o presságio de que essa verdade se revelaria desapareceu sem deixar rastro. Voltei a me sentir perdido nesse emaranhado.

Um tempo depois, em que cozinhamos o silêncio em fogo baixo, ele acrescentou:

— Capitão, nas incursões, vestíamos uniforme.

E daí?, pensei. Que diferença isso faz?

Feitosa prosseguiu:

— Nos confrontos, éramos partes de uma engrenagem.

OK, eu pensei. Tudo bem. E daí? Sem organização é impossível combater. Somos uma máquina. Máquina de guerra. Um mecanismo do Estado armado para matar. Qual a diferença? Uma pistola municiada funciona do mesmo jeito. O projétil disparado mata da mesma forma. A guerra e a legítima defesa são razões suficientes para justificar o tiro fatal. As situações se equivalem? Onde está a diferença?

O velho companheiro concluiu:

— Não estávamos sozinhos, capitão, mesmo que, fisicamente, em algum momento da ação, cada um de nós estivesse sozinho. Quem agia era a equipe. A vontade que a gente encarnava era da corporação. O cabo Feitosa participou de muitas operações e matou em combate. Eu nunca estive em nenhuma operação. Eu, Lamartine, nunca tinha matado ninguém.

6
Caminhos sinuosos da lealdade

O táxi sobe a favela da Rocinha pela via principal, duelando com centenas de motocicletas, ônibus, vans e moradores, e mais alguns ciclistas. Um fim de tarde como os outros. Normal. Tranquilo. Duelar nesse caso significa manter-se alerta e jogar-se no primeiro espaço livre adiante, agarrar-se à mínima oportunidade de mover-se alguns palmos para cima ou para baixo, conforme seu destino. Ao mesmo tempo, tem o sentido de exercitar a paciência, desenvolver as artes da cortesia, dar passagem, prevenir-se de movimentos súbitos sem qualquer sinalização, proteger os pedestres e atentar especialmente para as crianças com suas bolas e pipas e sua incrível capacidade de improvisar coreografias e saltos tríplices, e recuos, e avanços entre, dentro e por cima de tudo o que é mecânico e se move ladeira acima ou morro abaixo. A algazarra se multiplica nos alto-falantes das igrejas evangélicas, dos anunciantes locais e da rádio comunitária. E o trânsito inviável congela irremediavelmente quando chegam as kombis que fazem mudança e as caminhonetes que entregam móveis e eletrodomésticos. Os cães dão sua imodesta contribuição à babel comunitária.

Ao volante, o ás Moisés. Capitão Moisés, do BOPE. Bom motorista, bom piloto de helicóptero, bom comandante de sua unidade e um dos mais experientes *snipers* da Polícia Militar. O aumento não veio, a mulher engravidou de novo, não restaram alternativas mais interessantes para um profissional sério. O táxi acabou se revelando a melhor opção. Preferia dedicar-se exclusivamente à polícia, mas quem consegue fazer isso com os nossos salários? Não era homem de malandragem. Acontece que a escolha tem seus inconvenientes. Por exemplo, subir uma favela populosa, um bairro popular com 150 mil habitantes e poucas e estreitas vias de acesso, como a Rocinha, em um fim de tarde como os outros, ou seja, caótico.

Moisés costumava recusar passageiro para favela. Não por preconceito, mas porque depois de tantos anos no BOPE tornara-se conhecido da galera que tem pacto com o diabo. Muita gente dessa tribo se esconde nas áreas populares, aonde a polícia não vai ou em que só aparece para receber o dinheiro do *arrego*, quer dizer, do acerto com os traficantes. Havia também o risco de que a área fosse dominada pela milícia, o que poderia provocar problemas igualmente graves. Por precaução, preferia passar por mais um motorista preconceituoso a deixar a mulher viúva com o herdeiro na barriga.

Toda regra tem exceção. A mulher que fez o sinal cercada de sacolas de supermercado por todos os lados parecia sua mãe. Idosa, gorda, movimentando-se com dificuldade, parecia derrotada pela tarefa, sem forças para seguir adiante, prestes a desistir. O jeito perdido e o desamparo meio infantil lembravam a mãe quando ela entregava os pontos na tentativa sobre-humana de disciplinar os dois filhos adolescentes. O sinal para o táxi era quase um apelo. Pelo menos foi assim que Moisés interpretou os gestos da senhora. Quando ela disse que ia para a Rocinha, já tinha empurrado, com a ajuda de Moisés, todas as sacolas para o banco de trás e se sentado ofegante ao lado do motorista. Ele acumulou na vida de policial alguns momentos memoráveis de coragem. Ali, acovardou-se. Mesmo que a mulher não lhe recordasse a mãe, ele não teria coragem de lhe pedir para sair do carro.

Raciocinou, fez alguns cálculos, olhou o relógio e concluiu que não haveria problema. Ele seria apenas mais um carro no meio do trânsito indiano da favela. Além disso, a boa ação seria infinitamente mais visível que seu rosto.

Lá está Moisés, esgrimindo seu Gol 1.0 amarelinho ladeira acima. O sexto sentido policial permanece ligado. Não tem jeito. É instintivo. Seu impulso é olhar para todo mundo, em todas as direções. No entanto, sabe que o melhor é manter a cautela, ser discreto, não cruzar os olhos com ninguém, não encarar ninguém. A confusão geral no trânsito, a algazarra dos meninos são bons sinais. Quanto mais atrapalhada a rua, mais calma a situação. E mais fácil que ninguém note Moisés. Ninguém armado. Claro que a tensão está ativa, movimentando o metabolismo. Entretanto, vida de policial no Rio de Janeiro é assim. Mesmo sem documentos que o vinculem à PM, há sempre o risco de que algum marginal desconfie e o execute, em alguma blitz falsa, na Linha Amarela, na Linha Vermelha, na avenida Brasil, na avenida Suburbana. Tinha acontecido com colegas. Por que não com ele? O jeito era não portar arma, só usar a identidade de motorista profissional, tomar cuidado com a postura e o modo de falar, e ir em frente que atrás vem gente. Aliás, é exatamente o que ocorre agora subindo a Rocinha. Muita gente vem atrás. O problema é que muito mais gente continua na frente. Cada metro tem de ser conquistado com suor e agilidade. Correr na Fórmula 1 é mole, pensa Moisés. Ele queria ver o Felipe Massa, o Rubinho Barrichello e o Schumacher dirigindo ali. Quando surge a brecha para avançar, aparece um ônibus fazendo a curva na contramão, ultrapassando lentamente um enxame de mototáxis. Paciência, Moisés. Paciência.

Finalmente, vencidos os 12 trabalhos de Hércules do congestionamento, o Gol quase fervendo para na esquina de um beco no alto da rua 1. Moisés desce do carro para ajudar a passageira a descarregar as sacolas. Ele a acompanha até a porta de casa, alguns metros adiante. Vai e volta. Mais uma vez. Na segunda rodada de bolsas e de compras, enquanto a senhora abre a carteira para lhe pagar, ele percebe que um grupo de rapazes tinha parado o que fazia para observá-lo. Mais alguns passos e, examinando com a visão periférica, disfarçadamente, sobre o ombro, entre um movimento e outro com as sacolas, dá-se conta de que os jovens estão armados. Respira fundo, põe em prontidão todos os músculos, liga todos os neurônios. Faz tudo isso por puro reflexo, porque nada disso tem ali qualquer utilidade. Pelo contrário. O que lhe cabe fazer é transmitir indiferença e tranquilidade. Ele não passa de um civil trabalhador, um motorista de táxi gentil que ajuda a velha moradora da favela a transportar suas compras do mês.

— Moisés.

Uma corrente elétrica fulmina de alto a baixo sua coluna. Ele ouvira nitidamente seu nome. Alguém o estava chamando. Pelo nome. Alguém do grupo de jovens armados. Um dos traficantes o havia identificado. Era um azar imenso morrer assim, num fim de tarde, cumprindo uma boa ação. Ele respira de novo e não dá ouvidos ao chamado. Finge que não é com ele e continua descarregando o carro.

— Capitão.

A voz está mais clara. Vai ficando difícil fingir indiferença. Não sabe o que fazer com a máscara de motorista. Não sabe como esconder o rosto. Não sabe o que fazer. Não pode dar o braço a torcer. Sua vida está em jogo. Com o canto do olho, estuda as possibilidades de uma fuga. Examina a hipótese de se fechar na casa da passageira. Trancar-se lá e resistir até a chegada dos companheiros do BOPE. Não haveria tempo. Sem arma, a porta não seria suficiente para protegê-lo. Além do mais, poria em risco a vida da senhora e de sua família. Correr estava fora de questão. O beco bloqueava as alternativas.

— Capitão Moisés.

A voz está mais próxima, mais convicta. Não lhe resta nada além de olhar para quem grita seu nome. Não é mais um grito. A voz se aproxima.

Moisés encara o rapaz. Duro. Só pensa no filho que a mulher espera, na mulher, nas contas que ela não teria como pagar, no financiamento da casa que não seria pago, nos bons momentos que viveu com ela. Pensa em morrer como homem. Morrer como um guerreiro digno.

Olha o rapaz nos olhos.

Ele lhe diz:

— Capitão Moisés. Dirigindo táxi?

Ele vê que não adianta negar. Seria humilhante e inútil. O rapaz continua:

— Fazendo bico, capitão? O BOPE devia pagar um salário decente, hein, capitão?

Moisés encara o rapaz, sem dizer palavra. Imobilizado pelo medo e pelo fio de honra que amarra juntas as partes que querem, desesperadamente, se desprender da consciência e fugir em todas as direções, implodindo corpo e alma do soldado. Seria mesmo melhor acabar logo com aquilo. Mas o pavor e o desejo não são tão eficientes quanto uma granada. E lá está Moisés, firme. De pé. Uma estátua fria. Mármore em forma humana. Por dentro, explosão coruscante.

Ouve o sujeito lhe dizer o seguinte:

— Tá tranquilo, capitão. Tá tudo bem. Sou o Nelinho. Lembra de mim? Lembra da rebelião de Bangu 3? Tá tudo certo.

Moisés cumprimenta o rapaz com um leve movimento da boca e do queixo, balança a cabeça. Recebe o pagamento da mulher. Volta ao carro. A senhora entra em casa.

— Vai tranquilo, capitão.

Moisés ouve o rapaz bater levemente duas vezes no teto do Gol. Uma despedida amistosa. Os rapazes armados se afastam, abrindo caminho. Devagar, o táxi se desloca e se mistura de novo ao labirinto da ladeira principal. Moisés desce até São Conrado com o sangue em ebulição. O caso de Nelinho ele sabe perfeitamente qual é. Não precisa vasculhar a memória.

Os presos rebelados aceitaram render-se, devolver armas e reféns. A condição era que não houvesse retaliações. A senha era: sem esculacho. Os negociadores passaram a informação para o comandante da tropa que faria a vistoria da penitenciária e a revista dos presos. Os que negociaram o fim da rebelião foram o professor Marcelo Freitas, de uma ONG defensora dos direitos humanos, e o capitão Lima Neto (no depoimento ele dizia: eu), colega e amigo de Moisés, que estava no comando da tropa. Depois de dois dias de idas e vindas, conversas, ameaças e muita tensão, Marcelo e Neto estavam exaustos. Era natural. Moisés vinha substituir um companheiro, em rodízio, e estava descansado e pronto para a tarefa, que é sempre delicada. Mesmo esgotados, os negociadores insistiram: "sem esculacho". "Pelo amor de Deus", repetiam. "Sem esculacho." Claro. O que estava em jogo era a palavra deles e as chances futuras de que sua ação continuasse dando certo. Bastava não cumprirem a palavra uma vez e ambos perderiam a credibilidade, que constituía nosso principal instrumento de trabalho. Moisés estava ciente de sua responsabilidade.

Os presos foram levados para o pátio, seminus, e postos lado a lado. Policiais do BOPE examinavam um a um. Quando Moisés, que supervisionava a operação, passou por um dos presos, este identificou sua patente no uniforme negro e lhe disse: "Capitão, tem um soldado esculachando. Aquele lá. Quando revista ele bate no preso. Ele é rápido e disfarça, mas dá uma porrada violenta. Não foi isso que a gente combinou."

Moisés não disse nada. Posicionou-se discretamente a distância e passou a observar o soldado apontado pelo preso. Não precisou de muito tempo para confirmar a denúncia. No momento seguinte, depois que o soldado bateu o cotovelo contra as costas de quem estava sendo revistado, Moisés deu voz de prisão ao soldado, na frente de duas centenas de presos.

Quando Nelinho denunciou o soldado ao capitão do BOPE que comandava a vistoria da penitenciária e a revista dos internos, não tinha nenhuma esperança de que alguma coisa acontecesse. Falou por falar. Falou para registrar o motivo pelo qual nunca mais admitiria nenhum acordo de rendição. Falou para comprovar que os porcos não mereciam confiança. Mereciam a morte.

A atitude de Moisés em Bangu 3 embaralhou as certezas com que Nelinho justificava seus crimes e salvou a vida do capitão, anos depois.

XXII
Tweets para quem precisa

As memórias de Lima Neto me inspiraram alguns tweets:

 Dracon1ano

Memória não é só o cartório das causas perdidas e o acervo da vingança. Lealdades cruzadas também existem.
about 5 minutes ago via web

Mesmo assim, se eu fosse você não confiaria sempre e de olhos fechados. A traição reina.
about 5 minutes ago via web

Se você quer saber o que eu acho, lhe digo o seguinte: use sua confiança moderadamente.
about 4 minutes ago via web

Lendo um livro, creia duvidando e duvide acreditando. A fantasia inacreditável em geral é verdadeira, porque a verdade é inverossímil.
about 4 minutes ago via web

Esse não é um conselho, até porque não acredito em conselhos. É só um alerta. Daqueles que ficam piscando e fazendo barulho a noite inteira.
about 3 minutes ago via web

Por fim, um poema pra quem precisa dessas coisas, como eu: Vestida com trapos das velhas bandeiras, você parece uma falsa blitz, querida.

about 2 minutes ago via web

XXIII
"Capitão Nascimento sou eu"

Colaborar com o filme tinha sido uma aventura interessante para o capitão Lima Neto. Ou uma oportunidade para reviver aventuras interessantes. Ainda que nem todas fossem agradáveis, nem todas lhe suscitassem uma sensação de conforto moral. Lima tinha se afastado muito, ao longo dos anos, da pessoa que fora aos vinte anos, quando ingressou no BOPE. Tornou-se um crítico de práticas que antes executava ou, ao menos, tolerava. Deu-se conta da inutilidade da guerra que empreendera, de seus resultados negativos. Estava exausto, porque não via avanços, ano após ano. Nem na mentalidade de seus comandados e comandantes, nem na opinião pública. Muito menos na consciência de políticos e governantes. Agarrou-se ao convite como uma chance única de fazer o balanço e ajustar as contas: com sua instituição, com a sociedade, consigo mesmo. Suas memórias lhe proporcionariam a catarse e marcaria novo começo.

Mal sabia ele que o filme amplificaria em seu espírito os efeitos da catarse e funcionaria como uma redenção, em diferentes sentidos. O sucesso espantoso e a empatia quase universal com o personagem que o encarnava na tela constituíam — Lima Neto sentia assim — a absolvição dos pecados passados e o reconhecimento de seu valor moral e profissional (a despeito das ilegalidades e das monstruosidades desumanas que perpetrara). A aclamação do capitão Nascimento representava também, finalmente, uma espécie de convocação para que ele, Lima Neto, usufruísse a glória merecida por sua bravura, por seu desprendimento, por sua coragem de arriscar a vida em defesa da sociedade. Era o que, jovem, ele imaginara estar fazendo, ao aplicar o que aprendera no curso de formação de oficiais e, especialmente, no treinamento do BOPE.

Ao longo dos anos, o orgulho que sentia por sua trajetória vinha sendo neutralizado pela culpa. À medida que amadurecia, qualquer vestígio de orgulho se dissipava e era substituído por uma amargura difícil de suportar, sobretudo porque fazia coro, em sua consciência, com a voz de seu pai e estava em sintonia com seu juízo arrasador. Passado e presente perdiam sentido, e Lima Neto se interrogava sobre o futuro. Não se via mais na carreira que abraçara, e sua identidade, aquela que se habituara a representar, lhe parecia a imagem vaga de um estranho.

Por isso, o êxito contagiante do filme foi vivido por Lima Neto como uma epifania. Andando nas ruas do Rio, experimentava a vibração de uma espécie de êxtase espiritual, quando os pedaços de conversas que ouvia exaltavam o capitão Nascimento, seu duplo. Ele sentia que o filme captara mais do que seus gestos e sentimentos, lhe flagrara a alma. Tinha vontade de gritar, no meio da rua: "Sou eu o protagonista do filme; esse cara, o herói; o personagem que vocês aplaudem... eu. O capitão Nascimento sou eu."

Nessas horas tinha vontade de abraçar com emoção Wagner, Padilha, Bráulio, Pimentel e todos os profissionais que tinham tornado possíveis aqueles momentos. Quando algum deles lhe agradecia, achava uma inversão na balança dos débitos: era ele, Lima Neto, o maior beneficiário. O débito de gratidão era dele. Wagner Moura, Padilha e os demais eram credores. O filme o salvara. Permitira a ele reencontrar-se consigo mesmo, o que não significava recuar à juventude e, de novo, aprovar torturas e execuções. Significava, ao contrário, que ele não precisava jogar fora a criança com a água suja do banho, ou seja, que ele não merecia apenas condenação, uma vez que seus atos, mesmo errados, mesmo criminosos, não anulavam o valor do jovem que os realizava. O jovem Lima Neto podia ser visto como uma pessoa ao mesmo tempo perpetradora de crimes inaceitáveis e portadora de virtudes respeitáveis. Olhando para seu passado, mesmo jogando no lixo — sem hesitar — torturas e execuções, ele podia dar-se ao luxo de recuperar o jovem oficial e lhe atribuir alguma dignidade, algum mérito.

Lima percebeu que o filme lhe proporcionara a oportunidade de fazer consigo próprio o que ele fizera, algumas vezes, com alguns subordinados, para preservá-los da condenação absoluta.

Tinha lógica esse tipo de juízo moral? Provavelmente, não. Entretanto, Lima não era filósofo. Não almejava a verdade, mas a salvação. Além do mais, o tumulto feliz dentro dele prescindia de coerência. A redenção estava nas ruas. A beleza do perdão é a gratuidade, a incoerência, a irracionalidade.

Quem perdoa quebra as regras de troca que regem o mundo, no mercado, na justiça e nas relações do dia a dia. Dá sem receber. Ou dá o bem em troca do mal. E abençoa o outro. Libera-o das trevas, da culpa, do desprezo, do ódio. Liberta o condenado e o convida a ocupar com dignidade um lugar no mundo. Que dança complicada de sentimentos, imagens e ideias perturbava a cabeça do capitão! O resultado era bom.

A excitação do público contagiou os jornalistas, que passaram a pautar o filme antes da estreia. A pirataria era notícia, e o interesse popular, mais ainda. Nada escapou aos repórteres, desde os métodos de preparação dos atores que representaram policiais, até as relações entre realidade e ficção. Na qualidade de capitão do BOPE e consultor dos realizadores, Lima Neto foi bastante assediado para entrevistas e palestras. Um novo campo profissional se abria. A visibilidade tardiamente conquistada em certa medida compensava a indiferença da sociedade ao destino individual dos que se arriscam para protegê-la. O capitão sentia-se à vontade diante das câmeras e gostava de colher comentários sobre suas entrevistas nos táxis, no condomínio, no batalhão, nas ruas. Mesmo seu pai, o velho general, não ficou alheio às aparições aqui e ali do filho e, sobretudo, aos elogios que seus companheiros de farda dirigiam não só à performance de Lima Neto nas entrevistas, mas também ao BOPE, cuja fama de melhor tropa de combate urbano do mundo se difundia com a velocidade da pirataria.

Oficialmente lançado, o filme reinou absoluto. Todos os programas jornalísticos e culturais de TV e rádio, os sites noticiosos na internet, os jornais e as revistas semanais pediam entrevistas, fotos e imagens. Esgotados os convites e as matérias com os atores principais, o diretor e os roteiristas, todos cobiçavam ouvir Lima Neto, mostrar o capitão, acompanhá-lo em casa e no trabalho, contar a história de um verdadeiro capitão do BOPE. A caçada a Lima Neto ganhou volume e energia quando os jornalistas descobriram que ele era apresentado nos créditos do filme como consultor não apenas porque orientara, nos ensaios e no set de filmagem, os desempenhos dos atores, mas porque abastecera o repertório de histórias dos roteiristas com relatos sobre experiências policiais reais. "Quais seriam essas histórias? Quais acontecimentos do filme seriam reais?" Essas eram as perguntas óbvias, sempre repetidas, para as quais o entrevistado trazia um kit-resposta na ponta da língua: "Colaborei com todo o pessoal do *Tropa*, mas cabe ao diretor e aos roteiristas discutir a relação entre o filme e a realidade. De minha parte, só posso dizer que acho o filme muito bem-feito e que a realidade é bem pior. Se vocês acham as cenas exageradamente fortes, podem ficar sabendo que a realidade é muito mais forte."

Lima Neto alcançara, assim, um ótimo equilíbrio. Era credor e devedor de gratidão. Sentia-se aliviado, redimido, feliz. Seu pai lhe telefonara para cumprimentar por uma entrevista e lhe contara sobre os elogios de outros generais ao filho e ao BOPE. O interesse das mulheres, que nunca lhe faltara, principalmente depois da segunda separação, demonstrava que ele atingira a cotação máxima na bolsa de valores da masculinidade.

Esse coquetel saboroso de conquistas teria bastado a muitos de nós. Porém, para Lima Neto faltava um ingrediente. Faltava um degrau para alcançar a sensação de plenitude. Precisava dar mais um passo, portanto. E ele deu o último passo. Aconteceu num programa noturno de grande audiência, em que uma jornalista e atriz muito respeitada entrevista ao vivo personalidades do mundo das artes e da política.

Lima era o único entrevistado da noite. Privilégio concedido a poucas estrelas. A conversa bateu recordes de audiência, sobretudo depois da resposta-bomba, que abalou a cidade, o país, alterou as grades de programação da TV e os fluxos de notícia da internet, sobrecarregados com repetições incessantes do momento crucial da entrevista e com as repercussões que se multiplicaram, replicaram, ecoaram na mesma velocidade epidêmica do sucesso do filme. A vida de Lima Neto nunca mais seria a mesma. Em poucas horas o bronze do herói derretia, arruinando as ilusões redentoras.

Estendia-se por mais de trinta minutos a entrevista, entrecortada por intervalos comerciais, quando a entrevistadora e Lima Neto travaram o seguinte diálogo:

— *Capitão, agora que já sabemos um pouco sobre quem é o homem Lima Neto, a pessoa, o ser humano debaixo do uniforme, acho que os telespectadores gostariam de saber mais sobre o filme, sobre sua participação no filme.*

— *Minha participação? Eu contribuí ensinando os atores a segurar as armas, andar como policiais. Expliquei como são as incursões nas favelas, como é que se avança, qual a posição do corpo, da cabeça, da arma. Essas coisas.*

— *Enfim, graças a você, os atores não ficam mais desempregados. Se não seguirem na vida artística, estão preparados para entrar na polícia.*

— *Não é bem assim.*

— *Eu sei. Estou brincando com você.*

— *Para ingressar na corporação é necessário muito mais.*

— *Para o BOPE, então, nem pensar...*

— *Nem pensar.*

— *Mas, capitão, a uma revista semanal você disse que ajudou a escrever o roteiro.*

— *Não, não disse isso. Não ajudei a escrever o roteiro, só passei aos roteiristas algumas ideias.*

— *Ideias sobre o conteúdo? A trama? Personagens?*

— *Não, eu contei histórias do BOPE e das polícias para que eles tivessem uma base e pudessem se inspirar.*

— *Se as suas histórias serviram de base é porque os roteiristas não inventaram todas as cenas. Eles escolheram e elaboraram. Adaptaram. É isso?*

— *Não. Só em parte. A maioria das cenas foi tirada da imaginação deles.*

— *Mas outras foram escolhidas da base que você ofereceu. Está certo agora?*

— *Está. Algumas cenas foram baseadas nas histórias que eu contei, de fato.*

— *Se serviram de base é porque essas histórias ou eram muito boas ou eram reais, certo?*

— *Ou as duas coisas.*

— *Exatamente, as duas coisas. Quer dizer, capitão, que a história contada no filme, ou melhor, parte da história que o filme conta é verdadeira?*

— *Algumas coisas são verdadeiras, sim.*

— *Talvez por isso, capitão, o filme tenha sensibilizado tanto as pessoas, tenha emocionado tanto e tenha se comunicado tão bem com as mais diversas plateias. Concorda?*

— *Acho que sim. É possível, sim.*

— *E os personagens? São reais?*

— *Alguns são, pelo menos em parte.*

— *E o capitão Nascimento, esse personagem extraordinário, tão humano, tão fascinante, atormentado, valente, honesto, digno, apesar de muito violento... E o capitão Nascimento? Tem alguma base, algum pé na realidade?*

— *Tem. É inegável que tem.*

— *Foi você, capitão, que inspirou o Nascimento?*

— *Fui eu, sim. Claro que tem diferenças.*

— Claro, um personagem não vive sem licença poética, sem a fantasia dos roteiristas, a imaginação do diretor, a criatividade do ator. Mas você foi, digamos, a base, certo?

— Acho que sim.

— Puxa, que honra. Quer dizer que estou entrevistando o capitão Nascimento?

— É, em certo sentido, pode-se dizer que está, sim.

— Isso não é o máximo? Olha, capitão Nascimento, digo, Lima Neto, é um grande prazer conversar com um homem que conquistou o carinho do povo brasileiro.

— Mas, como você mesma disse, o Nascimento tem muitas fraquezas. Comete erros. Não é super-herói, nem santo. É um homem. Só isso.

— Claro, ninguém é perfeito. Mas, então, quer dizer que as dificuldades, as lutas do Nascimento, tudo aquilo é verdade?

— Como eu disse, em parte.

— O lado sombrio do Nascimento é que ele torturou e comandou execuções.

— Como lhe disse, não é santo, nem super-herói. Cometeu erros. É um ser humano.

— O senhor já torturou, capitão?

— Já.

— Já participou de execuções?

— Já. Por isso é que Nascimento é um personagem real. Um cara de carne e osso. As pessoas se emocionam com ele porque percebem que é real. Não tem só o lado bom.

— Mas torturar está errado, não está, capitão?

— Claro.

— Matar também.

— Sem dúvida.

— Você desaprova.

— Completamente.

— Mas admite que já fez.

— Seria uma hipocrisia negar. A polícia age assim. O BOPE age assim. E essa guerra não nos levou a lugar nenhum. Estamos todos exaustos. Arriscamos a vida, muitos perderam a vida, e as coisas não mudam. Até pioram. Não há solução fora da legalidade.

— No fundo, essa é a mensagem do filme?

— Eu acho que é.

— É a mensagem do capitão Nascimento?

— *É a mensagem do capitão Nascimento; não o personagem, o homem. É a minha mensagem.*

— *Você é mesmo o capitão Nascimento, não é? Estou vendo. Não há dúvida. Nascimento está aqui, encarnado. E superinspirado. Lima Neto é Nascimento.*

— *De fato, o capitão Nascimento sou eu.*

Assim que os holofotes se apagaram sobre o palco, enquanto Lima Neto bebericava a água gelada que lhe serviram, a equipe envolvida no programa entrou em cena, em desordem, eletrizada por uma excitação que beirava a histeria. O capitão custou um pouco a perceber que os produtores, os técnicos e os repórteres ávidos por continuar a entrevista fora das câmeras não eram apenas novas presas hipnotizadas por seu carisma irresistível, mas abutres enfeitiçados pelo cheiro de carniça. Tentaram espremer mais um pouco, torcer para um lado e para o outro. Meteram dentes e garras. Neto perdera a paz, irremediavelmente.

O tom da nova temporada de caça era a cólera dos promotores, a ira dos homens de bem ultrajados pelo torturador, a indignação das mães dos desaparecidos, a fúria dos militantes das ONGs de direitos humanos e a insuspeitada firmeza dos editorialistas da grande imprensa, a exigir o fim da impunidade. Os menos parcimoniosos brandiam princípios, leis e valores contra a "desfaçatez, o despudor de um policial militar que se arroga o direito de matar em nome do Estado, que ousa substituir a Justiça e não hesita em rasgar a Constituição, que confessa a tortura em cores, ao vivo, para todo o Brasil, com a tranquilidade cínica e a autossuficiência dos que se supõem acima da lei".

XXIV
Sem saída

Quando ouvi os relatos do capitão, já sabia o que tinha acontecido depois da confissão pública no programa de entrevistas. A pressão foi insuportável. Salvo algumas cartas aos jornais e uma ou outra manifestação pessoal dos autores do filme, as intervenções em defesa do capitão foram escassas e, de resto, impotentes para frear a onda avassaladora dos críticos cobrando punição. Seus amigos da polícia e os parceiros do filme fizeram questão de prestar testemunho, em uma carta divulgada pela internet e enviada às autoridades competentes, a favor do capitão, pedindo clemência, anistia, porque se tratava de um homem de bem, ótimo caráter, muito distante do torturador do passado.

Marcelo não se pronunciou, mas seu partido emitiu nota exigindo a pena máxima prevista para os casos de homicídio doloso qualificado e tortura. As entidades da sociedade civil às quais o mandato estava vinculado não ficaram apenas nas notas, todas elas coincidentes no conteúdo com aquela emitida pelo partido. Organizaram uma manifestação. Reuniram trezentas pessoas, segundo a PM, ou três mil, na conta dos promotores do evento. As faixas e os discursos exortavam a sociedade a lutar contra a violência policial e a criminalização da pobreza e clamavam por punição exemplar para o torturador assassino.

Os críticos do filme pegaram carona no escândalo e associaram Lima Neto a Nascimento, denunciando-os como apólogos do crime e da brutalidade contra os pobres.

Nas caixas de mensagens dos membros do mandato choviam, torrencialmente, notas de solidariedade ao partido e às entidades promotoras da mobilização contra a tortura, contra o esquecimento conivente com a violência letal do Estado. Pesquisadores publicaram artigos com os dados chocantes

das mortes provocadas por ações policiais no Rio de Janeiro. A polícia fluminense é recordista mundial. Lima Neto virou estatística. Defendê-lo passou a
significar um cheque em branco à selvageria policial.

O general Lima Filho jamais se pronunciou publicamente, mas Marcelo
me disse que soube, por fontes indiretas, que sua indignação chegara à caser-
na. Corria à boca pequena entre os militares que, na opinião do pai, o capitão
Lima Neto estava colhendo o que plantara. Tinha sido "imprudente na ação
e açodado na TV; incompetente no BOPE e leviano na entrevista; irrespon-
sável na polícia e vaidoso no circo da mídia. A fama lhe subira à cabeça e o
levara àquela palhaçada infantil. Que pague, então", teria dito o pai. "Se quis
trocar de lugar com o herói do cinema, que envelheça na cadeia como um
bandidinho qualquer." O capitão arruinara o nome da família, que custara, ao
pai, uma vida inteira.

A prisão de Lima Neto coincidiu com a conclusão do relatório da CPI sobre as milícias. Entendi, finalmente, por que Marcelo parecia tão angustiado
naqueles dias em que o mandato comemorava o sucesso de nossa longa jornada. Compreendi sua tristeza. Marcelo acompanhara com imensa amargura
o calvário público de Lima Neto, sua humilhação, o linchamento moral e, por
fim, a decretação da prisão preventiva, em nome da preservação da ordem
pública e da proteção da vida do acusado.

Quando me ligou cedo pela manhã, naquela quinta-feira, Marcelo não tinha
com quem conversar sobre Lima Neto, porque seus amigos da política jamais
compreenderiam tanta angústia e sofrimento por um policial assassino. Na
véspera, ele tinha visitado o capitão no Batalhão Especial Prisional, onde estava detido. Foi, mas discretamente. Até aquele momento, o deputado não
havia feito nenhum reparo às decisões do partido e das entidades. Mas tampouco as endossara. Menos ainda as estimulara. Para todos os efeitos, dentro
e fora do partido, Marcelo era mais um soldado do exército da resistência
contra a brutalidade do Estado, contra a violência policial, contra a tortura.
Era o que sua biografia permitia deduzir. Ele nunca fora, como figura pública,
outra coisa senão um militante dos direitos humanos. O fato de não ter com-
parecido às manifestações e recusado convites para entrevistas não chegou
a ser notado. Havia sempre uma boa desculpa. Crédito com os movimentos
sociais não lhe faltava.

Na visita ao capitão, levou um susto com seu aspecto. Parecia outra pessoa. Nem Nascimento, nem Lima Neto. Um retrato esmaecido pelo tempo — talvez do pai. Um, dois, três meses, no máximo, mas ele envelhecera uma década. Magérrimo, levantou-se e estendeu a mão para o cumprimento. Seu olhar era o mesmo, mas a voz se mantinha baixa, quase um sussurro.

Marcelo custou a completar para mim o relato. Engasgava uma vez ou outra. Recuava. Retomava a narrativa. Enfim, descreveu a cena sem me poupar dos detalhes:

Quando apertei a mão dele, senti que me conectava com um deserto, a vastidão gelada do deserto noturno. Ou um pátio de escombros do homem demolido. Os restos de uma pessoa arrastados por seu fantasma. Não sei quanto tempo fiquei ali, de pé, contemplando o monumento à morte para cuja construção eu tinha de alguma maneira contribuído. Lima Neto baixou os olhos. Nenhum de nós sorriu. Não havia nenhum vestígio de esperança em nenhum de nós. E então eu o abracei; o abracei muito forte, muito forte. E chorei até alagar o deserto gelado. Ele não tinha lágrima, eu acho, mas os olhos avermelharam e o fio de voz cessou.

Eu disse:

— Quero ficar do seu lado. Vou fazer um pronunciamento na Assembleia.

— Faz isso, não, Marcelo. Não adianta. Só vai complicar sua vida.

— Você pensou nas complicações para sua vida quando me salvou? Quando roubou aquela fita? Quando me entregou a fita sabendo que eu a divulgaria e que seus superiores e a governadora acabariam descobrindo que você estava por trás de tudo?

— Era diferente. Os errados eram eles.

— Eles eram os errados, mas eram eles que estavam no poder. Entre o poder e a verdade, você ficou com a verdade. Entre a carreira e a justiça, ficou com a justiça. Nada aconteceu a você porque a conjuntura terminou sendo favorável. Se não fossem as eleições, você teria sido perseguido e punido.

— Não adianta, Marcelo. Não vai resolver. Você vai se sacrificar à toa. Vai se desmoralizar só pra ser leal a mim. Por gratidão, vai jogar fora a maior oportunidade de sua vida. Não faz isso. Valeu a visita. A intenção, para mim, já valeu.

— Por que você não negou?

— Negar o quê?

— O que você disse que fez. Na entrevista. Por que, depois, quando a barra pesou, não disse que se confundiu, que naquela noite não estava bem, não se ex-

pressou bem, que quis dizer outra coisa, que não era verdade? Sem a sua confissão não existiria caso algum. E você era dono dela. Podia simplesmente desmenti-la. Duvido que os promotores fossem muito longe, por mais que alguns se dessem o trabalho de tentar.

— Não podia fazer isso, Marcelo. Não podia.

— Então você pode me entender perfeitamente.

— Entender o quê?

— Por que eu vou à tribuna defender você. É a mesma coisa. Não posso não fazer, entende, capitão?

— Estamos quites, deputado.

— Estamos. Agora quero saber como é que posso ajudar seu advogado. Não é possível que você não consiga um habeas corpus *pra pelo menos responder em liberdade.*

Trocamos ideias sobre opções legais, advogados, essas coisas, e me despedi, prometendo fazer algumas consultas e voltar em breve.

No caminho para casa, me dei conta de que não tinha sentido fazer um discurso na tribuna. Eu estaria sendo grato e leal a Lima Neto, mas desleal aos meus companheiros do mandato, ao partido, às entidades que me apoiaram, aos eleitores que acreditaram em mim. Todos eles se comprometeram comigo porque eu havia me comprometido com algumas bandeiras, com alguns valores. Se eu os renegasse, estaria traindo os votos que recebi, a solidariedade que nunca me faltou. Estaria traindo o mandato.

Marcelo ficou em silêncio tempo bastante para que eu refletisse um pouco. Ponderei que talvez não fosse impossível conciliar suas bandeiras políticas com a defesa de Lima Neto. Talvez não fosse de todo inviável conciliar os direitos humanos com uma posição, digamos — na linguagem que o próprio Marcelo gostava de usar —, contrária à criminalização.

Marcelo concordou comigo:

— Tem razão. Em política, sempre se dá um jeito. As alianças de hoje, muitas vezes, unem inimigos mortais da véspera. E as ideologias dão nó em pingo d'água pra justificar o que for preciso.

— Então...

— Tudo bem, só que não é a minha praia. Não faço isso. Talvez por isso digam que sou um mau político.

— Um dos raros maus políticos que dão certo. Você vai ter um caminhão de votos nas próximas eleições.

— Tudo bem, digamos que eu fizesse uma ginástica retórica e demonstrasse que estar a favor dos direitos humanos, hoje, é estar ao lado de Lima Neto. Digamos, só por hipótese.

— É o que estou sugerindo. Talvez desse certo.

— Se eu fizesse isso, poderia até enganar alguns incautos. Quem sabe? Mas não enganaria a maioria dos que me apoiam porque são gente preparada, que sabe pensar com a própria cabeça, que não nasceu ontem. Sobretudo, eu não enganaria a mim mesmo.

— Pra você, uma coisa é incompatível com a outra? Ou os direitos humanos, ou Lima Neto?

— No espírito, não; nos sentimentos, não; mas no plano racional, sim. E o que é o espírito? O que são os sentimentos? O que importa do espírito e dos sentimentos é o que deles está encarnado nas teses, nas regras, nos valores. Enfim, vale o que está escrito nas declarações internacionais, e o que está inscrito numa tradição bem-documentada, bem-estudada. O resto é divagação na cabeça de cada um.

— E nas teses, nas declarações internacionais não tem lugar para a defesa de Lima Neto?

— Não, não tem.

— As entidades que acusam Lima Neto estão certas?

— Estão.

— Você concorda com elas?

— Não.

— Quer dizer que você... Agora fiquei confuso. Quer dizer, então, que você discorda dos direitos humanos?

— Não sei. Não é que discorde dos princípios, das teses. Talvez eu discorde da transformação de qualquer valor em regra. Talvez seja isso. Talvez meu problema seja com as regras.

— OK. Você virou anarquista. Não acredita mais em regras, nem em política.

— Não é isso. Você está usando o que eu não gosto nas regras: a generalização. Toda regra existe para qualquer um, em abstrato, e vale em qualquer situação, salvo naquelas que a própria regra exclui. Não é assim?

— E daí?

— E daí que talvez não seja possível contar com as regras para todos os casos. Talvez uma regra, qualquer regra, acabe produzindo o contrário do que pretende se for aplicada em todos os casos.

— Mas então o correto não seria refazer a regra para que ela embutisse as exceções?

— Mas se ela soubesse nomear as exceções poderia ser sempre aplicada, porque teria previsto todas as possibilidades de seu uso.

— Acho que nosso papo foi longe demais. Dá pra voltar à terra?

— Tudo bem. O que eu quero dizer é que talvez a gente precise de outro guia que não seja uma regra ou um conjunto de regras, por mais bem-intencionadas que elas sejam, por melhores que sejam os valores que elas representem.

— Cada cabeça, uma sentença? Cada caso, um caso?

— Não. Só acho que talvez a gente precise de outra coisa que não seja só a regra.

— E o que seria essa outra coisa? O amor? Uma coisa assim?

— Quem sabe?

— Não estou te reconhecendo, Marcelo. Virou religioso? Primeiro anarquista, e agora religioso? Não estou entendendo.

— Nem eu. Mas vamos esquecer essa conversa. Basta o seguinte: não quero iludir os outros com uma conversa que não seria sincera, entende?

— Isso eu entendo, claro, apesar de achar que se você não fosse tão caxias, tão rigoroso com você mesmo, talvez tudo fosse mais fácil. Desculpa, mas, no fundo, tudo se resume ao fato de que você gosta do Lima Neto, sente gratidão por ele e prefere ser leal a ele a ser fiel aos princípios que você diz que são os seus.

— Mesmo que você tenha razão, não sei o que fazer e detesto a hipótese de ser pusilânime, covarde, manipulador. Nesse momento, sinto que eu deveria considerar todos os caminhos. Inclusive a renúncia.

— Você enlouqueceu, Marcelo. Aí, sim, você estaria traindo a confiança de muita, muita gente que precisa de você, da sua liderança. Faz o seguinte. Deixa a cabeça esfriar. Continua distante do caso. Respeita seus eleitores e segue sua vida. O combate às milícias está só começando. A gente tem muito a fazer. Você tem grandes desafios pela frente. Eu vou conversar com Lima

Neto. Vou dizer que você queria jogar tudo ao mar para ser leal, mas que eu o convenci de que não faria sentido. Não adiantaria nada. Concorda?

Marcelo ficou em silêncio. Longo silêncio. Finalmente, me disse o seguinte:

— Você tem razão. Mas lavar as mãos não tem nada a ver comigo. Além do mais, claro que é possível ajudar o Lima Neto. Acho que há duas coisas a fazer: uma delas está ao meu alcance; a outra, você pode fazer, caso esteja tão convencido quanto eu de que ele merece todo o apoio que a gente puder dar.

— Em que você está pensando?

— Eu era filho único. Meus pais me deixaram de herança o apartamento em que moravam. Apartamento de classe média, modesto, mas bem-localizado, com três quartos, em Niterói. Custou a eles uma vida inteira de trabalho. Sempre pensei em vender e comprar outro, aqui no Rio, porque minha vida acabou se concentrando mais por aqui. Mas nunca tive coragem de mexer com isso, porque ainda é doloroso. Vou vender. Deve render uns 350 mil. Com isso, vou contratar um grande advogado criminalista. Alguém do primeiro time e que se convença, sinceramente, de que a causa merece ser assumida, apesar de dificílima. Uma pessoa que se emocione com a situação de Lima Neto, compreenda sua trajetória e decida tomar esse caso como a oportunidade para propor novas interpretações da Constituição. De tal modo que eu também pudesse participar do debate público, sem me isolar.

— Sem se imolar politicamente, não é, Marcelo? Sem agir como um camicase.

— Isso, intervindo de modo mais organizado, mais maduro. Mas não me omitindo. Não suportaria a opção de ficar no armário e não dizer o que penso para evitar danos políticos à minha carreira e ao mandato.

— Entendo perfeitamente. Nunca imaginei você na defensiva, acovardado. O que não quero é que você faça uma loucura que seria destrutiva para você e inútil para os seus objetivos.

— Então, o que você acha?

— O que eu acho é que a ideia é generosa e 350 mil é muita grana para nós dois, que somos duros, mas é pouco para um grande advogado.

— Eu sei. Por isso é que falei na importância de que a pessoa se entusiasme e vista a camisa. Tenho bons amigos entre os melhores advogados.

Gente da melhor qualidade. Também do ponto de vista humano. Aposto que dinheiro não vai ser o problema.

— Tudo bem, Marcelo. Mas você não disse como é que eu entro nessa história.

— Acho que seria muito importante que, em paralelo à disputa legal, você escrevesse um livro contando a vida do Lima Neto. Um livro verdadeiro, mas que o redimisse. Só você poderia escrever esse livro. Claro, se você aceitar correr o risco de se expor a muitas críticas, porque muita gente não vai gostar. O que você acha?

— Antes de tudo, seria preciso combinar com os russos, não é? Quer dizer, com o russo.

— Lima Neto?

— Claro. Ele já está atravessando esse calvário todo porque abriu uma pequena janela pública sobre sua vida; imagina o que lhe custaria uma biografia?

— Não se esqueça de que ele está na chuva.

— Na tempestade.

— Não vai achar ruim se molhar um pouco mais.

— Vou pensar no assunto. De qualquer forma, pode contar comigo para levar ao capitão a proposta sobre o advogado.

— Diz a ele que eu não posso prometer nada, é claro. A causa é muito, muito complicada. Mas diz também, por favor, com toda a ênfase possível, que eu garanto que pelo menos ele vai responder em liberdade. E não fala nada sobre a origem do dinheiro. Diz que consegui organizar uma vaquinha com empresários amigos.

Já estávamos no meio da tarde. Despedi-me, levando comigo o DVD com as memórias de Lima Neto.

XXV
Antes que anoiteça

Depois que saí do pequeno apartamento do Marcelo, no Jardim Botânico —
que eu não tinha decidido ainda se achava bonito e aconchegante ou claustro-
fóbico —, mandei o taxista pegar a Lagoa e ir para a orla, pelo Jardim de Alah.
Não quis voltar para casa no estado mental em que a conversa me deixou. Pagaria mais pela corrida. Paciência. O táxi rolava devagar pela Vieira Souto, seguiu até o final pela avenida Atlântica e eu pedi que ele continuasse até a Urca.
A tarde era clara, azul, e a temperatura, amena. O calor medonho finalmente
batia em retirada e dava um refresco aos cariocas. A cabeça a mil e o cenário
deslumbrante me deram uma ideia maluca. Quando tinha sido a última vez
que eu subira ao Pão de Açúcar? Fazia o quê? Vinte, trinta anos? Programa
turístico é muito chato, mas no meio de uma semana qualquer, sem feriado,
sem férias e festas, era provável que pouca gente disputasse comigo um lugar
no bondinho. Pensei que, quando contasse a Maria Clara, ela não acreditaria.
Ia achar que eu tinha pirado — e talvez não estivesse muito longe da verdade.
O lado bom do passeio turístico era a infraestrutura atenta ao cadeirante. É
bom a gente uma vez na vida se sentir respeitado. Sentir que a gente é mais do
que o negativo dos outros; que a gente é uma das possibilidades de variação
do ser humano, ainda que minoritária.

A vista da primeira etapa, a estação do morro da Urca, tira o fôlego, mas
a segunda, lá do alto, no topo do Pão de Açúcar, é indescritível. Avancei até a
mureta e girei a cabeça: o mar aberto; as praias; a cidade; a linha sinuosa do
relevo ao fundo.

A reação imediata é clichê: uma cidade tão linda, pena ser tão violenta
e corrupta. Bobagem, pensei. Não vou ser pego no alçapão das ideias mas-
tigadas. Essas não têm sabor. E me deixei impregnar pela extravagância das
formas luminosas e das desproporções colossais. "Eu e a serra do Mar", que

covardia. "Minhas memórias e o horizonte", comecei a rir. "As dúvidas angustiantes e o firmamento sem fim." Suguei o ar e enchi os pulmões. "Meu sentimento e a cidade"; engasguei. Não gostava de me emocionar, muito menos em público. Atrás do cartão-postal, por baixo, roendo suas bordas, mascando o miolo acetinado, milhões de pessoas frequentavam a tarde de suas vidas sem consciência de que aquela poderia ser, de fato, a última, ou a melhor, a única, a transformadora tarde de suas vidas. Quem sabe? Os fios dos destinos eram milhões. Os cruzamentos, bilhões. A dimensão cósmica se espelhava no formigueiro humano, mas cada homem, cada mulher limitava-se a pastar sua escassa ração diária de infinito sem a menor ideia do grandioso espetáculo de que fazia parte. Sem a mínima noção de que contribuía para a majestosa máquina do mundo com sua minúscula gota de mistério, sordidez, beleza, generosidade.

Foi assim que a cabeça atormentada desse inspetor de polícia precocemente aposentado, que se julgava perdido no caos, percebeu que as pequenas experiências individuais da desordem se harmonizam na constelação orfeônica da natureza. E que até mesmo sua loucura e suas contradições se resolvem no espelho d'água. E que o movimento incessante faz o bem devorar a própria cauda, não restando ao pequeno ser que somos senão o vestígio de lucidez que nos permite admiti-lo e extrair lições dessa maldição circular.

Aqui talvez resida o segredo: o pulo do gato não é descobrir que o bem morde a própria cauda, mas que isso não anula as diferenças entre o bem e o mal. E mais: que essa ondulação de choques move o mundo.

A corrente especulativa carregava uma energia exaltada e nervosa, que eu esfriei com água de coco e um Chicabon — afinal, ninguém é de ferro. Na fila, esperando o bondinho para retornar, dando os primeiros goles, senti a água atravessar os condutos internos e abrir os canais para uma felicidade expansiva que se infiltrava pelo corpo. Uma engraçada felicidade líquida que — não me pergunte por quê — me ajudou a concluir que não somos todos iguais, nem tudo se equivale, e as notas desafinadas dessa assimetria humana e moral se combinam, sim, mas só em um plano que nenhum de nós governa ou conhece. Seria absurdo me colocar à altura da divindade e afirmar que não devo julgar ninguém. O que me caracteriza é ser incapaz de não julgar. Essa isenção compassiva e superior cabe a Deus ou às forças que nos ultrapassam. E se não posso, não devo, por que seria desproposital dever fazer o impossível? Nenhum pecado contra a natureza é maior que esse, desde Adão e Eva e a Torre de Babel: ousar o impossível.

Julgo, avalio, penso com minha cabeça. E é assim que deve ser. Fico do lado do meu amigo Marcelo. Porque isso é importante para mim. A lealdade eu sinto, pratico, quase posso tocar com as mãos. A justiça é uma correnteza de dúvidas abstratas. E fico com Lima Neto. Vou escrever sua história, se ele aceitar.

Eu me dei conta de uma coisa muito simples. O que desejam os que pedem a prisão de Lima Neto? Que ele mude? Já mudou. Ele não aprova mais o que fez no passado. Sobra o quê? Puni-lo. Tudo bem, mas se não é para proteger a sociedade — e o capitão já não representa perigo —, nem para transformar a pessoa — aliás, nunca acreditei na balela de que cadeia melhore alguém, mas, de todo jeito, não é o caso, porque Lima já mudou —, para que seria? Reparação? Mas ninguém está pedindo a ele que repare nada, que devolva nada. Resta o osso, o que de fato motiva as pessoas que pedem punição com cartazes e gritos. Elas querem vingança. Claro que sempre se pode sustentar a tese do exemplo para os outros — a liberdade do capitão não pode virar regra geral. Mas quem sentiria tanto ódio e se mobilizaria com tanta garra por isso? É de vingança que se trata. E eu estou fora.

Hora de voltar à cidade e misturar a modesta história desse valente ex--inspetor que eu sou às dos milhões que cumprem seus pequenos destinos sem temer a imperfeição dos juízos e das decisões. E se é o coração que fala — pensei —, dublando a razão para me enganar, vou fingir que fui enganado e deixá-lo me guiar. Qual é o problema?

De volta à rua, a noite descia a cortina lentamente, preparando o último ato de uma quinta-feira qualquer, e o vento soprava as cinzas no meu rosto.

Agradecimentos:

Luiz Eduardo Soares: Agradeço a Miriam Guindani, companheira de todos os momentos, leitora refinada e generosa; a José Padilha, pelo companheirismo e brilho inspirador; a Lucia Riff, competente agente literária e parceira solidária; a Paulo Roberto Pires, editor sábio e afiado, a cuja sensibilidade eu e o livro devemos muito; ao amigo Alexandre Mathias e, por seu intermédio, à editora Nova Fronteira, pela confiança; a meus pais, Marcello e Marilina, e meu irmão, Marcelo Bento; assim como a Eugênio Davidovich, Luiz Antônio Martins, Benedicto Machado São Cristovão e Adonay Diettrich Mallet de Lima. Muito especialmente, sou grato ao deputado Marcelo Freixo, a Vinicius George, Sérgio Teixeira Barata, Jorge Gerhard dos Santos e a todos os policiais que me tornaram menos ignorante nas artes de seu ofício.

Cláudio Ferraz: Agradeço a meus pais, Leila e Jorge — este infelizmente não mais presente —, e a meus filhos, Ana Carolina e Eduardo, pelo carinho e permanente apoio.

À minha esposa, Cláudia Helena, especial e profundo reconhecimento pela paciência e compreensão diante das adversidades enfrentadas durante minha carreira policial. Sou grato ao estímulo e à colaboração de meus colegas policiais, promotores de Justiça, juízes e jornalistas, que me brindaram com exemplos de coragem e extremo profissionalismo.

André Batista: Alguns a ostentam com medalhas, outros com cicatrizes e falhas, mas lealdade não se mede até que seu objeto impuro e desnudo se celebre entre bocas frondosas e metralhas. Agradeço aos leais de sempre; agradeço aos que vão ser leais e aos que não foram, principalmente. A vida é uma série de operações especiais. Agradeço a Deus pela minha (pra sempre) filha, Alice.

Rodrigo Pimentel: No ano de 2007, poucas semanas após o término das filmagens de *Tropa de Elite*, tive a sorte de estar num auditório, junto a alguns empresários cariocas, para assistir a uma palestra do novo titular da Delegacia de Repressão a Atividades Criminosas Organizadas, DRACO. Todos na plateia aguardavam os clichês policiais sobre a entrada de armas no Rio de Janeiro, sobre facções que dominavam as favelas da cidade e, lógico, sobre o papel das drogas na violência.

Para surpresa de todos, durante uma hora e meia, o encarregado do combate ao crime organizado nada falou sobre Comando Vermelho, Terceiro Comando, cocaína ou fuzis. Cláudio Ferraz preferiu falar sobre grupos de criminosos estabelecidos em várias regiões da cidade que cobravam taxas de proteção de moradores, cobravam ágio na venda de butijões de gás, dominavam o transporte alternativo, exploravam caça-níqueis, vendiam sinal furtado de tv a cabo, estabeleciam currais eleitorais e praticavam assassinatos. O entusiasmado delegado ainda falou sobre a ligação dessas quadrilhas com deputados e vereadores e sobre o projeto de poder desses mafiosos. Concluiu que, se nada fosse feito, em duas ou três eleições esses grupos poderiam dominar a Assembleia Legislativa e a Câmara Municipal. Lembro-me perfeitamente do silêncio no auditório. Sobre o que aquele senhor estava falando? Existiam máfias armadas estabelecidas nas casas legislativas do Rio Janeiro?

Sim, o assunto milícia já havia sido abordado, superficialmente, por dois ou três corajosos jornalistas nos grandes periódicos, mas nunca uma autoridade policial falara abertamente sobre o tema. Àquela altura, a DRACO já investigava os principais chefes dessas organizações. Mais importante, Cláudio Ferraz alertava toda a sociedade fluminense sobre os riscos que as milícias representavam para a democracia e derrubava a tese ingênua de que seriam um mal menor que o tráfico de drogas. Creio que naquele auditório tenha sido plantada a ideia do próprio filme *Tropa de Elite 2*, pois, entusiasmado, marquei um encontro de Cláudio Ferraz com Zé Padilha. Estava nascendo também este livro, porque Luiz Eduardo e Batista sempre levaram a sério o mal das milícias, e nosso encontro com Cláudio abriu todo um campo riquíssimo de informações e reflexões.

A Polícia Civil do Rio de Janeiro, tão eficiente para prender traficantes armados em bunkers nas favelas, se deparava com um novo e complexo desafio: investigar e prender políticos protegidos por mandatos, imunidades e prerrogativas, boa parte deles ligada às bases dos governos, estadual e municipal. Felizmente, a despolitização da segurança publica, inédita no estado, permitiu que a DRACO conduzisse seus inquéritos com autonomia e liberdade. A omissão era cômoda; a corrupção, atraente. Desconfortável, trabalhoso e arriscado era partir para guerra. Foi justamente esta a opção de Cláudio e sua equipe. Contaram com a determinação de um grupo seleto de promotores, juízes, desembargadores, tão abnegados e corajosos quanto os policiais da linha de frente. O inimigo agora era outro. Que reação esperar da máfia político-policial que teve seu projeto de poder ambicioso e criminoso interrompido no apogeu? Para enfrentá-la foi preciso coragem. A esses homens e mulheres, pioneiros nesta guerra, devemos nossa liberdade. A eles — já homenageados na abertura dos agradecimentos por todos nós, os quatro autores — reitero meus agradecimentos.

Como produzimos o livro:

Elite da Tropa 2 é uma obra coletiva, para a qual concorreram as diferenças entre os parceiros, mas que só foi possível porque partimos de um entendimento consensual das questões que seriam focalizadas. Primeiro, discutimos em profundidade os temas que nos pareciam prioritários até alcançarmos pontos de vista comuns. Em seguida, cumpri um roteiro de entrevistas, enquanto Cláudio, Batista e Pimentel pesquisavam, organizavam e analisavam as informações que colhiam. Na terceira etapa, me debrucei sobre o riquíssimo material levantado pelos parceiros — que incluía inquéritos, processos, relatórios, além de gravações em vídeo das inúmeras audiências promovidas pela CPI das Milícias, presidida pelo deputado estadual do PSOL-RJ Marcelo Freixo — e escrevi a narrativa, inventando personagens e fatos, entretecendo e ficcionalizando os fios das tramas, de modo a revelar o fundamental (o funcionamento das milícias e dos bastidores policiais, as práticas, os valores e as emoções), e impedindo, entretanto, qualquer correspondência entre eventos ou personagens narrativos, por um lado, e pessoas ou acontecimentos reais, por outro. Na quarta etapa, discutimos coletivamente a primeira versão, produto da fase anterior, o que me levou a reescrevê-la. Cada nova versão foi submetida ao mesmo processo de debate até atingirmos o resultado que ora apresentamos aos leitores — produto, portanto, coletivo —, para o qual também contribuiu a sensibilidade de Paulo Roberto Pires, com sua acuidade crítica e sua inexcedível generosidade.

Luiz Eduardo Soares

not, it will be time to set up "biopolitics coalitions" and
nters" (to augment the minimal effects of current
ers") across the country and across the world to pick up
ce and bioethics are falling short. In the larger domain of
es," biopolitical action is already gaining much momen-
e and India in the crisis and controversy over genetically
s. Before psychiatry reaches its own crisis over the misuse
f science, psychiatric research-as-usual must change.

Introducing Democracy

most important rallying cry for a postepistemological
cture can be summed up in a sound bite: "Democracy in
Historically, the call for democracy has been one of the most
itical imaginaries for social change. Of course it is true that,
scourses, the discourse of democracy is open-ended and its
ible. What it means and where it is applied are open to cre-
and collaborative struggle. But as democratic theorists
lau and Chantal Mouffe argue, for the most part the lan-
mocracy has been a "fermenting agent" that has successfully
variety of progressive politics, from the women's movement,
American civil rights, to gay and lesbian liberation, to envi-
activism (1985, 155). Going back further, this is the same
imaginary abolitionists cited to combat slavery, suffragettes
eir struggles for the vote, and anti-imperialist resistance
bilized against their colonial rulers (Smith 1998, 9).
that once democratic discourse gets started, the call for
y" functions as a rallying cry for collective action in ever-new
even those domains previously removed from democratic lan-
Laclau and Mouffe put it:

an discourses and discourses on rights play a fundamental
the reconstruction of collective identities. At the beginning
process in the French Revolution, the public space of citi-
was the exclusive domain of equality, while in the private
no questioning took place of existing social inequalities.
er, as de Tocqueville clearly understood, once human beings
the legitimacy of the principle of equality in one sphere they
empt to extend it to every other sphere. (1990, 128)

CHAPTER EIGHT

Postempiricism

Imagining a Successor Science for Psychiatry

As I discuss in chapter 3, Michel Foucault's detailed philosophical inquiries into the discursive histories of psychiatry, medicine, the human sciences, criminal punishment, and sexuality repeatedly reveal a complex interweaving between historical knowledge formations and social power relations. For Foucault, these mangled interweavings of knowledge and power are so complex and so unavoidable that it becomes impossible to think of historical knowledge formations without also thinking of the power relations of their birth and propagation. Thus, Foucault's work has been highly instructive for overturning the Enlightenment illusion of "value-free" knowledge and for situating historical knowledges within specific power relations. Foucault opens the door to complex cultural studies readings of psychiatry that would not be possible within the current psychiatric discourse community.

In this chapter, I argue that Foucault's power/knowledge insights have value for psychiatry beyond his historical looks at discursive formations and the cultural studies readings he inspires. To use a metaphor from the video age, Foucault's insights should be "run forward"—ideally fast-forward—and used in organizing future knowledge-making structures in psychiatry. To articulate how this might be possible, I propose adding to Foucault's insights the work of recent feminist epistemologists and applying the combination toward future psychiatric knowledge production. Feminist epistemologists are essential in this task because, like

Foucault, they have used insights into the co-occurrence of power and knowledge to critique historical and current knowledge formations. But unlike Foucault, feminist epistemologists have gone past critique to construct alternative visions for future knowledge-making practices.

Similar to Foucault's work, feminist epistemologies overturn the notion of "value-free" science and the once-hallowed fact/value distinction on which it stood. Donna Haraway sums up this alternative perspective in a phrase: "Facts are theory laden, theories are value laden, and values are history [and politics] laden" (1981, 477). If psychiatry were to follow through on this reversal and destabilization of the fact/value distinction, future psychiatric research would have to be restructured. In the current context of psychiatry, the fact/value distinction—along with the fraternal distinctions of objective/subjective, truth/myth, science/pseudoscience, knowledge/conjecture, context of justification/ context of discovery—is the key starting point for knowledge inquiry. Psychiatric knowledge production tends to be divided into the separate domains of scientific knowledge production and bioethical knowledge regulation and oversight. Thus, in psychiatric research centers, we have "research committees" and "ethics committees," each composed of separate people and separate procedures. Scientific research committees determine the pursuit of knowledge (the facts), and medical ethics committees determine how that knowledge should be used (the values).

Of course, there are some "ethics of medical research" devoted to the proper values at issue between psychiatric researchers and their subjects. But for the most part, ethics and science are so divided during the stages of knowledge production that there is no systematic infrastructure available that allows us to ask and negotiate the following questions: What kinds of psychiatric knowledges are good to pursue, and for whom are they good to pursue? Which of the available methods of knowledge inquiry are best for psychiatry? And on what ethical or political grounds do we exclude possible contributors to psychiatric knowledge? Instead, we have an infrastructure that philosopher of science Philip Kitcher calls "internal elitism" (2001, 133). As Kitcher puts it, scientific research actually takes place as follows:

The channeling of research effort is subject to pressures from a largely uninformed public, from a competitive interaction among technological enterprises that may represent only a tiny fraction of the population, and from scientists who are concerned to study

Maybe psychiatry (and medicine more generally) will be the next sphere to embrace democracy. Certainly the goal of postpsychiatry is to extend inclusion and equality into the psychiatric profession. "Democracy in Psychiatry" becomes the theoretical rallying cry for this effort. Even though psychiatry has been seen since its inception as a science and therefore separated from politics and power, that situation may change. Theoretical work in postpsychiatry undoes the illusion of value-neutral and politics-free psychiatry. Postpsychiatry reveals that power and politics are very much at the heart of psychiatric knowledge and that there is no escape from power/knowledge intermingling. This insight opens the door to the fermenting agent of democracy in psychiatry. If politics are necessarily part of knowledge production, then knowledge politics should be consciously organized. Democratic politics is a good place to start.

Feminist Epistemologists' Call for a Democratic Successor Science

Laclau and Mouffe help us see the potential of democratic theory for psychiatry, but moving from democratic theory to scientific practice requires additional work. Feminist epistemologists have done the most work in articulating the implications of postepistemology and extending the principle of democracy to scientific inquiry. The feminist epistemologists I have in mind include Evelyn Fox Keller, Sandra Harding, Helen Longino, Donna Haraway, and a handful of other like-minded scholars who have taken an interest in what Harding calls the "science question in feminism" (1986). Though there is obviously much diversity in feminist writings on science, these scholars have much in common.

Like postpsychiatry, this epistemology recommends moving beyond the sensational, but ultimately empty, debates of realism and relativism (Rouse 1996). In the words of Donna Haraway, feminist epistemologists "hope to avoid the commercialized and rigged epistemological Super Bowl where the only teams on the globe are Realism and Relativism" (1997, 128). For Haraway, the realism/relativism debates are commercialized because those who structure the debate along these lines (e.g., Gross and Levitt 1994) are defenders of high-profit technology and the elaborate interweaving of technoscience with consumer capitalism. These commercial defenders of science want all critiques of science to be dismissed as "relativistic." Haraway argues that the realism/relativism debates are rigged because once the debate has moved to this rigid binary, people who hope to displace the binary have already lost out. Any argument within the terms of the binary reinforces the binary. Or, as Haraway puts it, considering science within the terms of this realism/relativism binary is "more like spreading an epidemic than conducting debate on important issues in science, history, politics, and culture" (1997, 123).

Feminist epistemologists as a group recommend moving the debate from critique to reconstruction. They do not denigrate critique—it is a necessary step. But critique tends to address the past and the present. Critique of science starts with already worked-out representational artifacts and practices of science and subjects them to scrutiny. But feminist epistemologists are also interested in a future orientation (Rouse 2004, 366). As Sandra Harding puts it, feminist epistemologists are interested in a "successor science" (1986, 142). Accordingly, feminist epistemologists have made several initial steps toward creating a new model for science that can overcome the multiple problems of "science-as-usual."

Like postpsychiatry, feminist attempts to outline a plausible successor science start with the premise that knowledge is intermingled with values, practices, ways of life, and politics. Feminist epistemologists argue against universal knowledge or knowledge from nowhere. For feminist epistemologists, knowledge is always situated; it is always created from a particular standpoint (Haraway 1991, 183–203; Harding 1993). Feminist epistemologists have it "both ways" in that they argue it is possible "to have simultaneously an account of the radical historical contingency for all knowledge claims and knowing subjects, a critical practice for recognizing our own semiotic technologies for making meanings, and a no-nonsense commitment to faithful accounts of a real world" (Haraway, qtd. in Harding 1993, 50). Thus, though there has been some controversy around the term, feminist epistemologies are usually some version of "standpoint epistemologies" (Harding 2004). In standpoint epistemologies, knowledge, to be real, does not have to transcend historical and geographical interests, values, or agendas. Feminist standpoint theories embrace the idea of real knowledge as socially situated. For feminist epistemologists, this knowledge/power premise is not a problem to be overcome but an opportunity to be utilized and developed.

When knowledge/power intermingling is assumed along these lines, it follows that differential power locations will have differential knowledge perspectives. Thus, not only do feminist standpoint epistemologists argue for including marginalized perspectives in scientific practices; they also "argue for starting off thought from the lives of marginalized peoples" (Harding 1993, 56). Marginalized people provide alternatives to the standpoints of dominant groups, and because dominant groups are the most represented in scientific research communities, starting off with marginalized perspectives provides a corrective to the dominant perspective. Because dominant perspectives have been much longer at the center of knowledge production, they are by now thoroughly embedded in what is accepted as knowledge. As Harding puts it, "in societies stratified by race, ethnicity, class, gender, sexuality, or some other such politics shaping the very structure, the activities of those at the top both organize and set limits on what persons who perform such activities can understand about themselves and the world around them" (1993, 54). Dominant knowledge groups are unable to interrogate their own advantaged social situation and the effect of such advantages on their beliefs and scientific practices. Feminists argue that, far from being a hindrance to knowledge production, adding the perspectives of marginalized groups is an advance because it counterbalances the blind spots of the dominant groups.

Feminist epistemologists explicitly move theories of science away from an individual focus toward a community focus. They speak less of "a knower" or "the scientist" and more of "knowers" and "scientists." They deliberately adopt these plural terms to counter the more prominent epistemological individualism of scientific method and philosophy of science. As Lynn Hankinson Nelson explains:

Feminists have argued that a solipsistic knower is implausible [and] have challenged the view that beliefs and knowledge are properties of individuals; and many have argued that interpersonal experience is necessary for individuals to have beliefs. And for more than a decade feminists have argued that a commitment to epistemological individualism would preclude reasonable explanations of feminist knowledge; such explanations (or, on some accounts, justifications of that knowledge) would need to incorporate the historically specific social and political relationships and situations, including gender and political advocacy, that have made feminist knowledge possible. (1993, 122)

Thus, feminists focus on epistemological communities and subcommunities rather than on individuals. This feminist focus on community complements feminist theories of perspectival and situated knowledge because the corollary of situated knowledge (knowledge situated within a linguistic and political community) is that knowledge production is communal.

Accordingly, the focus of a feminist successor science is not changing individual scientific behavior as much as it is diversifying scientific subjects and reorganizing scientific practice. For feminist epistemologists, scientific method includes more than hypothesis testing by individuals. Scientific method also includes conceptual criticism of collective background assumptions. These background assumptions are often invisible to the members of a community because it is by internalizing background assumptions that one becomes a member of a community. Only some of this internalization is conscious; most of it is unconscious. Consequently, alternative points of view are required to effectively criticize background assumptions. People cannot effectively criticize their own unconscious points of view. Without diversity in the scientific community, the knowledge that community generates is always distorted by its own collective assumptions. When alternative points of view are excluded from the community, shared values within the community will not be identified as shaping observation and reasoning. As Helen Longino explains:

> Scientific knowledge, on this view, is an outcome of the critical dialogue in which individuals and groups holding different points of view engage with each other. It is constructed not by individuals but by an interactive dialogic community. A community's practice of inquiry is productive of knowledge to the extent that it facilitates transformative criticism. [Thus,] the constitution of scientific community is crucial to this end, as are the interrelations among members. (1993, 112)

Therefore, the best way to characterize a feminist successor science might be to say that it shifts scientific emphasis from representations to human relations. Current scientific method—and the new psychiatry is no exception—focuses on the reliability and validity of representations. By contrast, feminist successor science focuses on the way members of a scientific community deal with inclusion and difference. In other words, it focuses on relational issues. Feminist successor science puts relations first and representation second. Its implicit assumption is that if a scientific community sufficiently achieves diversity and treats differences with respect and appreciation, then representations will work themselves out. Quality representations will flow from quality relations. Thus, the emphasis for a feminist successor science is not scientific representations as much as scientific relations. Quality representations are seen as a by-product of the way communities go about recruiting difference and the way they deal with conflicts.

Far from "anything-goes" relativism, feminist epistemologies are both "normative" and "objective." Helen Longino argues that tending to the relations of scientific knowledge involves not only describing how scientific communities are set up but also prescribing how scientific communities should be set up (1993, 102). For Longino, feminist observation of epistemic exclusiveness is also a demand for epistemic inclusiveness. And, she argues, advocates of feminist epistemology should be willing to struggle for the dissolution of noninclusive models of scientific method. Similarly, Sandra Harding argues that feminist epistemology involves not less stringent objectivity requirements but strengthened standards for objectivity. As Harding puts it, feminist epistemologies

> call for recognition that all human beliefs—including our best scientific beliefs—are socially situated, but they also require a critical evaluation to determine which social situations tend to generate the most objective knowledge claims. They require, as judgmental relativism does not, a scientific account of the relationships between historically located belief and maximally objective belief. So they demand what I shall call strong objectivity in contrast to the weak objectivity of objectivism and its mirror-linked twin, judgmental relativism. (1991, 142)

Unlike Harding, I would not see feminist epistemologies as "more objective" than science-as-usual. But I would agree that they have just as much right to a discourse of normativity and objectivity as old-style science-as-usual. I would argue that they are differently objective, and as such, they can lay claim to objectivity as much as the current approaches to scientific inquiry. Going further, I would add that if a community values inclusion and equality, feminist epistemologies are more likely to build a knowledge structure consistent with those values. In this way, one can say that postepistemological approaches do have Harding's "strong objectivity" for the progressive goals that she values.

Along these lines, Harding has taken the feminist epistemological focus on relationships a step further by explicitly substituting the trope of "democracy" for the trope of "feminism" (Harding 1991). It is here that the feminist epistemologists' approaches to science line up with the new democratic movements I discuss at the beginning of this chapter. As a result, Harding's question for a successor science becomes, "What can be done to enhance the democratic tendencies within the sciences and to inhibit their elitist, authoritarian, and distinctively androcentric, bourgeois, Eurocentric agenda?" (1991, 217). The trope of feminism does not drop out for Harding, but her consistent use of the trope of democracy highlights that a feminist successor science is not only about women's issues. As Linda Alcoff and Elizabeth Potter put it:

> Growing [feminist] awareness of the many ways in which political relationships (that is, disparate power relations) are implicit in theories of knowledge has led to the conclusion that gender hierarchies are not the only ones that influence the production of knowledge. Cognitive authority is usually associated with a number of markings that involve not only gender but also race, class, sexuality, culture, and age. Moreover, developments in feminist theory have demonstrated that gender as a category of analysis cannot be abstracted from a particular context while other factors are held stable: gender can never be observed as a pure or solitary influence. . . . [Thus,] feminist epistemology should not be taken as involving a commitment to gender as the primary axis of oppression, in any sense of primary, or positing that gender is a theoretical variable separable from other axes of oppression and susceptible to a unique analysis. (1993, 3–4)

Harding's use of the trope of democracy and science is the logical extension of these insights.

The feminist focus on democracy helps unite feminist approaches to science with other activist groups concerned with antidemocratic consequences of current scientific practices. One of the most interesting of these democratic science-activist groups is the LOKA Institute. As Richard Sclove, the organization's current director, explains, "The LOKA Institute is dedicated to making science and technology more responsive to democratically decided social and environmental concerns" (1995, 338). LOKA combines an interest in science, technology, and democracy for the following "simple" reasons: "Insofar as (a) citizens ought to be empowered to participate in shaping their society's basic circumstances and (b) technologies profoundly affect and partly constitute those circumstances, it follows that (c) technological design and practice should be democratized" (Sclove 1995, ix). The institute fosters this goal by providing resources for democratic choice and participatory research in scientific processes and technological design. For Sclove, "a technology is democratic if it has been designed and chosen with democratic participation or oversight and . . . is structurally compatible with strong democracy and with citizens' other important common concerns" (1995, 338).

Reminiscent of Harding's call for "strong objectivity," Sclove's call for alternative science is also a call for "strong democracy." Sclove borrows this term from democratic theorist Benjamin Barber, and like Barber, he distinguishes "strong democracy" from "thin democracy" (Barber 1984, 3, 117). Advocates of strong democracy argue that, as a matter of justice, people should be able to influence the basic social circumstances of their lives and that society should be organized along relatively egalitarian and participatory lines. Sclove gives examples of New England town meetings, self-governing Swiss villages, and Anglo-American trial by jury. Thin democracy, by contrast, is "preoccupied with representative institutions, periodic elections, and competition among conflicting private interests, elites, and power blocs. Within thin democracies power is less evenly distributed; citizens can vote for representatives but ordinarily have little direct influence on important public decisions" (Sclove 1995, 26). Strong democracy contains both a "procedural standard" (commitment to egalitarian participation) and a "substantive standard" (priority of common interests). For Sclove and the LOKA Institute, science-as-usual fails on both standards. Science is too exclusive, and it gives too much priority to economic and bureaucratic self-interest. Today's science is at best consistent with thin democracy. Only by subordinating science to democratic prerogatives can science and technology be consistent with a strong democracy.

Again, we see the normative element in this discussion. These two "strongs" (strong objectivity and strong democracy) go together. Though neither strong democracy nor strong objectivity is necessary, they do entail each other. It is certainly possible to organize large parts of society in nondemocratic ways. And it is certainly possible to arrange knowledge so that it contains multiple hidden interests and blind spots. But if strong democracy is desirable and if it is worth fighting for, and the history of the democratic imaginary would suggest that it is, then strong objectivity is also desirable and also worth fighting for. As I see it, the normativity of postepistemology derives from the entailment of these two strongs. It is difficult to be normative about strong objectivity without also being normative about strong democracy. In other words, strong democracy without strong objectivity (and the other way around) is a sham.

Both Longino and Sclove outline possible ways to organize scientific practice that would be more consistent with strong objectivity and strong democracy. Longino focuses on four community-level criteria needed to achieve a "transformative dimension of critical discourse" within scientific practice:

1. There must be publicly recognized forums for the criticism of evidence, of methods, and of assumptions and reasoning.
2. The community must not merely tolerate dissent, but its beliefs and theories must change over time in response to the critical discourse taking place within it.
3. There must be publicly recognized standards by reference to which theories, hypotheses, and observational practices are evaluated and by appeal to which criticism is made relevant to the goals of the inquiring community. With the possible exception of empirical adequacy, there needn't be (and probably isn't) a set of standards common to all communities. The general family of standards from which those locally adopted might be drawn would include such cognitive virtues as accuracy, coherence, and breadth of scope, and such social virtues as fulfilling technical or material needs or facilitating certain kinds of interactions between a society and its material environment or among the society's members.
4. Finally, communities must be characterized by equality of intellectual authority. What consensus exists must not be the result of exclusion of dissenting perspectives; it must be the result of critical dialogue in which all relevant perspectives are represented. (1993, 112–13)

Sclove takes Longino's criteria to the next step and gives several specific examples of community approaches to democratic scientific inquiry. The example that is most in line with Longino's criteria involves setting up "citizen tribunals." These tribunals follow a general model in which an inclusive and diverse group of participants works together and on an equal playing field in the process of technoscientific inquiry. Citizen tribunals involve "(i) technical experts, (ii) experts in technologies' social dimensions and effects, and (iii) representatives of organized interest groups (including public interest groups) playing vital roles" in considering new and ongoing science and technology. (Sclove 1995, 218). In one such tribunal, the Danish government's Board of Technology selected a panel of ordinary citizens from varying backgrounds to consider questions of genetic manipulation in animal breeding. The panel attended background briefings and then spent several days hearing diverse presentations on the scientific and social issues involved. As Sclove reports, "After cross-examining the experts and deliberating among themselves, the lay panel reported to a national press conference their judgment that it would be entirely unacceptable to genetically engineer new pets but ethical to use such methods to develop a treatment for human cancer" (1995, 217). This information was then used to help determine future legislative and funding decisions.

A Democratic Successor Science Applied to Psychiatry

How could these principles and examples of democratic science be applied to U.S. psychiatry? How could psychiatry move from internal elitism to a more representational structure—one that includes major input from the primary stakeholders of psychiatric knowledge and practice? In other words, how could we begin to imagine a possible successor science for psychiatry that could serve as an ideal for how the practice of psychiatric inquiry might proceed? In what follows, I work through a postepistemological thought experiment for how this might happen. I do not claim to have worked out all the details of the new infrastructure. I only hope to initiate a dialogue of possibilities. These ideas would need to be developed and fine-tuned, but that process cannot happen in a vacuum and without an initial proposal.[1]

On the one hand, it might seem impossible to change psychiatric science because of the basic economic context in which it operates. Psychiatric science, like so much other rapidly emerging technoscience, is a subset of the general U.S. capitalist economy. It seems that we would require a new country, one with a truly strong democracy, to have a truly democratic psychiatry. But on the other hand, it is possible to separate aspects of psychiatric health care from the general free-market economy. Many, if not most, bioethicists argue that a just and fair society (where "equal opportunity" is more than a slogan) requires a decent minimum of health care services for all (J. Nelson and Nelson 1999, 289). The decent-minimum idea suggests that health care should be organized according to two protocols: (1) basic services that are publicly funded and distributed according to need and (2) additional (luxury) services that are privately funded and are distributed according to ability to pay. Without a decent minimum of basic medical services, those who have access to care will have a clear unfair advantage over others.

I need this argument to proceed with my thought experiment, because even thinking about a democratic psychiatry requires imagining a world where at least some component of psychiatric care is publicly funded. Otherwise, psychiatric services become no different from other free-market services. Free-market services prioritize profits and the "bottom line" rather than democracy. I do not see how Microsoft, for example, could be compelled to organize itself along democratic lines without completely revamping the larger economic system within which Microsoft exists. But health care from a decent-minimum perspective is only partly in the free-market economy. The remainder is public: it is in that remainder where the possibility of a democratically organized psychiatry exists.

If we start, then, with a publicly funded psychiatry (or with at least some part of psychiatry as publicly funded), I believe we can begin to organize it democratically. From my perspective, the current psychiatric infrastructure can provide some initial assistance for working out alternatives. The American Psychiatric Association, for example, could continue to be the main organizational body for the psychiatry community. However, the APA, if it were to function as a strong democracy, would have to reform its membership and its organization. The APA's current working definition of the psychiatric community would have to be revamped so that it could recruit more diversity into the community. Currently the APA community is composed of only professional psychiatrists, but the relevant stakeholder community for psychiatry is much broader. The APA should include representatives from all stakeholder groups: patients, family members, interested citizens, clinicians, administrators, researchers, legal personnel, government officials, police, and interested scholars of many types. From this perspective, the psychiatric community must be seen as a subset of the country, and as such it should "look like America."

To be democratic, the APA should also have membership representation weighted according to the size of the stakeholder group and the degree to which psychiatry affects a particular group. Thus, the largest single group represented in the APA community should be patients. But even the word *patient* is problematic and very much a holdover from antidemocratic approaches to psychiatry. So before going further, let me make a brief digression here regarding the word *patient* so that I can sub-stitute the more satisfactory term *c/s/x*. The term *patient* has been increasingly unsatisfactory from within various critiques of psychiatry. Many are suggesting that the neologism *c/s/x* be used. "C/s/x," as we saw earlier, is an abbreviation for "consumer/survivor/ex-patient." Psychi-atric activist "Shoshanna" defines the term this way:

> ["C/s/x" is] a progressive term, in that one begins with the illusion of being a consumer, is subjected to one or more of the horrors of psychiatric/therapeutic abuse and becomes a survivor (if he is lucky), and quickly realizes that the best way in which to extend his survival and avoid a repetition of the nightmare is to remain perma-nently an ex-patient. (http://www.harborside.com/~equinox/wel-come.htm)

Putting these different identity positions (consumer/survivor/ex-patient) all together into a single neologism (c/s/x), rather than using only "ex-patient," allows a coalition among people with diverse identifications. It also implies that the relationship among these identity positions is not simply linear. People often shift from one identity posi-tion to another, and back again, or inhabit more than one at the same time. Thus, many folks involved with the mental health system, or attempting to avoid involvement with it, are often a hybrid mixture of these multiple identifications (Morrison 2003). In addition, many of the psychiatrized take up (or are put into) very passive "patient" identity roles as well. Perhaps the abbreviation should be "p/c/s/x." Whether this makes sense or not, rather than coin a new term, I will follow the activist literature on this point and use the term *c/s/x* rather than *patient* for the remainder of this discussion.

After c/s/x, the next-largest group represented in the new APA would be family members, followed by clinicians, administrators, scholars (from all areas of the university and from outside academe), and clinical researchers (from academe and private industry). Lastly, the APA should include representatives from the government, the police, and the legal community because of the many ways in which psychiatry works as a functional component of these other domains within the country. How-ever, these representatives would be relatively small in number com-pared to the other stakeholders. The APA would have to diversify in other ways as well. In addition to belonging to a psychiatrically defined group, such as "c/s/x" or "clinician," each member would also be part of other identity groups and marked by race, ethnicity, ability, gender, sexual preference, class, and age. Although these groups should be assumed to be fluid rather than fixed (members have hybrid identifications rather than essential identities), these identity markings are important, and the reformed APA should make ongoing efforts to represent these groups in proportion to the wider society.[2]

From my perspective, APA member activities should be compensated because the reformed APA would not simply be a voluntary or professional organization. It is the governing and regulating body for psychiatry. These functions must be considered part of the price of maintaining psychiatry. The membership could hold a general meeting once a year, as now, at an annual conference. The expense of organizing the members and reimbursing their participation would be part of the expense of administrating psychiatry. Members would be elected individuals who would represent local districts and function for psychiatry in a way similar to how a congress or parliament functions for some nation-states. Once at the APA convention, members would select an executive branch from among themselves. Only the executive branch would be paid full-time. Those serving in the executive branch would effectively be on sabbatical from their regular livelihoods. Other members of the association would be paid only for their efforts related to the annual convention.

Borrowing from Sclove's Danish example, the reformed APA's annual convention would be set up as a kind of psychiatric community tribunal. The role of the tribunal would be greatly expanded, however. Rather than giving a press conference on their findings, these community tribunals would be empowered with authority to make binding decisions. Sample decisions made by this community would include ongoing refinement of APA structure, practice guidelines, covered services, training requirements, training accreditation, continuing-education meetings, kinds of journals (and their editorial boards), research projects (with "research" defined very broadly), brick-and-mortar needs, and general budget issues. APA members dealing with any of these issues would be given background information in the form of hearings. They would cross-examine presenters and deliberate among themselves. Their eventual decisions would be binding until the next tribunal on that topic. In between these times, the executive branch of the APA would carry out their decisions.[3]

Obviously, these kinds of structural changes in the make-up and organization of the APA could have dramatic consequences for psychiatry. Rather than c/s/x being people who are discussed and managed by experts but never allowed to speak or to lead, c/s/x would become the major force in psychiatry. Joined by the other new members of the reformed APA, they would make policy in all areas of psychiatry. However, just because c/s/x would be given the major power to shape psychiatric policy does not mean that psychiatric policy, practices, and research methods would necessarily change. In other words, it is entirely possible that the reformed APA would decide to continue psychiatry on exactly the same course it follows now. It is possible that the new members would select the same kinds of practice guidelines, the same kinds of research and scholarship, and the same kinds of administration of programs that psychiatry has today. Things would stay the same if a significant proportion of the reformed APA membership felt, after extended hearings and deliberations, that the current approaches were working and were good for the people they represented. If things did stay the same, the reformed APA would still have an advantage over the old APA because its members would have a much clearer sense that the approach it followed was supported by the stakeholders most affected by the system and not just by a narrow band of elite researchers, administrators, and clinicians. In addition, the members would know that, if the current system turned out to have unforeseen negative effects, they would be able to make changes as needed in the future.

It is my impression, however, that psychiatry would change, and rather dramatically, as a result of this new organizational structure. The biggest change I predict would be the integration of c/s/x into every element of therapy, administration, research, training, and continuing education. With the majority of power in the APA given to c/s/x, they would no longer be content to stay in a passive role. Obviously, there is some risk that at first, like other colonized peoples, they would have so internalized the hierarchies of their previous masters that they would continue to privilege the priorities and values that went before (Fanon 1967). Over time, however, the reformed APA would, I believe, begin to find ways in which c/s/x could participate in treatment teams (including being paid for their caretaking services), in administration (where they would have improved insight into the ways provider systems thwart people's needs), in research (where they would know more about painful emotional problems than people who have not experienced them), in training programs (where they would make excellent mentors and supervisors because they had been there before), and in continuing education (through writing in journals, giving talks, leading conferences, etc.).

In addition, the new organizational structure would also allow better integration of family members (who would be the second-largest group in the reformed APA). And it would better integrate clinicians (who are the biggest group in the current APA, although, because the current APA is a thin democracy, they have little power). The current elite activities originating with research and administrative psychiatrists would continue as they exist today only if the membership desired their continuation.

A major consequence for the reformed APA would be what Longino calls the "dilemmas of pluralism." If strong objectivity requires strong democracy, and if strong democracy depends on consensus among participants, what happens when consensus cannot be reached? In other words, what about the elements of conflict within the reformed APA that were not resolvable through debate and deliberation? If would be a mistake to stifle all conflict through a procedural mechanism, such as "the majority rules," because that would miss the importance of pluridimensionality. The dilemma of pluralism is a dilemma we have met before in postpsychiatry: the dilemma of multiple truths. If the reformed APA insisted on the goal of a single truth for psychiatry, and consequently a single way of organizing practice, training, research, and so on, then it would have to do so at the cost of denying strong objectivity. Strong objectivity requires pluridimensionality. Longino offers this solution: "My strategy for avoiding this dilemma is to detach scientific knowledge from consensus, if consensus means agreement of the entire scientific community regarding the truth or acceptability of a given theory. This strategy also means detaching knowledge from an ideal of absolute and unitary truth" (1993, 114).

Longino supports these related detachments—knowledge from consensus and knowledge from unitary (or universal) truth—through two philosophic moves: "one of these is implicit in treating science as a practice or set of practices; the other involves taking up some version of a semantic or model-theoretical theory of theories" (1993, 114). Both of these moves have been well rehearsed in my efforts to theorize psychiatry. If knowledge is always also part of practice, then knowledge is part of a way of life and not simply an abstract representation. Ways of life can be contrasted with other ways of life, but they cannot be ordered into a clear hierarchical grid with one "right way" on the top. If knowledge is linguistically mediated—containing metaphorical and relational dimensions of meaning beyond straightforward reference—then knowledge is always wrapped up in language. One language can be compared with another language, but alternative languages, like alternative ways of life, cannot be arranged in a hierarchical grid with a superior language or way of life on the top. Thus, through these two philosophic moves, Longino opens the door for multiple truths to emerge from a community of inquirers. For Longino, dissensus is not a problem (or a sign of scientific immaturity) but an expected outcome of knowledge understood as part of language and practice.

With these issues of pluralism in mind, the reformed APA must have provisions for multiple, rather than unitary, approaches to defining, researching, practicing, and teaching psychiatry. Designing these provisions is a difficult problem, and I see no way to resolve it in an ideal way. The problem is related to the realism/relativism debate in scientific inquiry that we've seen several times before. If realism is one correct truth and relativism is anything goes, and if neither of these perspectives is satisfactory, how can a knowledge community design itself such that this binary is held in tension rather than being constantly collapsed from one side to the other? The difficulty in finding such a design is related partly, I believe, to the difficulties of the problem itself and partly to the repetition of the realism-versus-relativism ("science-wars") debate. If this debate had not become such a cottage industry, then there would have been more effort devoted to solving the problem rather than constantly propagating an endless debate. Feminist epistemologists recommend moving past this distinction, but it will take time and effort before a nuanced organization of scientific practice can do this. Thus, in my view, the realism/relativism/pluralism problem is difficult because it is difficult, but also (and this is crucial because it is most open to change) it is difficult because few people have really worked on it.

My provisional solution for the reformed APA would be to hold votes during the "consensus tribunals." The reformed APA should expect that these votes would rarely be decided through unanimous consensus. However, I would also argue against a majority-wins approach.[4] In contrast to the more typical election outcome in which the winner takes all, I would suggest a multiple-winners approach. In a multiple-winners approach, if a knowledge perspective could get, say, 20 percent of the reformed APA vote, that would be enough for it to be considered a valid knowledge. As a valid knowledge, it would be considered a valid, though admittedly controversial, approach to a psychiatric concern. By "valid," I mean that it would be written up in teaching materials, included as a genuine perspective in training programs, offered as a real possibility in practice situations, funded for further research, and so on. By "controversial," I mean that it would be acknowledged that there is uncertainty involved and that the APA community differs on how to approach the knowledge. This uncertainty would not be seen as a problem; it would be expected. Of course, 20 percent is just a starting number. Perhaps the reformed APA would prefer 10 percent or perhaps 30 percent. But the basic idea is this: there should be more than one psychiatric formation that is considered legitimate and is given public support. People desiring psychiatric services should have more than one "psychiatry" to choose from.

For an example of how this solution might work, consider the highly publicized APA vote on homosexuality in the 1970s. The question before the APA was, "Is homosexuality an illness?" The vote came out "no," but (unfortunately, from my perspective) it was relatively close: 58 percent "no" and 37 percent "yes" (Kirk and Kutchins 1992, 88). This kind of "voting on scientific questions" is highly unusual for the current APA, and this particular vote was considered by many to be an embarrassing chapter in the history of psychiatry. For me, although it is embarrassing that the vote was so close, the vote itself looks completely different. Indeed, from a postpsychiatry perspective, this vote was one of the most democratic moves the current APA has ever made.

But of course, this vote only went partway. If it were repeated in the reformed APA I've been imagining, I see two very important differences. First, it would have a very different outcome because the membership would be so dramatically different from that of the current APA. My hope is that in the reformed APA the notion that homosexuality is an illness would not get the sufficient 20 percent to be considered valid knowledge. However, even if it did, the second difference in the reformed APA would be that the answer would not have to be unitary or universal. In a situation in which more than 20 percent of the membership voted yes on this question, "yes" would be accepted as knowledge and taught as controversial. Homosexuality for some, in this outcome, is an illness. For others, it is not. The reformed APA would not attempt a procrustean solution to the question. By the tenets of strong objectivity, trying to decide yes or no in such a situation is inaccurate. A reformed APA would work with (teach, practice, research, and train) the controversy.

The reformed APA, like postpsychiatry more broadly, is not intended to be utopian, because reforming the APA would clearly involve losses as well as gains. There would be losses for those people currently doing well in the APA as it is now formulated. There would be losses in the values the current APA prioritizes. For example, there would be losses in the emphasis on scientific psychiatry and on the development of biopsychiatric interventions. These losses would be offset by gains for other people and the advancement of alternative values. Still, loss and imperfection would occur. Another loss, or imperfection, would be a risk of bureaucratic bloating. If the reformed APA had a bigger bureaucratic machine to organize difference and orchestrate alternative approaches, there is a danger that the APA would suffer from bureaucrato-centric forces—which would lose sight of the APA's raison d'être and spend most of their energies self-propagating the new-psychiatric bureaucracy. In addition, the reformed APA would be at risk of unequal power relations among members distorting the possibility of strong democracy (as they seem to in most functioning political democracies). These last potential losses—bloating and power distortions—could be minimized through various protocols designed to limit them, but the point here is that the reformed APA would be no utopia and would result in multiple trade-offs.

Therefore, reforming the APA cannot be motivated by a goal of global utopian progress. Rather, the reformed APA can be motivated only by limited gains and a willingness to make sacrifices along particular lines. This does not mean, however, that there is no ethical or political weight to, or effective rallying cries for, the recommendation that the APA reform itself. When I say that the APA should reform itself with priority given to strong objectivity and strong democracy, I am making a normative recommendation. I take a stand on preferred values and priorities. This call for "Democracy in Psychiatry" does not claim to be the only or even the necessarily best way to go. There are certainly other ways to go in which democratic values are not given top priority—as in the current system of internal elitism. Or there may be even better ways to achieve democratic values. However, this call for Democracy in Psychiatry starts the process. From my perspective, starting the argument for democracy matters. Democracy makes a difference, and it is worth recruiting, enlisting, and fighting over.

Although my postepistemology thought experiment does not answer all the questions involved in reforming psychiatry, the basic light at the end of the tunnel for a theorized psychiatry is clear. Psychiatric knowledge and practice should be opened to more diversity and a more representative stakeholder group. Working out the details of how to do this is difficult, and full democracy may never be possible, but basic moves in this direction are very doable and very possible. Indeed, they are much easier, for example, than many other projects that humans take on—like transplanting a heart or going to the moon. Thus, for me, reforming the APA along more democratic lines is a worthwhile struggle that can begin now. And from my position inside the current APA, nothing short of a struggle will ever succeed in achieving these kinds of democratic changes.

Epilogue

Postpsychiatry Today

The postepistemology revolution I depict in the last chapter will not occur soon. This kind of paradigm switch (or "regime change," as Foucault would call it) will require time, commitment, political work, and dramatic changes of mind-set within the psychiatric community. Those of us devoted to postpsychiatry cannot await this future. Fortunately, much can be done without a postepistemology revolution. In this epilogue, I consider how postpsychiatric strategic efforts can make a difference in today's psychiatry—and, at the same time, lay the groundwork for a future larger-scale paradigm switch.

Even without a revolution in psychiatry, postpsychiatry can begin the process of building the knowledge base for the cultural studies of psychiatry and creating a critical psychiatry network. I discuss cultural studies of psychiatry scholarship in chapter 5. This scholarship reads the psychiatric literature against the grain to unpack the cultural, political, and economic dimensions of psychiatric categories and interventions. People can access and utilize this work immediately. No revolution within psychiatry is required. In addition, postpsychiatry can also work now to create a critical psychiatry network. Such a network makes coalitions and connections between postdisciplinary scholars and consumers/survivors. It builds a momentum greater than individual efforts can, and it provides a forum for actively intervening in contemporary psychiatric issues.

For inspiration and guidance, a particularly pertinent model for these two related strategies is disability studies. Disability studies has made remarkable inroads in a relatively short period of time through the use of two simultaneous strategies. It creates new disability scholarship, and it builds active disability networks. Let me briefly review disability studies and how it can serve as such a model. Similar to the cultural studies of psychiatry, disability studies scholarship unpacks stereotyped biomedical disability representations to understand how "representation attaches meanings to bodies" (Garland-Thomson 1997, 5). Michael Oliver gives a good sense of these disability decodings, dividing stereotyped disability representations into the key themes of "individualism," "medicalization," and "normality" (1990, 56, 58). *Individualism* refers to the perspective that disability is a "personal tragedy." This frame undergirds a "hegemony of disability" that views disability as "pathological and problem-oriented." It concentrates all supportive efforts on individual medical "prevention, cure or treatment" (Oliver 1996, 129). And it leads to a ubiquitous *medicalization* that legitimizes a professional infrastructure for acquiring knowledge about, and intervening upon, the disabled individual.

Notions of *normality* are utilized within the processes of medicalization to intervene in disability. The "norm" creates a dichotomy where the normal and the pathological, the able-bodied and the disabled, and the "valued" and the "devalued" become coconstituted cultural dichotomies that carry tremendous social weight and interventional pressures (Davis 1995). One side of the binary defines the other, and both operate together. In Rosemarie Garland-Thomson's words, the two sides operate as "opposing twin figures that legitimate a system of social, economic, and political empowerment justified by physiological differences" (1997, 8).

Together, these stereotyped disability themes of individualism, medicalization, and normality direct the health care industry toward a near-exclusive preoccupation with individual biomedical cures. Rather than adjusting social environments to meet differing bodily needs, biomedical intervention seeks to restore, or cure, the individual "abnormal" body to its "normal" (or as "normal-as-possible") able-bodied state. By working out these disability themes in increasing nuance and detail, disability studies builds a scholarship base that allows them to be perceived and understood.

But disability studies does not stop with articulating themes and building a scholarly knowledge base. Disability studies also joins with disability activism to resist these individualizing and medicalizing approaches to disability. Together, disability scholars and activists encourage community interventions that focus on consciousness raising and collective action. Similar to other new social movements (such as feminism or civil rights movements), this consciousness raising helps create new disability identifications. These identifications allow disability activists to form political connections with people who have been similarly treated. As Oliver points out, "by reconceptualising disability as a social restriction or oppression, [disability identifications] open up possibilities of collaborating or cooperating with other socially restricted or oppressed groups" (1990, 129). These collaborating groups become a powerful coalition toward collective action and social change.

My point here is that, as with disability studies, work in postpsychiatry is a real possibility *today*. Postpsychiatry can build a cultural studies of psychiatry knowledge base without waiting for a new psychiatric regime. U.K. psychiatrist Duncan Double has already started the process of putting together a Critical Psychiatry Network. The Critical Psychiatry Network (CPN) not only reads psychiatry against the grain but also works to intervene and to join with activist efforts against some of the worst features of contemporary psychiatry. As CPN states in its position statement:

We believe that there is a need to resist attempts to make psychiatry *more* coercive. In its attempts to take forward this agenda, the Network has:

—Made clear its opposition to compulsory treatment in evidence submitted to the Government's Scoping Group set up to review the Mental Health Act.
—Submitted evidence to the Government, arguing against the idea of preventive detention.
—Carried out a survey of senior English psychiatrists to seek their views about preventive detention.
—Worked closely with other groups, coordinated by MIND [National Association for Mental Health], in trying to influence government policy. (http://www.critpsynet.freeuk.com/position.htm)

This combination of cultural studies of psychiatry scholarship and critical psychiatry network building will make an increasing difference in mainstream psychiatry. And no approval from mainstream psychiatry is required for this kind of work.

But how could this postpsychiatry scholarship and coalition building have a significant effect in psychiatric training? To reach future psychiatrists, postpsychiatry needs to reach institutional psychiatry. To do that, postpsychiatry requires a bridge between the main campus, medical schools, and psychiatry training programs.

A particularly hopeful possibility for this bridge work is the relatively new interdisciplinary domain of *medical humanities.* Medical humanities first entered the academic scene in the 1970s, and it is the one place where scholars from the humanities and the medical professions regularly interact. As of yet, medical humanities has had little exposure to postpsychiatry and cultural studies of psychiatry scholarship. But that could change rapidly. Medical humanities has recently started to embrace aspects of postmodern narrative theory and has even made initial steps toward psychiatric application (Morris 1998; Martinez 2002). As Richard Martinez puts it, "medical humanities has increased interest and curiosity about narrative theory and application in the behavioral health fields" (2002, 126). For that interest to grow, cultural studies of psychiatry scholars will need to engage with medical humanities, to contribute to medical humanities journals and conferences, to apply for medical humanities jobs, and to encourage graduate students to consider medical humanities as a viable research and publication option. As that happens, medical humanities will become an institutional bridge site for the cultural studies of psychiatry. From there, it will increasingly infiltrate psychiatric education and gradually yield a new form of psychiatric clinician.

These new psychiatric clinicians, postpsychiatrists (as I will call them), will be aware of theory and cultural studies work, and they will take such insights into the clinic. As specific intellectuals, they will begin the process of transforming both individual clinical encounters and also the nature and mind-set of clinical practice more generally. How that will actually evolve will depend on the people and the dynamics involved, but let me try to sketch what that transformation might look like.

With the emergence of postpsychiatrists, I envisage the clinical world changing in a number of ways. First, there would be a shift in emphasis from cure toward coping. By overprioritizing "the cure," psychiatry creates a world where inquiry—designed to help the suffering—invests more in science and truth than in strategies for coping. Modernist psychiatry believes that schizophrenia, for example, will only be cured by understanding the truth of the illness. But discovering "the truth" is only one approach to schizophrenia. Overemphasizing the truth leaves out the politics, the ethics, the aesthetics, and the experiences (both painful and pleasurable) of schizophrenia. All of these other aspects of schizophrenia influence the impact of "schizophrenia." Tending to these dimensions of schizophrenia may not "cure" it, but it will go a long way toward helping people cope with the experience.

Another way to say this is that postpsychiatrists would deconstruct the very founding distinction of the field: between "mental health" and "mental illness." Postpsychiatrists would sidestep this sharp binary to recognize how patients *and* clinicians are always and inescapably an interwoven mixture of both (and neither) mental health and illness. For a postpsychiatrist, eradication of illness is impossible because the signifier of health means that illness is always already there. "Health" and "illness" coconstitute each other. They do not represent referential mirrors of the world. The meaning of one depends on the other. The focus of the clinical interaction would be less the eradication of "disease" and "illness" and more "living with," "adjusting to," "muddling through," and "coming to peace."

Second, postpsychiatrists would not regard themselves as "experts." Rather, they would see themselves as "servicepeople." Postpsychiatric servicepeople would be more comfortable with a modest professional wage (rather than trying to keep up with surgeons' and lawyers' fees) and more at ease with equalizing power differentials within the treatment setting. With power differentials closer to equal (and with a more balanced emphasis on coping), psychiatric categories and theories of mental illness would become more humble and would lose some of their status. Psychiatric categories and diagnoses would be dereified. As a result, postpsychiatrists would find it easier to take seriously patient models for suffering, and they would find it easier to work within alternative and self-help strategies for clinical improvement. In addition, more down-to-earth postpsychiatrist clinicians would lessen the spirit of "seriosity" (or overseriousness) so evident in the clinical world. This spirit of seriosity derives primarily from the huge chasm created between binaries of health and illness. If people are always already both healthy and ill, the fall from health to illness is not so serious.

Third, if postpsychiatrists were servicepeople, rather than high-class experts, the microgoals of the clinical interaction and the macrolegitimacy of psychiatry as a profession would depend more on human values than on scientific studies. At the microlevel, postpsychiatrists would advocate for an autonomy-based practice rather than a beneficence-based practice. In an autonomy-based practice, psychiatrists would spend less time doing treatment "outcome" studies to determine which treatment is beneficently "best" or "legitimate" and more time articulating and exploring the treatment desires and goals of their clients.

For postpsychiatrists, it will seem impossible to completely compare treatment methods based on beneficent "outcomes," because there are as many different outcome goals as there are singular clinical interactions. Some people may pursue scientific cure; others may prefer life-skills building and coping. Some will be concerned with maximizing pleasure and others with maintaining beauty. Some may desire longevity and others comfort. Some may feel at ease with machine or synthetic chemical interventions; others may prefer only "organic" based treatments. Some may wish to psychotherapeutically weave clinical problems into a new interpretive horizon that reframes and thus lessens the problems (or at least helps organize the problems into a more satisfactory "life story"); others may wish to devote their mental energies elsewhere and approach their clinical problem with as little reflection as possible. Thus, the microgoals of the clinical interaction will be determined by the singularities of particular patient desires more than by a preconceived calculus of treatment outcomes.

Similarly, for the postpsychiatrist, psychiatry does not have to "prove" its legitimacy at the macro (sociopolitical) level through scientific measurement of treatment outcomes. Rather, psychiatry achieves sociopolitical legitimacy (or fails to do so) because of more ethical, political, and aesthetic concerns. In other words, the route to psychiatric legitimacy comes through gaining the trust of the greater community, not through the force of Truth. The legitimizing justifications needed for maintaining "psychiatry" as a profession available for those in mental anguish would be as much ethical, political, and aesthetic justifications as they would be scientific "truth" justifications. There is little need for "science" in justifying hospice care, after-school programs, vocational retraining programs, national parks, or art museums, and there is little need for science in justifying psychiatric care. These activities are done, or not done, because there is a sociopolitical consensus that they are right to do. In other words, psychiatry should exist as a profession only because it contributes to making the kind of culture we believe in and the kind of world we want to create. Who are the "we" in this case? Whoever believes that there is a role for psychiatry in the service of people with mental pain and suffering, and whoever is willing to struggle and compromise to create such a world.

Another way to articulate the new species of postpsychiatrists I have in mind would be to say that postpsychiatry shifts the emphasis of the clinical encounter from *knowing the other* to *caring for the other*. Here, I make one last allusion to Foucault. In many of his later works—such as the last two volumes of *The History of Sexuality* (1987b, 1990) and articles like "Technologies of the Self" (1988b) and "The Ethics of Care for the Self as a Practice of Freedom" (1988a)—Foucault explores how Greek and Roman cultures understood themselves. Reading a number of texts from these classical eras, Foucault investigates how people in these cultures came to understand and approach themselves: "what they are, what they do and the world in which they live" (1987, 10).

Foucault argues that these texts point to different forms of self or different forms of subjectivation. Greco-Roman cultures exhibit technologies of self that, instead of being predominantly based on a principle of knowing oneself, are based around the maxim "Take care of yourself" (1988b, 22). For Foucault, these classical modes of self are chiefly about cultivating and tending to oneself as a kind of practice or process. They are in sharp contrast to later Christian modes of subjectivation that predominantly revolve around a universalizing notion of self that takes the form of "obedience to a general law [and is] a type of work on oneself that implies a decipherment of the soul and purificatory hermeneutics of the desires; and a mode of ethical fulfilment that tends toward self-renunciation" (Foucault 1990, 238–39). Very different from this epistemological and self-renouncing mode, the technologies of self in antiquity were much more oriented toward questions of *askesis* (Foucault 1987b, 30). *Askesis,* as Foucault summarizes, is "an exercise of self upon the self by which one tries to work out one's self and to attain a certain mode of being" (1988a, 113).

Foucault suggests that the precept of "Know yourself" has been overemphasized in modern societies. We spend too much time trying to know our IQs, our grade point averages, our career status, and our multiple diagnoses. We spend too little time following the maxim "Take care of yourself." As a result, the practices of *askesis* have been forgotten (Foucault 1988b, 19). Foucault is keen to clarify, however, that this practice of self is "not just an early version of our [present] self-absorption" and is not anything like the Californian cult of the self (1984a, 362). Caring for the self is very much an ethical and collective practice; it is "not an exercise in solitude, but a true social practice" (Foucault 1990, 51). Foucault points out that these practices of self "found a ready support in the whole bundle of relations of kinship, friendship and obligation," and therefore such cares of the self, rather than being individualist or self-absorbed, actually worked through and intensified social relations (1990, 53).

In this final homage to Foucault, I envisage postpsychiatrists caring for rather than striving to know/diagnose their patients. Such clinicians would encourage patients to care for themselves and, at the same time, would be involved in their own *askesis.* Doctor and patient would both be involved in this common, social, and supportive practice of caring for the self. Such a postpsychiatric shift in clinical thinking and practice does not require a revolution. It simply requires the development of a multidisciplinary postpsychiatric community that corrects the current scholarly imbalance of mainstream psychiatry and embraces the important insights of humanities theory. I offer this book as a step along the way.

Notes

Preface

1. The Critical Psychiatry Network was set up by U.K. psychiatrist Duncan Double "to provide a network to develop a critique of the current psychiatric system. Its aim is to avoid the polarization of psychiatry and antipsychiatry. Antipsychiatry may have failed because its main proponents were ultimately more interested in personal and spiritual growth. Moreover, its message became diluted and confused by combining conflicting viewpoints. The Critical Psychiatry Network is dedicated to establishing a constructive framework for renewing mental health practice" (Double 2002, 904; see also Double 2000 and <http://www.critpsynet.freeuk.com>).

Chapter 2

1. For books on the science wars, see *Intellectual Impostures* (Sokal and Bricmont 1998); *A House Built on Sand: Exposing Postmodernist Myths about Science* (Koertge 1998); *Science Wars* (Ross 1996b); *The Sokal Hoax: The Sham That Shook the Academy* (*Lingua Franca* 2000); *After the Science Wars* (Ashman and Baringer 2001); *The One Culture?: A Conversation about Science* (Labinger and Collins 2001); *Who Rules in Science? An Opinionated Guide to the Wars* (Brown 2001); and *The Science Wars* (Parsons 2003).

2. A good collection of responses to Gross and Levitt may be found in Ross 1996b.

3. The most explicit poststructuralist developments of Saussure's theory of the sign came from psychoanalyst Jacques Lacan and philosopher Jacques Derrida. In his early work, Lacan rethought Freudian theory through the frame of Saussure's theory of the sign and, in the process, pushed Saussure's theory to its most nonreferential expression. In Lacan's article "The Agency of the Letter in the Unconscious, or Reason since Freud," he argues that "quite contrary to the appearances suggested by the importance often imputed to the role of the index finger pointing to an object," language is the "locus of signifying convention" (1977, 149–50). For Lacan, the subject is the "slave of language" in a way that goes radically beyond a reference theory of language and even "well beyond [Saussure's] discussion concerning the arbitrariness of the sign" (1977,148–49).

Lacan interprets Saussure's relational theory of the sign as implying that the signifier and the signified (the sound and the concept) are on the same plane. Unhappy with the implications of this interpretation, Lacan argues that "the S [signifier] and the s [signified] of the Saussurian algorithm are not on the same level, and man only deludes himself when he believes his true place is at their axis, which is nowhere"(1977, 166)—nowhere, for Lacan, except in the unconscious background of language that controls human thought by supplying the "ultimate differential elements [from which our concepts are composed] and combining them according to the laws of a closed order" (1977, 152). In Lacan's theory of the sign, the signifier rules the signified, and "we are, then, forced to accept the notion of an incessant sliding of the signified under the signifier" (1977, 154). As a result, for Lacan, the radical implication of language without reference is not only that the signifier loses its hold on the world but also that the subject loses control of language. The subject thus becomes victim to the "dominance of the letter."

Lacan focuses his critique on Saussure's theory of the sign, but it is quite possible to read Saussure's theory of the sign (without his theory of science) as already radical enough to demonstrate the potential dominance of the letter. Key to Lacan's critique of Saussure is his algorithm for the sign:

sign = S/s (signifier / signified)

By this algorithm, Lacan illustrates the dominant sliding of the signifier over the signified. Lacan's algorithm is inspired by a well-known drawing or "sketch" in Saussure's *Course in General Linguistics* (1972, 111) that Lacan describes in this way: "an image resembling the wavy lines of the upper and lower Waters in miniatures from manuscripts of Genesis; a double flux marked by fine streaks of rain, vertical dotted lines supposedly confining segments of correspondence" (1977, 154). In Lacan's algorithm, he takes Saussure's sketch and flips it over so that instead of the signified (thought) being over the signifier (sound), the way Saussure has it in his sketch, Lacan has the signifier over (and thus dominating) the signified. In this way, Lacan radicalizes Saussure by suggesting that linguistic meaning is out of control of the subject.

It should be noted that Saussure's sketch of the "fine streaks of rain," which Lacan so poetically describes as "confining segments of correspondence," was not meant by Saussure to suggest correspondence to the world, but rather inseparable coherence between the signified and the signifier. In Saussure's famous phrase, "A language might be compared to a sheet of paper. Thought is one side of the sheet and sound the reverse side" (1972, 111). For Saussure, any necessity of connection between the signified and the signifier is only the necessity of convention, which is "entirely arbitrary," without any "element of imposition from the outside world" and only possible through "social activity" (1972, 111). If the connection is truly arbitrary, it does not matter whether the signifier or the signified is "on top," because there is no power associated with the higher position except the power of social convention, which Saussure clearly acknowledges. Thus, Saussure's theory of the sign by itself, without his theory of science, is already radical enough to take Lacan where he wants to go—to an appreciation of the arbitrary nature of language and the capacity of language to dominate its users. Still, it is clear that Lacan's early work further expanded and highlighted the nonreferential implications of Saussure's theory of the sign, and it is these implications that will be most relevant to an applied philosophy of representation.

Jacques Derrida's early work, also inspired by Saussure's theory of the sign, is similar to Lacan's in that he brings out the most nonreferential reading of Saussure. However, unlike Lacan, Derrida focuses his critical reading not on Saussure's theory of the sign but on Saussure's idealization of science and his moralizing tone of objectivity. After all, it is only through Saussure's relational theories of the sign that Derrida's impressive oeuvre can so compellingly critique the dominating referential theories that undergird Western foundational thinking—what he calls the Western "metaphysics of presence" and "logocentrism," the main quarry in Derrida's interventions. For Derrida, Saussure's relational theories of the sign are "indispensable for unsettling the heritage to which they belong, [and as such] we should be even less prone to renounce them" (1974, 14). In *Of Grammatology*, his most sustained critique of Saussure, Derrida brings out the radical implications of Saussure's relational theory of the sign in order to glimpse what he calls the closure of a "historical-metaphysical epoch." By focusing on Saussure's science of linguistics, while simultaneously using Saussure's theory of the sign to sustain his own critique, Derrida, perhaps overgeneralizing, locates Saussure within the "Western metaphysics of presence." Derrida reaches this conclusion not by critiquing Saussure's theory of the sign per se but by critiquing Saussure's tone and his treatment of writing in his science of linguistics.

Derrida argues that when Saussure demotes writing to a secondary status and excludes it from his linguistic science, he undermines his own emphasis on the arbitrary nature of the sign and hides the radical implications of a relational theory of the sign. By leaving out writing, Saussure's emphasis on the arbitrary ends up applying only to the connection between the concept (the signified) and the signifier but leaves the connection between concept and object intact as a "natural bond." Although Derrida's reading of Saussure makes a compelling argument, it is far from obvious that Saussure means the connection between concepts and the world to be "natural." Saussure rarely addresses the connection between the concept and the world, because his theory of the sign is a bipartite theory that includes the concept and the signifier only. Saussure does not include the world in his theory and therefore leaves the relationship between language and the world unclear.

Except when he is talking about his linguistic science, Saussure implies that there is no connection between language and the outside world. As such, Saussure is far from the "metaphysics of presence" under which Derrida subsumes him. In either case, by focusing on the voice (which is only heard and never seen) and excluding the letter (which is by necessity always seen), Saussure's linguistics cloaks the signifier in invisibility so that the voice may be experienced as a self-present reference to the world. For Derrida, "this experience of the effacement of the signifier in the voice is not merely one illusion among many—since it is the condition of the very idea of truth. . . . The word is lived as the elementary and indecomposable unity of the signified and the voice, of the concept and a transparent substance of expression" (1974, 20). Thus, in Derrida's reading of Saussure, reference and with it a whole metaphysics of presence (none other than the realist metaphysics and correspondence epistemology discussed earlier) sneak in the back door of Saussure's theory of linguistics and overpower his arbitrary theory of the sign through an implied "natural" connection between the concept and the object in the "self-present" voice.

For Derrida, Saussure's idealization of speech as natural presence goes hand in hand with his idealization of science. In Derrida's view, both Saussure's idealization of speech and his idealization of science overestimate the power of language (including scientific language) to mirror and correspond to the world without mediation. Thus, Derrida proposes "grammatology," an alternative approach to linguistic science that would focus on writing rather than speech and would highlight rather than hide the power of linguistic systems of relation to shape and organize human knowledge. By focusing on writing, Derrida hopes to question and unsettle the hubris of Western logocentrism, which imagines itself to be closer to the Truth of the world than do alternative systems of thought. Still, the theory of the sign that Derrida adopts for his grammatology is basically Saussure's. Derrida retains Saussure's relational theory of the sign, Saussure's structuring of meaning through a system of differences, and Saussure's sense that language bonds are arbitrary and conventional. The biggest difference is that, by focusing on writing, Derrida makes it clear that the relational theory of the sign organizes not just the connection between concepts and signifiers but also the connection between concepts and the world.

What is most striking about Lacan's and Derrida's developments of Saussure is that they bring out the radical ontological and epistemological leanings of Saussure's purely relational theory of the sign. However, it would be a serious (mis)reading of both Lacan's and Derrida's writings as a whole to accuse either of them of relativism or idealism. The later Lacan (from Seminar XI [1981]) is much preoccupied with the "real" (see Zizek 1989 for a discussion of this point), and the later Derrida (e.g., "White Mythology" [1982]) is also very attentive to the real (see Norris 1997 for an extended interpretation of Derrida along these lines). Despite these later developments in Lacan's and Derrida's thought, Lacan's and Derrida's early relational theories of the sign are the fire behind the smoke of many radical relativist (mis)interpretations of their work. This (mis)interpretation is fostered by their early efforts to radicalize Saussure's theory of the sign.

4. For interpretations of Van Gogh's life and works, see *Van Gogh by Van Gogh* (Barnes 1990); *Van Gogh and God: A Creative Spiritual Quest* (Edwards 1989); *At Eternity's Gate: The Spiritual Vision of Vincent van Gogh* (Erickson 1998); *Van Gogh, the Self-Portraits* (Erpel 1963); *Great Abnormals* (Grant 1968); *Touched with Fire: Manic-Depressive Illness and the Artistic Temperament* (Jamison 1993); *Vincent Van Gogh: Studies in the Social Aspects of His Work* (Krauss 1983); and *Vincent's Religion: The Search for Meaning* (Meissner 1997).

Chapter 3

1. I should emphasize that my use of the term *discursive practice* in this chapter is more inspired by Foucault than by a close fidelity to his work. For example,

Foucault does not make the distinction I just made between "the semiotic" and "the human." He lumps these together. As such, to make the distinction, I've had to redefine "enunciative modalities" somewhat from Foucault's first usage. Also, I've had to shift Foucault's emphasis from his first discussion of "discursive practice." At that time, Foucault would have been very wary about my category "the human" because his theory of discursive practice works hard to avoid a notion of autonomous human subjects as the major causal determinant of knowledge structures. But as will be clear in my discussion, the idea of "the human" as I am using it does not focus on individual autonomous subjects; rather, it focuses on more collective and institutional dimensions of "the human."

My inclusion of "the human" in this discussion of discursive practice fits better with Foucault's later theories of power—which came several years after his theory of discursive practice. Thus, another important difference between my discussion of discursive practice and Foucault's is that Foucault does not extensively include the category of "power" in his theory of discursive practice. He mentions it, but his more detailed theory of power does not come until much later. Still, I find bringing the two theories (of discursive practice and of power) together extremely helpful. It is only with Foucault's theory of power that we get a full picture of the way "the human" shapes discursive practices (see Gutting 1989 for greater discussion).

2. Although Foucault does not reference American pragmatism, his *discursive practice* works from an epistemological and ontological vision similar to the one I discuss in the last chapter.

3. We could arguably take this another step further by discussing the objects of neuroscience: neurotransmitters, neurophysiology, and neuroanatomy. The new psychiatry hopes to further break down signs and symptoms to these reliable neuroscience objects. However, since this is more the dream of the new psychiatry than something that it actually is able to do, I will leave out this step. Still, I must add that, even without the new psychiatry's being able to realize this dream, the very assumption that the objects of neuroscience will eventually be organized into signs and symptoms (which, of course, are then organized into mental illnesses) contributes considerably to the unity of new-psychiatry discourse.

4. Foucault's discussion of the negotiation process fits well with my use of the phrase *pluridimensional consequences* in the last chapter. Similar to Foucault's discussion of negotiation, Pickering's terminology could be used to say that the discursive elements of psychiatric science are "mangled" together through a complex process of accommodation and resistance. For Pickering, the mangle in science goes by the name of "scientific method" (1993, 144). The "mangle" (or negotiation process) of science combines human agency and material agency in a nondeterminate outcome. Alternative processes of accommodation and resistance yield alternative outcomes—or what I've called pluridemensional consequences.

Chapter 4

1. See Jonathan Metzl's book *Prozac on the Couch: Prescribing Gender in the Era of Wonder Drugs* (2003a) for an excellent example of this. Metzl works out in detail the carryover and similarity of gender assumptions between psychoanalysis and

the new biopsychiatry. Metzl makes clear that, for all that is new in biopsychiatry, its gender politics remain very similar to the psychoanalysis that came before.

2. Public health scholar Barbara Starfield estimates that the combined results of medical errors and adverse effects in the United States are as follows:

- 12,000 deaths a year from unnecessary surgery
- 7,000 deaths a year from medication errors in hospitals
- 20,000 deaths a year from other errors in hospitals
- 80,000 deaths a year from nosocomial infections in hospitals
- 106,000 deaths a year from nonerror, adverse effects of medications

That comes to a total to 225,000 deaths per year from iatrogenic causes— which constitutes the third-leading cause of death in the United States, just after heart disease and cancer (Starfield 2000, 484).

3. See Pauline Marie Rosenau for a discussion of the distinction between "affirmative" and "skeptical" or pessimistic postmodernism (1992, 15).

Chapter 5

1. In using the term *cultural studies of psychiatry,* I do not mean to imply that postpsychiatry should only align itself with scholars and scholarship that come under the title "cultural studies," and thus not with scholars and scholarship of other domains such as women's studies and postcolonial studies. Rather, I use *cultural studies* as shorthand for all of the postdisciplinary studies listed earlier.

2. Here I'm not counting "primary authors" like Foucault, Lacan, Fanon, Deleuze-Guatarri, Kristeva, Irigaray, and so on.

3. The web sites are as follows. The American Psychiatric Association: www.psych.org The National Institute of Mental Health: www.nimh.nih.org

Chapter 6

1. Literary theorist Paul de Man's work on rhetoric also develops the notion that "rhetoric" and "facts" are intertwined in considerable detail. To highlight the importance of this recent rhetorical theory, let me contrast Kirk and Kutchins's approach to Paul de Man's discussion of rhetoric in his work *The Resistance to Theory* (1986). De Man develops a historical genealogy of rhetoric that begins with the role of rhetoric in the classical trivium—which divided the science of language into logic, grammar, and rhetoric. Of these three, it was logic that linked the trivium with the quadrivium (the "nonverbal" sciences of number, space, motion, and time). In logic, the rigor of linguistic discourse about itself was thought to match up with the rigor of mathematical discourse.

Accordingly, in classical thought, logic and facts are linked. Seventeenth-century epistemology further idealized this connection and came to hold that, the more one's reasoning is geometrical or logical, the more it is reliable and infallible. Indeed, in the words of philosopher Blaise Pascal, geometrical reasoning is "the only mode of reasoning that is infallible because it is the only one to adhere to the true method, whereas all other ones are by natural necessity in a degree of confusion of which only geometrical minds can be aware" (qtd. in de Man 1986, 102). Thus, there is a link in modern Western thought between the "science of language conceived as definitional logic, the precondition for a correct axiomatic-deductive, [and] synthetic reasoning" (de Man 1986, 102). If there is a link in classical and seventeenth-century thought between logic and natural science, or logic and fact, however, what has been the link between logic and the other two divisions of language: grammar and rhetoric?

De Man argues that logic is further linked with grammar in the classical trivium, and this link continues to dominate through the present day. For de Man, there has been a "persistent symbiosis between grammar and logic. . . . The grammatical and the logical functions are coextensive. Grammar is an isotope of logic . . . [and] grammar stands in the service of logic which, in turn, allows for the passage to the knowledge of the world" (1986, 103). From this perspective, grammar, like logic, is a necessary precondition for scientific and humanistic knowledge. Rhetoric, by contrast, is seen as distinct from grammar and logic. Rhetoric is a "mere adjunct [and] a mere ornament" to the epistemological functioning of language (1986, 103). Grammar and logic serve to link language to the real world outside language, and in classical thought up to the present, both forms of language serve to secure knowledge and facts.

From this perspective, however, rhetoric is very different. As an ornament and adjunct to knowledge and facts, rhetoric is separated from logic and grammar. This separation also separates rhetoric from fact, and the functioning of rhetoric is removed from the epistemological realm. This tradition is consistent with Kirk and Kutchins's approach to rhetoric. For them, the *DSM* developers' use of "rhetorical excess" is not part of the epistemological realm of the facts of the *DSM*. The rhetorical excess is a mere adjunct, and in this case a misleading adjunct at that.

De Man outlines how difficulties in this tradition occur with the rise of "theory" in the humanities. Theory, de Man explains (and I discuss at length in the first three chapters), introduces Saussure's relational approach to language and introduces the inherent tropological dimensions of language. Because recent theory has seen the relational and the tropological as central to the functioning of language, and because these dimensions of language fall under the rhetorical category of language, theory has the effect of *reworking the separation* of rhetoric from grammar and logic. Simultaneously, theory reworks the separation of rhetoric from fact. In other words, rhetoric after theory is no longer separable from the epistemological dimensions of language. Similar to my discussion of Saussure's relational theory of the sign in chapter 2, de Man argues that the tropological is internal to the functioning of language. Language is the medium of knowledge, and the possibility of separating language from knowledge is blocked. Thus, for de Man, "tropes pertain primordially to language," and they are inherent in the text (1986, 103).

De Man makes an additional connection between the tropological dimension of language and the process of reading. For de Man, the reason many people resist theory is that they resist exposing the choices and organizational alternatives that are unleashed through the inherently tropological and relational dimensions of language. De Man develops this idea by connecting resistance to theory and the tropological dimensions of texts to a fundamental "resistance to reading" (1986, 103). In this context, "reading," for de Man, is an active process that exposes the choices being made in how knowledge is organized. Thus, acknowledging the tropological reverses the usual hierarchy between authors and readers. Authors, from this perspective, do not have complete authority over the organizational tropes in their texts. Through the tropes they use, authors make organizational selections, but once the selections are recognized, readers are not forced to agree with these selections. They may select alternative possibilities.

The tropic is that unavoidable aspect of linguistic signs that works through comparison and linkage rather than correspondence. Comparison and linkage, in contrast to correspondence, are more fluid because central linguistic tropes, such as metaphor and metonymy, organize meaning through similarity and association. If I refer to the man at the lunch counter as a "ham sandwich," I am organizing the way the man is perceived by making a connection between him and the ham sandwich. This connection is not, de Man would argue, simply ornamental. It is epistemological as well. Nevertheless, it is different from a purely correspondence epistemology in that there is no single necessary essence of the man independent of the tropological. I may read the man at the counter differently. If, for example, I refer to the same man as a "schizophrenic," I make a new set of links. Both or neither of these designations ("ham sandwich" and "schizophrenic") may be intelligible or useful within a given cultural and linguistic context. Key for de Man is that some kind of trope is required for meaning, but neither of the particular choices of "ham sandwich" or "schizophrenia" is necessary. Which particular trope is used matters a great deal, however, because how the man is known will depend on the tropological dimensions of the language used. There is no reaching the man without the tropological, but the "truth" of the trope is always undecidable. Thus, the difference between the two possible descriptions is structured by the tropes involved, and it matters which trope is used. Accordingly, the reader must decide and cannot leave it to the author's choice. As de Man would argue, this is "not only an exercise in semantics, but in what the text actually does to us" (1986, 105).

De Man gives several reasons for why this rhetorical dimension of language is resisted: "It upsets rooted ideologies by revealing the mechanics of their workings; it goes against a powerful philosophical tradition, . . . [and] it blurs the borders of literary and nonliterary discourse" (1986, 101). As a result, it exposes the connections between ideologies and allegedly neutral discourse. If one puts these reasons together, they become de Man's "resistance to reading" (1986, 103). Resistance to reading is a resistance to uniting rhetoric with logic and grammar and, ultimately, with the sciences. It is a resistance to the inescapable contingency at the heart of all discourse, which is also a resistance to human authorship and human authorial responsibility. Resistance to the rhetorical dimensions of language holds on to the illusion that something nonhuman forced the discourse in the singular direction it has taken. Clearly, human authorship cannot go anywhere it pleases, but human authorship has many possibilities open to it. Resistance to reading, for de Man, is a resistance to the freedoms and responsibilities of authorship.

2. For a discussion of models of madness, see "The Medical Model in Psychia-

try" (Shagass 1975); "The Need for a New Medical Model: A Challenge to Bio-medicine" (Engel 1977); "The Clinical Application of the Biopsychosocial Model" (Engel 1980); *Models of Mental Illness* (Weckowicz 1984); *Models of the Mind* (Rothstein 1985); *Models of Madness, Models of Medicine* (Seigler and Osmand 1985); and *Models of Mental Disorder* (Tyrer and Steinberg 1998).

3. For a discussion of the limits of the natural-science model for humans, see *Psychology as a Human Science: A Phenomenologically Based Approach* (Giorgi 1970); *Understanding and Social Inquiry* (Dallmayr and McCarthy 1977); "Understanding in Human Science" (Taylor 1980); *Methodology for the Human Sciences: Systems of Inquiry* (Polkinghorne 1983); *Philosophy of Social Science* (Braybooke 1987); *The Interpretive Turn: Philosophy, Science, Culture* (Hiley, Bohman, and Shusterman 1991).

4. For a brief sample of the library of critical literature on psychiatry (most of it directed at some version of the disease-model approach), see *Mental Illness and Psychology* (Foucault 1987a); *The Divided Self* (Laing 1965); *The Myth of Mental Illness* (Szasz 1975); *Women and Madness* (Chesler 1976); *The Power of Psychiatry* (P. Miller and Rose 1986); *Deviance and Medicalization: From Badness to Sickness* (Conrad and Schneider 1992); *Users and Abusers of Psychiatry: A Critical Look at Psychiatric Practice* (Johnstone 2000); *Mad in America: Bad Science, Bad Medicine, and the Enduring Mistreatment of the Mentally Ill* (Whitaker 2002); and *Common Sense Rebellion: Debunking Psychiatry, Confronting Society* (Levine 2001). For an extensive bibliography of antipsychiatry works up to 1979, see *Anti-Psychiatry Bibliography* (Frank 1979). For more recent collections of critical work, see the Critical Psychiatry Web site collection by Duncan Double (http://www.uea.ac.uk/~wp276/psychiatryanti.htm) and the material collected at Mindfreedom.org in its "Mad Market: A Little Library of Dangerous Books" (http://www.mindfreedom.org/madmark).

Chapter 7

1. I borrow the phrase *epidemic of signification* from Paula Treichler, who uses it in a different context to refer to the "fragmentary and often contradictory ways we struggle to achieve some sort of understanding" of a new and dramatic medical phenomena (1988, 31).

2. One might think that eventually these controversies around efficacy and safety will be resolved for the Prozac-type drugs. But it is difficult to feel confident about this because, as long as the pharmaceuticals are making profits from the medications, it remains in their interest to obfuscate these kinds of scientific questions. The pattern seems to be that the scientific controversy around a medication's safety and efficacy does not reach consensus until a new medication, or new class of medications, comes along that is billed as new and improved. The new medication comes with a new patent clock that motivates the pharmaceutical companies to consistently denigrate the old and hype the new. As a result, new prescriptions in most medication groups go to the patented options. This is very much what happened with the relatively recent advent of "atypical" antipsychotics.

3. For more on these struggles with biomedicine, see *Birth as a Rite of Passage*

(Davis-Floyd 1992); *Mother's Milk: Breastfeeding Controversies in American Culture* (Hausman 2003); *How to Have Theory in an Epidemic: Cultural Chronicles of AIDS* (Treichler 1999); and *The Disability Studies Reader* (Davis 1997).

Chapter 8

1. The phrase *successor science for psychiatry* is unfortunate in many ways because it implies that science is the only, or the central, way to approach psychiatric inquiry. In other words, for all of its reform of inquiry, feminist successor science remains too science-centric. As such, my recommendation of a feminist successor science for psychiatry might seem in contradiction with my general critique of the excesses of science in psychiatry today. However, as should be clear in the discussion that follows, true feminist successor science is about much more than just science. It is about inquiry more generally and about opening up inquiry to a variety of methods and perspectives. Thus, a better name might be a feminist "successor inquiry" rather than a successor science. However, since I'm very much in debt to feminist epistemologists for this work, I will keep their terminology. In the end, "science" is not the problem in any absolute way. If "science" were reconceived along these feminist lines, it would be open enough for the additional inquiry from multiple approaches I feel is needed in psychiatry.

2. Many would object that this is impractical. As Susan Hekman puts it: "If we take the multiplicity of feminist standpoints to its logical conclusion, coherent analysis becomes impossible because we have too many axes of analysis. . . . If we acknowledge multiple realities, multiple standpoints, how do we distinguish among them? . . . Are we necessarily condemned to the 'absolute relativism' that our critics fear?" (2004, 236). I believe the impracticality fear, however, is a red herring. Even though it is ultimately impossible to represent all points of view and standpoints, in the APA it would be easy to move a little further toward more balanced representation than what exists today. The goal of complete diversity is never fully achievable, but improvement along this line is extremely possible.

3. Longino's community-level rules of engagement could form a basic guideline for members' interactions and how they took up their deliberative processes. However, from my postpsychiatry perspective, I would quibble with Longino's third criterion. Whatever "community-level" standards are used should be considered to be in process (rather than fixed) and situated (rather than universal). I do not argue against trying to work out some standards. However, if the APA is to truly tolerate dissent (Longino's first criterion) and have equality of authority (her fourth), then it must realize that not everyone involved will be working with the same evaluative standards.

4. See Kitcher 2001, 121, for an argument in favor of a majority-wins approach.

References

Alcoff, L., and E. Potter, eds. 1993. *Feminist epistemologies*. London: Routledge.

Alliance for Human Protection. 2004. An analysis of use of Prozac, Paxil and Zoloft in USA 1988–2002. http://www.ahrp.org/risks/risks.html (accessed 7/24/2004).

American Psychiatric Association. 1980. *Diagnostic and statistical manual of mental disorders*. 3d ed. Washington, D.C.: American Psychiatric Association Press.

American Psychiatric Association. 1952. *Diagnostic and statistical manual of mental disorders*. Washington, D.C.: American Psychiatric Association Press.

———— 1968. *Diagnostic and statistical manual of mental disorders*. 2d ed. Washington, D.C.: American Psychiatric Association Press.

————. 1980. *Diagnostic and statistical manual of mental disorders*. 3d ed. Washington, D.C.: American Psychiatric Association Press.

————. 1994. *Diagnostic and statistical manual of mental disorders*. 4th ed. Washington, D.C.: American Psychiatric Association Press.

Analysis: Drug company experts advised staff to withhold data about SSRI use in children. 2004. *Canadian Medical Association Journal* 170, no. 5: 783.

Andreasen, N. 1984. *The broken brain: The biological revolution in psychiatry*. New York: Harper and Row.

Andreasen, N., and D. Black. 1991. *Introductory textbook of psychiatry*. Washington, D.C.: American Psychiatric Association Press.

————. 1995. *Introductory textbook of psychiatry*. 2d ed. Washington, D.C.: American Psychiatric Association Press.

————. 2001. *Introductory textbook of psychiatry*. 3d ed. Washington, D.C.: American Psychiatric Association Press.

Ashman, K., and P. Baringer, eds. 2001. *After the science wars*. London: Routledge.

Balsamo, A. 1996. *Technologies of the gendered body: Reading cyborg women*. Durham: Duke University Press.

Barber, B. 1984. *Strong democracy: Participatory politics for a new age*. Berkeley: University of California Press.

Barker, C. 2000. *Cultural studies: Theory and practice*. London: Sage Publications.

Barnes, R., ed. 1990. *Van Gogh by Van Gogh*. New York: Alfred Knopf.

Barthes, R. 1957. *Mythologies*. Trans. A. Lavers. New York: Hill and Wang.

————. 1982. Inaugural lecture, College de France. In S. Sontag, ed., *A Barthes reader*. New York: Hill and Wang.

Baudrillard, J. 1988. Consumer society. In M. Poster, ed., *Jean Baudrillard: Selected writings*, 29–57. Trans. J. Mourrain. Stanford: Stanford University Press.

Bauman, Z. 1990. *Modernity and ambivalence*. Cambridge: Polity Press.

Bayer, R., and R. Spitzer. 1985. Neurosis, psychodynamics, and *DSM-III:* A history of the controversy. *Archives of General Psychiatry* 18:32–52.

Benjamin, J. 1998. *Shadow of the other: Intersubjectivity and gender in psychoanalysis*. New York: Routledge.

Bernstein, R. 1983. *Beyond objectivism and relativism: Science, hermeneutics, and praxis*. Philadelphia: University of Pennsylvania Press.

Bertens, H. 1995. *The idea of the postmodern*. London: Routledge.

Better than well. 1996. *Economist*, April 6, 87–89.

Beutler, L., and M. Malik, eds. 2002. *Rethinking the* DSM: *A psychological perspective*. Washington, D.C.: American Psychological Association Press.

Blackbridge, P. 1999. *Prozac highway*. London: Marion Boyers.

Bordo, S. 1993. *Unbearable weight: Feminism, Western culture, and the body*. Berkeley: University of California Press.

————. 1997. *Twilight zones: The hidden life of cultural images from Plato to O.J.* Berkeley: University of California Press.

————. 1998. Bringing body to theory. In. D. Welton, ed., *Body and flesh: A philosophical reader*, 84–99. Oxford: Blackwell.

————. 2004. *Unbearable weight: Feminism, Western culture, and the body*. 10th anniversary ed. Berkeley: University of California Press.

Braidotti, R. 1994. *Nomadic subjects: Embodiment and sexual difference in contemporary feminist theory*. New York: Columbia University Press.

Braken, P., and P. Thomas. 2001. Postpsychiatry: A new direction for mental health. *British Journal of Medicine* 322: 724–27.

Braybooke, D. 1987. *Philosophy of social science*. Englewood Cliffs: Prentice-Hall.

Breggin, P. 1991. *Toxic psychiatry: Why therapy, empathy, and love must replace the drugs, electroshock, and biochemical theories of the "new psychiatry."* New York: St. Martin's Press.

————. 1994. *Talking back to Prozac: What doctors aren't telling you about today's most controversial drugs*. New York: St. Martin's Press.

Brown, J. 2001. *Who rules in science? An opinionated guide to the wars*. Cambridge: Harvard University Press.

Brummett, B. 1999. Some implications of "process" or "intersubjectivity": Postmodern rhetoric. In Lucaites, Condit, and Caudill 1999, 153–76.

Butler, J., J. Gillory, and K. Thomas, eds. 2000. *What's left of theory? New work on the politics of literary theory*. New York: Routledge.

Caplan, P. 1995. *They say you're crazy: How the world's most powerful psychiatrists decide who is normal*. Reading, Mass.: Perseus Books.

Charlton, J. 1998. *Nothing about us without us: Disability, oppression, and empowerment*. Berkeley: University of California Press.

Chesler, P. 1976. *Women and madness*. New York: Doubleday.

Conrad, P., and J. Schneider. 1992. *Deviance and medicalization: From badness to sickness*. Philadelphia: Temple Press.

Cooksey, E., and P. Brown. 1998. Spinning on its axes: *DSM* and the social construction of psychiatric diagnosis. *International Journal of Health Services* 28, no. 3: 525–54.

Corsini, R., and D. Wedding, eds. 1995. *Current psychotherapies*. Itasca, Ill.: F. E. Peacock Publishers.

Culler, J. 1982. *On deconstruction*. Ithaca: Cornell University Press.

———. 1997. *Literary theory: A very short introduction*. Oxford: Oxford University Press.

Dallmayr, F., and T. McCarthy, eds. 1977. *Understanding and social inquiry*. Notre Dame: University of Notre Dame Press.

Davis, L. 1995. *Enforcing normalcy: Disability, deafness, and the body*. London: Verso.

———, ed. 1997. *The disability studies reader*. New York: Routledge.

Davis-Floyd, R. 1992. *Birth as an American rite of passage*. Berkeley: University of California Press.

de Man, P. 1986. *The resistance to theory*. Minneapolis: University of Minnesota Press.

Derrida, J. 1973. *Speech and phenomena*. Trans. D. Allison. Evanston: Northwestern University Press.

———. 1974. *Of grammatology*. Trans. G. Spivak. Baltimore: Johns Hopkins University Press.

———. 1981. *Positions*. Trans. A. Bass. Chicago: University of Chicago Press.

———. 1982. *Margins of philosophy*. Trans. A. Bass. Chicago: University of Chicago Press.

Devitt, M., and K. Sterelny. 1993. *Language and reality: An introduction to the philosophy of language*. Oxford: Blackwell.

Docherty, J., and M. Streeter. 1993. Progress and limitations in psychotherapy research. *Journal of Psychotherapy Research and Practice* 2, no. 2: 100–118.

Donald, A. 2001. The Wal-Marting of American psychiatry: An ethnography of psychiatric practice in the late twentieth century. *Culture, Medicine, and Psychiatry* 25:427–39.

Double, D. 2000. Critical psychiatry. *CPD Bulletin of Psychiatry* 2:33–36.

———. 2002. Limits of psychiatry. *British Medical Journal* 324:900–904.

Dreyfus, H., and P. Rabinow. 1982. *Michel Foucault: Beyond structuralism and hermeneutics*. Chicago: University of Chicago Press.

du Gay, P., S. Hall, L. Janes, H. Mackay, and K. Negus. 1997. *Doing cultural studies: The story of the Sony Walkman*. London: Sage Publications.

Dumit, J. 2003. Is it me or is it my brain? Depression and neuroscientific facts. *Journal of Medical Humanities* 24, nos. 1–2: 35–49.

———. 2004. *Picturing personhood*. Princeton: Princeton University Press.

Easthope, A. 1991. *Literary into cultural studies*. London: Routledge.

Editorial: Depressing research. 2004. *Lancet* 363:1335.

Edwards, Cliff. 1989. *Van Gogh and God: A creative spiritual quest*. Chicago: Loyola University Press.

Eli Lilly and Company. 1998. *Eli Lilly Company News*, January 28.

Elliot, C. 1998. The tyranny of happiness: Ethics and cosmetic psychopharmacology. In E. Parens, ed., *Enhancing human traits: Ethical and social implications*, 177–88. Washington, D.C.: Georgetown University Press.

————. 2003. *Better than well: American medicine meets the American dream.* New York: W. W. Norton.

Emerson, R. W. 1946. Experience. In C. Bode, ed., *The portable Emerson,* 266–90. New York: Penguin.

Engel, G. 1977. The need for a new medical model: A challenge to biomedicine. *Science* 196:129–96.

————. 1980. The clinical application of the biopsychosocial model. *American Journal of Psychiatry* 137, no. 5: 535–44.

Erickson, K. 1998. *At eternity's gate: The spiritual vision of Vincent van Gogh.* Cambridge: William Eerdmans Publishing.

Erpel, F. 1963. *Van Gogh, the self-portraits.* Greenwich: New York Graphic Society.

Fanon, F. 1967. *Black skins, white masks.* New York: Grove Press.

Fisher, R., and S. Fisher. 1996. Antidepressants for children: Is scientific support necessary? *Journal of Nervous and Mental Disease* 184:99–102.

Flax, J. 1990. *Thinking fragments: Psychoanalysis, feminism, and postmodernism in the contemporary West.* Berkeley: University of California Press.

Foucault, M. 1970. *The order of things: An archeology of the human sciences.* New York: Vintage Books.

————. 1972. *The archaeology of knowledge.* Trans. A. M. Sheridan Smith. New York: Pantheon Books.

————. 1973. *The birth of the clinic: An archeology of medical perception.* Trans. A. M. Sheridan Smith. New York: Vintage Books.

————. 1978. *The history of sexuality: An introduction.* Trans. R. Hurley. New York: Vintage Books.

————. 1980. Truth and power. In C. Gordin, ed., *Power/knowledge: Selected interviews and other writings,* 109–34. New York: Pantheon Books.

————. 1983. The subject and power. In H. Dreyfus and P. Rabinow, eds., *Michel Foucault: Beyond structuralism and hermeneutics,* 208–29. Chicago: University of Chicago Press.

————. 1984a. On the genealogy of ethics: An overview of work in progress. In Rabinow 1984, 340–72.

————. 1984b. What is an author? In Rabinow 1984, 101–21.

————. 1987a. *Mental illness and psychology.* Trans. A. Sheridan. Berkeley: University of California Press.

————. 1987b. *The use of pleasure.* Vol. 2, *The history of sexuality.* Trans. R. Hurley. Harmondsworth: Penguin.

————. 1988a. The ethics of care for the self as a practice and freedom. In J. Bernauer and D. Rasmussen, eds., *The final Foucault,* 1–20. Trans. J. D. Gauthier. Cambridge: MIT Press.

————. 1988b. Technologies of the self. In L. Martin, H. Gutman, and P. Hutton, eds., *Technologies of the self: A seminar with Michel Foucault,* 16–49. London: Tavistock.

————. 1990. *The care of the self.* Vol. 3, *The history of sexuality.* Trans. R. Hurley. Harmondsworth: Penguin.

————. 1995. *Discipline and punish: The birth of the prison.* 2d ed. Trans. A. Sheridan. New York: Vintage Books.

Frances, A., et al. 1991. An A to Z guide to *DSM-IV* conundrums. *Journal of Abnormal Psychology* 100, no. 3: 407–12.

Frank, K. 1979. *Anti-psychiatry bibliography.* Vancouver: Press Gang.

Frege, G. 1952. *Translations from the philosophical writings of Gottlob Frege.* 2d ed. Corrected 1960, ed. P. Geach and M. Black. Oxford: Blackwell.

Freud, S. 1954. Project for a scientific psychiatry. In J. Strachey, ed., *The standard edition of the complete psychological works of Sigmund Freud.* Vol. 1: 283–346. London: Hogarth Press.

Fukuyama, F. 2002. *Our posthuman future: Consequences of the biotechnology revolution.* New York: Farrar, Straus and Giroux.

Galbraith, J. K. 2000. The dependence effect. In J. Schor and D. Holt, eds., *The consumer society reader,* 20–26. New York: New Press.

Gaonkar, D. P. 1990. Rhetoric and its double: Reflections of the rhetorical turn in the human sciences. In Lucaites, Condit, and Caudill 1999, 194–212.

Gardner, P. 2003. Distorted packaging: Marketing depression as illness, drugs as cures. *Journal of Medical Humanities* 24, nos. 1–2: 105–30.

Gardner, P., J. Metzl, and B. Lewis, eds. 2003. Cultural studies of psychiatry. Special issue, *Journal of Medical Humanities* 24, nos. 1–2.

Garland-Thomson, R. 1997. *Extraordinary bodies: Figuring physical disability in American culture and literature.* New York: Columbia University Press.

Geertz, C. 1973. *The interpretation of cultures.* New York: Basic Books.

Gergen, K. 1991. *The saturated self: Dilemmas of identity in contemporary life.* New York: Basic Books.

Giannini, J. 2004. The case for cosmetic psychiatry: Treatment without diagnosis. *Psychiatric Times* 21, no. 7. http://www.psychiatrictimes.com/p040601b.html (accessed 11/23/2004).

Giddens, A. 1990. *The consequences of modernity.* Stanford: Stanford University Press.

Giorgi, A. 1970. *Psychology as a human science: A phenomenologically based approach.* New York: Harper and Row.

Glenmullen, J. 2000. *Prozac backlash: Overcoming the dangers of Prozac, Zoloft, Paxil, and other antidepressants with safe, effective alternatives.* New York: Touchstone.

Good, M. 2001. The biotechnological embrace. *Culture, Medicine, and Psychiatry* 25:395–410.

Grant, V. 1968. *Great abnormals: The pathological genius of Kafka, Van Gogh, Strindberg and Poe.* New York: Hawthorne Books.

Gross, P., and N. Levitt. 1994. *Higher superstition: The academic left and its quarrels with science.* Baltimore: Johns Hopkins University Press.

Grossberg, L. 1997. *Bringing it all back home.* Durham: Duke University Press.

Grossberg, L., C. Nelson, and P. Treichler, eds. 1992. *Cultural studies.* New York: Routledge.

Grosz, E. 1994. *Volatile bodies: Toward a corporeal feminism.* Bloomington: Indiana University Press.

Guadiano, B., and J. Herbert. 2003. Antidepressant-placebo debate in the media: Balanced coverage of placebo hype? *Scientific Review of Mental Health Practice* 2, no. 1.

Gutting, G. 1989. *Michel Foucault's archeology of scientific reason.* Cambridge: Cambridge University Press.

Halberstam, J., and I. Livingston, eds. 1995. *Posthuman bodies.* Bloomington: Indiana University Press.

Hall, S. 1980. Encoding, decoding. In S. Hall et al., eds., *Culture, media, language,* 128–39. London: Routledge.

————. 1992. Cultural studies and its theoretical legacies. In L. Grossberg, C. Nelson, and P. Treichler, eds., *Cultural studies,* 277–95. New York: Routledge.

Haraway, D. 1981. In the beginning was the word: The genesis of biological theory. *Signs* 6:469–81.

————. 1991. *Simians, cyborgs, and women: The reinvention of nature.* New York: Routledge.

————. 1997. *Modest_Witness@Second_Millennium.FemaleMan©_Meets_Onco-Mouse™: Feminism and technoscience.* New York: Routledge.

Harding, S. 1986. *The science question in feminism.* Ithaca: Cornell University Press.

————. 1991. *Whose science? Whose knowledge? Thinking from women's lives.* Ithaca: Cornell University Press.

————. 1993. Rethinking standpoint epistemology: What is strong objectivity? In Alcoff and Porter 1993, 49–83.

————, ed. 2004. *The feminist standpoint theory reader.* New York: Routledge.

Hausman, B. 1995. *Changing sex: Transsexualism, technology, and the idea of gender.* Durham: Duke University Press.

————. 2003. *Mother's milk: Breastfeeding controversies in American culture.* New York: Routledge.

Healy, D. 1997. *The anti-depressant era.* Cambridge: Harvard University Press.

————. 2004. *Let them eat Prozac: The unhealthy relationship between the pharmaceutical industry and depression.* New York: NYU Press.

Hekman, S. 2004. Truth and method: Feminist standpoint theory revisited. In Harding 2004, 225–41.

Hess, D. 1997. *Science studies: An advanced introduction.* New York: New York University Press.

Hiley, D., J. Boham, and R. Shusterman. 1991. *The interpretive turn: Philosophy, science, and culture.* Ithaca: Cornell University Press.

Hoopes, J. ed. 1991. *Peirce on signs: Writings on semiotics by Charles Sanders Peirce.* Chapel Hill: University of North Carolina Press.

Houts, A. 2002. Discovery, invention, and the expansion of the modern *Diagnostic and Statistical Manuals of Mental Disorders.* In Beutler and Malik 2002, 17–69.

Hyman, S., G. Arana, and J. Rosenbaum. 1995. *Handbook of psychiatric drug therapy.* 3d ed. Boston: Little, Brown.

IMS Health. 2000. IMS Health reports U.S. pharmaceutical promotional spending reached record $13.9 billion in 1999. http://www.imshealth.com (accessed 7/23/2004).

James, W. 1992. Pragmatism. In D. Olin, ed., *William James' pragmatism in focus,* 13–142. London: Routledge.

Jamison, K. R. 1993. *Touched with fire: Manic-depressive illness and the artistic temperament.* New York: Free Press.

Johnstone, L. 2000. *Users and abusers of psychiatry: A critical look at psychiatric practice.* London: Routledge.

Kanfer, F., and G. Saslow. 1965. Behavioral diagnosis. *Archives of General Psychiatry* 12:529–38.

Kant, I. 1995. What is enlightenment? In I. Kramnick, ed., *The portable Enlightenment reader,* 1–7. New York: Penguin.

Keller, E. F., and H. Longino, eds. 1996. *Feminism and science.* Oxford: Oxford University Press.

Kellner, D. 1995. *Media culture: Cultural studies, identity, and politics between the modern and the postmodern.* New York: Routledge.

Kirk, S., and H. Kutchins. 1992. *The selling of* DSM: *The rhetoric of science in psychiatry.* New York: Aldine de Gruyter.

Kirkup, G., et al., eds. 2000. *The gendered cyborg.* London: Routledge.

Kirsch, I., and G. Sapirstein. 1998. Listening to Prozac but hearing placebo: A meta-analysis of antidepressant medications. *Prevention and Treatment* 1, no. 2a. http://journals.apa.org/prevention/pre0010002a.html (accessed 7/23/2004).

Kirsch, I., et al. 2002. The emperor's new drugs: An analysis of antidepressant medication data submitted to the U.S. Food and Drug Administration. *Prevention and Treatment* 5, no. 23. http://journals.apa.org/prevention/volume5/pre0050023a.html (accessed 7/23/2004).

Kitcher, P. 2001. *Science, truth and democracy.* Oxford: Oxford University Press.

Klein, D. 1998. Listening to meta-analysis but hearing bias. *Prevention and Treatment* 1, no. 6c. http://journals.apa.org/prevention/pre0010006c.html (accessed 7/23/2004).

Kleinman, A. 1988. *Rethinking psychiatry: From cultural category to personal experience.* New York: Free Press.

Klerman, G. 1978. The evolution of a scientific nosology. In J. C. Shershow, ed., *Schizophrenia: Science and practice,* 99–121. Cambridge: Harvard University Press.

———. 1984. The advantages of *DSM-III. American Journal of Psychiatry,* no. 4, 141:539–42.

Koertge, N., ed. 1998. *A house built on sand: Exposing postmodernist myths about science.* Oxford: Oxford University Press.

Kramer, P. 1993. *Listening to Prozac.* New York: Penguin.

———. 1997. *Listening to Prozac.* 2d ed. New York: Penguin.

Krauss, A. 1983. *Vincent Van Gogh: Studies in the social aspects of his work.* Atlantic Highlands: Humanities Press International.

Kreiswirth, M., and M. Cheetham, eds. 1990. *Theory between the disciplines: Authority/vision/politics.* Ann Arbor: University of Michigan Press.

Kupfer, D., M. First, and D. Regier, eds. 2002. *A research agenda for* DSM-V. Washington. D.C.: American Psychiatric Association Press.

Kutchins, H., and S. Kirk. 1997. *Making us crazy:* DSM: *The psychiatric bible and the creation of mental disorders.* New York: Free Press.

Labinger, J., and H. Collins, eds. 2001. *The one culture: A conversation about science.* Chicago: University of Chicago Press.

Lacan, J. 1977. *Ecrits: A selection.* Trans. A. Sheridan. New York: W. W. Norton.

———. 1981. *The four fundamental concepts of psycho-analysis.* Trans. A. Sheridan. New York: W. W. Norton.

Laclau, E., and C. Mouffe. 1985. *Hegemony and socialist strategy: Towards a radical democratic politics.* London: Verso.

———. 1990. "Post-Marxism without apologies." In E. Laclau, *New reflections of the revolutions of our time.* London: Verso.

Laing, R. D. 1965. *The divided self.* London: Penguin.

Latour, B. 1987. *Science in action: How to follow scientists and engineers through society.* Cambridge: Harvard University Press.

Leary, W. 1997. The Whole Body Catalogue: Replacement parts to mix and match. *New York Times,* July 8.

Leitch, V. 2003. *Theory matters.* New York: Routledge.

———, gen. ed. 2001. *The Norton anthology of theory and criticism.* New York: Routledge.

Levine, B. 2001. *Common sense rebellion: Debunking psychiatry, confronting society.* New York: Continuum.

Lewis, B. 1994. Psychotherapy, neuroscience, and philosophy of mind. *American Journal of Psychotherapy* 48, no. 1: 85–93.

———. 1998. Reading cultural studies of medicine. *Journal of Medical Humanities* 19, no. 1: 11–25.

Lingua Franca, ed. 2000. *The Sokal hoax: The sham that shook the academy.* Lincoln: University of Nebraska Press.

Longino, H. 1993. Subjects, power, and knowledge: Descriptions and prescriptions in feminist philosophies of science. In Alcoff and Potter 1993, 101–20.

Lucaites, J., C. Condit, and S. Caudill, eds. 1999. *Contemporary rhetorical theory.* New York: Guilford Press.

Luhrmann, T. M. 2000. *Of two minds: An anthropologist looks at American psychiatry.* New York: Vintage Books.

Lyotard, J.-F. 1984. *The postmodern condition: A report on knowledge.* Trans. G. Bennington and B. Massumi. Minneapolis: University of Minnesota Press.

———. 1985. *Just gaming.* Trans. W. Godzich. Minneapolis: University of Minnesota Press.

———. 1988. *The differend.* Trans. G. VanDerAbbeele. Minneapolis: University of Minnesota Press.

Malik, M., and L. Beutler. 2002. The emergence of dissatisfaction with *DSM.* In Beutler and Malik 2002, 3–17.

Margolis, J. 1994. Taxonomic puzzles. In J. Sadler, O. Wiggins, and M. Schwartz, eds., *Philosophical perspectives on psychiatric diagnostic classification,* 104–28. Baltimore: Johns Hopkins University Press.

Marshal, E. 2004. Antidepressants and children: Buried data can be hazardous to a company's health. *Science* 304:1576–77.

Martinez, R. 2002. Narrative understanding and methods in psychiatry and behavioral health. In. R. Charon and M. Montello, eds., *Stories matter: The role of narrative in medical ethics,* 126–37. New York: Routledge.

Mauro, J. 1994. And Prozac for all. *Psychology Today,* July–August, 44–52.

Maxmen, G. 1985. *The new psychiatry.* New York: New American Library.

Meissner, W. W. 1997. *Vincent's religion: The search for meaning.* New York: Peter Lang.

Metzl, J. 2003a. *Prozac on the couch: Prescribing gender in the era of wonder drugs.* Durham: Duke University Press.

———. 2003b. Selling sanity through gender: The psychodynamics of psychotropic advertising. *Journal of Medical Humanities* 24, nos. 1–2: 79–105.

Miller, J. H. 1987. Presidential address, 1986. The triumph of theory, the resistance to reading, and the question of the material base. *PMLA* 102:281–91.

Miller, P., and N. Rose. 1986. *The power of psychiatry.* Cambridge: Polity Press.

Miller, T., and C. Leger. 2003. A very childish moral panic. *Journal of Medical Humanities* 24, nos. 1–2: 9–35.

Mirowsky, J., and C. Ross. 2003. *Social causes of psychological distress.* New York: Aldine de Gruyter.

Montagne, M. 2001. Mass media representations as drug information for patients: The Prozac phenomenon. *Substance Use and Misuse* 36, nos. 9–10: 1261–74.

———. 2002. Patient drug information from mass media sources. *Psychiatric Times* 19, no. 5. http://www.psychiatrictimes.com/massmedia.html (accessed 7/23/04).

Morris, D. 1998. *Illness and culture: In the postmodern age.* Berkeley: University of California Press.

Morrison, L. 2005. *Talking back to psychiatry: The consumer/survivor/ex-patient movement.* New York: Routledge.

Mouffe, C. 1993. *The return of the political.* London: Verso.

Nathan, P. E. 1998. The *DSM-IV* and its antecedents: Enhancing syndromal diagnosis. In J. W. Barron, ed., *Making diagnosis meaningful: Enhancing evaluation and treatment of psychological disorders,* 3–27. Washington, D.C.: American Psychiatric Association Press.

National Alliance for the Mentally Ill. 1999a. *Understanding major depression: What you need to know about this medical illness* [Brochure]. Arlington, VA: NAML.

Nelson, J., A. Megill, and D. McCloskey, eds. 1987. *The rhetoric of the human sciences: Language and argument in scholarship and public affairs.* Madison: University of Wisconsin Press.

Nelson, J., and H. Nelson. 1999. Justice in the allocation of healthcare: A feminist account. In J. Nelson and H. Nelson, eds., *Meaning and medicine: A reader in the philosophy of healthcare,* 289–302. New York: Routledge.

Nelson, L. 1993. Epistemological communities. In Alcoff and Potter 1993, 121–60.

Norden, M. 1995. *Beyond Prozac: Antidotes for modern times.* New York: Regan Books.

Norris, C. 1997. *Against relativism: Philosophy of science, deconstruction and critical theory.* Oxford: Blackwell.

Nouwen, H. J. 1989. Foreword. In C. Edwards, *Van Gogh and God: A creative spiritual quest,* ix–xi. Chicago: Loyola University Press.

Novick, P. 1988. *That noble dream.* Cambridge: Cambridge University Press.

Oliver, M. 1990. *The politics of disablement: A sociological approach.* New York: St. Martin's Press.

———. 1996. *Understanding disability: From theory to practice.* London: Macmillan.

Orr, J. 2000. The ecstasy of miscommunication: Cyberpsychiatry and mental disease. In R. Reid and S. Traweek, eds., *Doing science + culture,* 151–76. New York: Routledge.

Papolos, D., and J. Papolos. 1997. *Overcoming depression: The definitive resource for patients and families who live with depression and manic-depression.* New York: HarperPerennial.

Parens, E., ed. 1998. *Enhancing human traits: Ethical and legal implications.* Washington, D.C.: Georgetown University Press.

Parsons, K., ed. 2003. *The science wars: Debating scientific knowledge and technology.* Amherst: Prometheus Books.

Peirce, C. 1955. Logic as semiotic: The theory of signs. In J. Buchler, ed., *Philosophical writings of Peirce,* 98–119. New York: Dover Publications.

———. 1982a. The fixation of belief. In Thayer 1982, 61–78.

———. 1982b. How to make our ideas clear. In Thayer 1982, 79–100.

———. 1991a. Lectures on pragmatism. In Hoopes 1991, 241–46.

———. 1991b. Questions concerning certain faculties of man. In Hoopes 1991, 34–53.

Pelligrino, E. 1979. *Humanism and the physician.* Knoxville: University of Tennessee Press.

Petersen, M. What's black and white and sells medicine? 2000. *New York Times,* August 27.

Pickering, A. 1993. The mangle of practice: Agency and emergence in the sociology of science. *American Journal of Sociology* 99, no. 3: 559–89.

———. 1995. *The mangle of practice: Time, agency, and science.* Chicago: University of Chicago Press.

———, ed. 1992. *Science as practice and culture.* Chicago: University of Chicago Press.

Polkinghorne, D. 1983. *Methodology for the human sciences: Systems of inquiry.* Albany: State University of New York Press.

President's Council on Bioethics. 2003. *Beyond therapy: Biotechnology and the pursuit of biohappiness.* Washington, D.C.

Price, J., and M. Schildrick. 1999. *Feminist theory and the body.* New York: Routledge.

Putnam, H. 1975. *Mathematics, matter, and method.* Cambridge: Cambridge University Press.

Quitkin, F., et al. 2000. Validity of clinical trials of antidepressants. *American Journal of Psychiatry* 157, no. 3:327–37.

Rabinow, P., ed. 1984. *The Foucault reader.* New York: Pantheon Books.

Readings, B. 1991. *Introducing Lyotard: Art and politics.* London: Routledge.

Rifkin, J. 1998. *The biotech century: Harnessing the gene and remaking the world.* New York: Putnam.

Rorty, R. 1982. *The consequences of pragmatism.* Minneapolis: University of Minnesota Press.

Rose, N. 2003. Neurochemical selves. *Society*, November–December, 46–59.

Rosenau, P. 1992. *Post-modernism and the social sciences*. Princeton: Princeton University Press.

Ross, A. 1996a. Cultural studies and the challenge of science. In C. Nelson and D. P. Gaonkar, eds., *Disciplinarity and dissent in cultural studies*, 171–85. New York: Routledge.

———, ed. 1996b. *Science wars*. Durham: Duke University Press.

Rothstein, A., ed. 1985. *Models of the mind*. New York: International Universities Press.

Rouse, J. 1987. *Knowledge and power: Toward a political philosophy of science*. Ithaca: Cornell University Press.

———. 1996. *Engaging science: How to understand its practices philosophically*. Ithaca: Cornell University Press.

———. 2004. Feminism and social construction of scientific knowledge. In Harding 2004, 353–74.

Said, E. 1978. *Orientalism*. New York: Vintage Books.

Satel, S. 2000. *PC, M.D.: How political correctness is corrupting medicine*. New York: Perseus Books.

Saussure, F. 1972. *Course in general linguistics*. Trans. R. Harris. La Salle: Open Court.

Schacht, T. 1985. *DSM-III* and the politics of truth. *American Psychologist* 40, no. 5: 513–21.

Sclove, R. 1995. *Democracy and technology*. New York: Guilford Press.

Seigler, M., and H. Osmand. 1985. *Models of madness, models of medicine*. New York: Macmillan.

Shagass, C. 1975. The medical model in psychiatry. *Comprehensive Psychiatry* 16, no. 5: 405–13.

Shorter, E. 1997. *A history of psychiatry: From the era of the asylum to the age of Prozac*. New York: John Wiley and Sons.

Silverman, E. 1997. Depression drugs lead prescription sales list. Knight Ridder/*Tribune Business News*, February 16.

Slater, L. (1998). *Prozac diary*. New York: Random House.

Smith, A. M. 1998. *Laclau and Mouffe: The radical democratic imaginary*. London: Routledge.

Sokal, A., and J. Bricmont. 1998. *Intellectual impostures*. London: Profile Books.

Starfield, B. 2000. Is U.S. health really the best in the world? *Journal of the American Medical Association* 284, no. 4: 483–85.

Stoppard, J. 2000. *Understanding depression: Feminist social constructionist approaches*. London: Routledge.

Szasz, T. 1975. *The myth of mental illness*. New York: Harper and Row.

Taylor, C. 1977. Interpretation and the sciences of man. In F. Dallmayr and T. McCarthey, eds., *Understanding and social inquiry*, 101–32. Notre Dame: University of Notre Dame Press.

———. 1980. Understanding in human science. *Review of Metaphysics* 34:25–38.

Thayer, H. S., ed. 1982. *Pragmatism: The classical writings*. Indianapolis: Hackett Publishing.

Timimi, S. 2002. *Pathological child psychiatry and the medicalization of childhood.* Hove, U.K.: Brunner-Routledge.

———. 2004. ADHD is best understood as a cultural construct. *British Journal of Psychiatry* 184, no. 1: 8–9.

Torrey, E. F. 1995. *Washington Post Magazine,* April 16.

Traweek, S. 1993. An introduction to the cultural and social studies of sciences and technologies. *Culture, Medicine, and Psychiatry* 17:3–25.

———. 1996. Unity, dyads, triads, quads, and complexity: Cultural choreographies of science. In A. Ross, ed., *Science wars,* 139–50. Durham: Duke University Press.

Treichler, P. 1988. AIDS, homophobia, and biomedical discourse. In D. Crimp, ed., *AIDS: Cultural analysis/cultural activism,* 31–70. Cambridge: MIT Press.

———. 1999. *How to have theory in an epidemic: Cultural chronicles of AIDS.* Durham: Duke University Press.

Tyrer, P., and D. Steinberg. 1998. *Models of mental disorder: Conceptual models in psychiatry.* 3d ed. Chilchester: John Wiley and Sons.

Ussher, J. 1992. *Women's madness: Misogyny or mental illness.* Amherst: University of Massachusetts Press.

Vedantam, S. 2002. Against depression, a sugar pill is hard to beat. *Washington Post,* May 2. http://www.washingtonpost.com (accessed 7/23/2004).

Waldby, C. 1996. *AIDS and the body politic: Biomedicine and sexual difference.* New York: Routledge.

Weckowicz, T. 1984. *Models of mental illness.* Springfield, Ill.: Charles Thomas Publisher.

Weil, A. 1995. *Spontaneous healing.* New York: Fawcett Columbine.

Whitaker, R. 2000. *Mad in America: Bad science, bad medicine, and the enduring mistreatment of the mentally ill.* Cambridge: Perseus Books.

Wittgenstein, L. 1958. *Philosophical investigations.* Trans. G. E. M. Anscombe. 3d ed. New York: MacMillan.

Wurtzel, E. 1994. *Prozac nation: Young and depressed in America.* Boston: Houghton Mifflin.

Wyatt, R. 1985. Science and psychiatry. In H. Kaplan and B. Sadock, eds., *Comprehensive textbook of psychiatry/IV,* 2016–28. Baltimore: Williams and Wilkins.

Zizek, S. 1989. *The sublime object of ideology.* London: Verso.

Index